复旦大学 211 工程语言学重点学科基金资助项目

谨以此书
献给复旦大学百年校庆
(1905—2005)

祝克懿　著

语言学视野中的"样板戏"

河南大学出版社

图书在版编目(CIP)数据

语言学视野中的"样板戏"/祝克懿著. —开封:河南大学出版社,2004.12
(文艺风云书系)
ISBN 7-81091-298-4

Ⅰ.语… Ⅱ.祝… Ⅲ.革命现代京剧-文学语言-文学研究-中国 Ⅳ.I207.32

中国版本图书馆 CIP 数据核字(2004)第 133754 号

出 版 人	王刘纯
责任编辑	袁喜生
责任校对	冯爱莲
责任印制	苗 卉
装帧设计	张 胜

出　版	河南大学出版社
	地址:河南省开封市明伦街 85 号　邮编:475001
	电话:0378—2864669(行管部)　0378—2825001(营销部)
	网址:http://www.hupress.com　E-mail:bangong@hupress.com
经　销	河南省新华书店
排　版	河南大学出版社印务公司
印　刷	河南省瑞光印务股份有限公司
版　次	2004 年 12 月第 1 版　　印　次　2004 年 12 月第 1 次印刷
开　本	650mm×960mm　1/16　　印　张　25.25
字　数	364 千字　　　　　　　　印　数　1—3000 册

ISBN 7-81091-298-4/I·231　　定　价　38.00 元

(本书如有印装质量问题请与河南大学出版社营销部联系调换)

目　录

序一 …………………………………………………… 李熙宗（1）
序二 …………………………………………………… 陈思和（1）

引论 ……………………………………………………………（1）
　　第一节　论题的价值和意义 ………………………………（1）
　　第二节　论题的研究思路和研究方法 ……………………（5）

第一章　"适者生存"法则观照下的中国戏曲 ………………（1）
　　第一节　中国传统戏曲的形成 ……………………………（3）
　　第二节　中国京剧的形成 …………………………………（5）
　　第三节　"样板戏"的形成 …………………………………（8）

第二章　"样板戏"话语生成的语境 …………………………（15）
　　第一节　胡适、鲁迅、毛泽东对现代汉语的影响力 ……（18）
　　第二节　毛泽东语言对"样板戏"文本的示范作用 ……（27）
　　第三节　文学创作的引导作用 ……………………………（35）
　　第四节　"文革"文艺批评的钳制作用 ……………………（43）
　　第五节　"文革"语言的思维特征 …………………………（46）

第三章　"样板戏"的音乐体制 ………………………………（54）
　　第一节　传统戏曲音乐的声腔体系 ………………………（55）
　　第二节　"样板戏"音乐的声腔体系 ………………………（66）

第三节　"样板戏"音乐的板式体系……………………（77）
　　第四节　"样板戏"音乐的伴奏体系……………………（79）
第四章　"样板戏"的语言体制…………………………………（81）
　　第一节　"样板戏"的声韵调体系………………………（81）
　　第二节　飞扬不还的音韵…………………………………（83）
　　第三节　雅丽不兴的词语…………………………………（99）
　　第四节　板正不奇的语法…………………………………（114）
　　第五节　雕镂未足体的修辞………………………………（142）
第五章　"样板戏"话语诗化的语言特征………………………（163）
　　第一节　借景抒情…………………………………………（164）
　　第二节　借事抒情…………………………………………（168）
　　第三节　托物比兴…………………………………………（173）
第六章　"样板戏"话语既俗且雅的语言特征…………………（178）
　　第一节　直说明言…………………………………………（180）
　　第二节　切合声口…………………………………………（185）
第七章　"样板戏"话语的表现风格特征………………………（191）
　　第一节　雄浑豪迈的表现风格特征………………………（191）
　　第二节　壮丽庄穆的表现风格特征………………………（202）
　　第三节　繁富丰厚的表现风格特征………………………（213）
　　第四节　奇崛独特的表现风格特征………………………（228）
第八章　"样板戏"话语的个体风格特征………………………（254）
第九章　"样板戏"话语对传统戏曲话语的偏离………………（260）
　　第一节　中西戏剧中的抒情性……………………………（261）
　　第二节　两极分化的阶级爱憎话语………………………（265）
　　第三节　僵化雷同的模式话语……………………………（287）
　　第四节　交叉渗透的政论话语……………………………（306）
第十章　"样板戏"话语的时代风格特征………………………（317）
　　第一节　以"颂扬"话语为核心话语的时代风格特征……（321）
　　第二节　以"斗争"话语为核心话语的时代风格特征……（330）
第十一章　"样板戏"话语语言风格形成的社会历史原因……（338）

第一节　民族文化心态的变异⋯⋯⋯⋯⋯⋯⋯⋯⋯⋯（338）
　第二节　毛泽东文艺观的宏观导引⋯⋯⋯⋯⋯⋯⋯⋯（341）
　第三节　江青的种种干预⋯⋯⋯⋯⋯⋯⋯⋯⋯⋯⋯⋯（350）

结语⋯⋯⋯⋯⋯⋯⋯⋯⋯⋯⋯⋯⋯⋯⋯⋯⋯⋯⋯⋯⋯（357）
　第一节　理性目光中的"样板戏"⋯⋯⋯⋯⋯⋯⋯⋯⋯（357）
　第二节　毛泽东思想的影响力⋯⋯⋯⋯⋯⋯⋯⋯⋯⋯（359）
　第三节　语言学视野中的"样板戏"⋯⋯⋯⋯⋯⋯⋯⋯（361）
　第四节　余论⋯⋯⋯⋯⋯⋯⋯⋯⋯⋯⋯⋯⋯⋯⋯⋯⋯（363）

征引文献⋯⋯⋯⋯⋯⋯⋯⋯⋯⋯⋯⋯⋯⋯⋯⋯⋯⋯⋯（366）

后记⋯⋯⋯⋯⋯⋯⋯⋯⋯⋯⋯⋯⋯⋯⋯⋯⋯⋯⋯⋯⋯（375）

序 一

李熙宗

得知祝克懿的《语言学视野中的"样板戏"》即将由河南大学出版社作为"文艺风云书系"中的一种出版,颇为高兴。这不仅因为作者的这部由"话题敏感"而已"搁置"多年的书稿终于能够问世了,而更为重要的是由此让人感受到了一种令人欣慰的气息,这就是随着改革的不断深化,"因其艰巨性和复杂性,是个坐冷板凳的研究项目"的"文革文学"①也已开始被放在了一个应有的位置上而能被学界所审视和重视。作者送来了书稿,嘱为之序。作为曾经的导师,对该书稿的内容和整个撰著过程中作者的种种艰辛我是清楚的,因而似乎也确有些话可说。

《语言学视野中的"样板戏"》是作者在其博士论文的基础上修改增订而成的。书稿的实际写成是在2001年的年初,我虽不敢断言这是我国"文革文学"语言研究的第一部专著,但至少是这类研究中最早的专著之一;而在"文革文学"语言和文学的交叉结合研究上则是一部开先河之作。"文革文学"是一种产生于"文革"的特定政治、文化背景之上的文学艺术样式,"样板戏"是"文革文学"的重要组成部分。因着种种特殊的原因,它在"文革文学"中又具有一种特殊的地位,因此对"样板戏"的研究在"文革文学"研究中也就有了特殊的意义。从文学史的角度看,"文革文学"作为文学发展的一段特殊历史,

---

① 韩小蕙《"文革文学"研究已迫在眉睫》,《读书之旅》1998年10月22日。

在整个现代文学的发展中实际上起着上勾下连的作用,现代文学研究要有一个完整的面貌,"文革文学"的研究就是必不可少的。但实际上由于种种原因,如政治上的"忌避",当事者的阻力,年轻人的隔阂和冷漠,自"文革"结束至上世纪的 90 年代末,还是少人问津,以致在 90 年代末才有文学批评家发出了"'文革'时期的文学研究几乎还可以说是没有展开"的感叹,并指出"这种状况已引起文学界的深深忧虑"。[①] 对"文革文学"的研究,实际上是在之后随着改革开放的深入,当不少学者深感其重要性而在 90 年代末发出了研究"文革文学"的呼吁,希望能以辩证唯物主义的态度对待"文革文学",给"文革文学"以科学的评价成了不少学者的共识之后才开始起步的。本书的作者是上世纪 90 年代末的语言学博士生,正是出于对"文革文学"研究上"断层"现象的担忧,同时又深感文革"样板戏"在语言上有着种种值得研究的独特性,从而选择了将"文革文学"中的"样板戏"的语言风格问题作为博士论文的研究课题。这一研究虽说仅仅是对文革"样板戏"的并且只是从语言风格所进行的研究,但倘把其放在"文革文学"研究刚起步,在总体上还十分薄弱的整个大背景上来看,那么应该说是具有前沿性、开拓性的。实际上这类研究由于其艰巨性和复杂性,在当时做出这样的选择,不仅需要做好甘愿"坐冷板凳"的精神准备,而且确实也还是需要有一定的勇气的,因为就作者而言,实际上还面临着一个博士论文能否通过评审和答辩的现实问题。当然,随着改革开放的深入,现在这早已不成什么问题,而作者也以其勇于探索、敢于创新的精神,和认真、踏实、严谨的作风而完成了这一课题。现在书稿能正式面世,能为"文革文学"的进一步深入研究发挥其应有的作用,我想在为之高兴的同时,还应该大力倡导这种在科学研究上勇于探索和不畏艰险的精神。

至于《语言学视野中的"样板戏"》一书的本身,也是有着不少值得肯定的做法和明显的特点的。

第一,以唯物辩证法为指导,从语言形式切入,以语言事实为依

---

① 韩小蕙《"文革文学"研究已迫在眉睫》,《读书之旅》1998 年 10 月 22 日。

据来研究"样板戏",从而对其做出了客观、科学的评价,这是本书的独到之处,也是其主要的学术价值之所在。自上世纪90年代末"文革文学"的研究引起了学界的重视并开始起步,① 这种研究实际上是在不同角度不同层面上进行的。本书作者正是在这样的背景下选择了以语言运用,主要是以语言风格特点的描述为主线对文革"样板戏"进行研究这一课题的;所采取的是"从语言事实出发,让语言材料自身体现出来的结论说话"态度。应该说这样的角度和这种实事求是的态度对正确地得出结论,对科学地评价"样板戏"是颇为有利的。事实上,从整部书稿来看,作者确是较好地贯彻了这一想法,其审视的目光一直集中于语言形式特别是语言风格的本身,对其成败得失做出实事求是的分析、评判。而这种分析、评判又绝非简单化地对样板戏语言一概加以肯定或否定,而是区别不同情况进行分别论析。如,其中既有从"话语的审美价值"的角度出发对"样板戏"话语的肯定,也有对"负载政治理念"的话语的分析、批判和否定;既有对"样板戏"话语"雄浑豪迈"、"壮丽肃穆"、"繁富丰厚"、"奇崛独特"风格的肯定,同时又有对"豪放壮美有余,而柔婉优美不足"以及表现为对传统戏曲话语"偏离"的种种"僵化雷同的模式话语"的深刻批评。这类对"样板戏"话语的成和败的评论、剖析可说是贯穿于论著的全部。尤为难能可贵的是这种分析、评判和所下的结论,确实都是建立在充实的语言材料之上,做到了"让语言材料自身体现出来的结论来说话",务求言之有据。可以说,从整体上看,《语言学视野中的"样板戏"》对文革"样板戏"语言形式特别是整体语言风格特点的描写、解释和评价是准确、科学的,而透过语言问题所涉及的对"样板戏"的评论也是辩证和实事求是的。

第二,通过对"样板戏"话语的多角度的剖析,还了"样板戏"的历史真实面貌。《语言学视野中的"样板戏"》对文革"样板戏"所进行的研究是一种多侧面、多角度的研究,并且这种研究是在历史唯物主义

---

① 参见韩小蕙《"文革文学"研究已迫在眉睫》,《读书之旅》1998年10月22日。

的指导下,注意将研究对象和思考的立场置于特定的时代背景和相关的历史、文化条件中来进行的。论著通过考察历史上后起的某些戏剧样式对之前戏剧的传承或取代的史实,从而为"样板戏"的以现代戏面目的出现提供了理据性的解释;对"样板戏"话语赖以生成的特定话语环境的深入探析更是对"样板戏"形成的社会、思想基础做了深刻的揭示;而对作为戏剧样式有机组成的曲牌体和板腔体结构体式的探讨则是种铺垫,目的是为了证明"样板戏"在结构体式上的继承和创新。如果说上述的这些探讨论述还只是语言风格研究的外围准备的话,那么,对"样板戏"的语言运用及其风格特点的不同角度的全方位的描写、论析则是"样板戏"语言研究的主体部分,而这一部分的研究也同样是多角度、多侧面的:其中有对"样板戏"话语运用的总体原则的揭示,这就是政治标准第一,艺术标准第二,形式完全服从于内容的需要;又有对"样板戏"各种表现风格的描写和评论。其中既对"样板戏"的"雄浑豪放"、"壮丽肃穆"、"繁富丰厚"、"奇崛独特"的话语风格做了描写和肯定,同时又对其过度强化铿锵有力、雄浑豪放风格而违背和破坏了音律的和谐多样美的弊病提出了批评。既对"样板戏"在词语选择、辞式运用上的某些创新之处予以好评,同时又对由思想和语境的制约而造成的用词、择句、辞式上的缺少创新提出了批评。论著还在对"样板戏"话语"偏离"正常人性的情感缺陷的话语讨论的基础上分离出了其中的一种负载"政治理念的话语",并对其实质和危害进行了系统而深入的分析,这种区分和批评是敏锐、富有新意而深刻的。《语言学视野中的"样板戏"》一书正是通过上述各种不同角度、不同侧面的论析,使"样板戏"以其真实的历史面貌显现在我们的面前。而书中有关文革"'样板戏'是打上时代烙印,负载了政治理念的现代戏,但也是具有革命理想主义、英雄主义精神和一定审美品质的现代戏"的结论也因此而显得立论有据,言之可信。

第三,对文革"样板戏"的基本语言风格特征做了准确、细致的描述,从而填补了该领域研究上的空白。在《语言学视野中的"样板戏"》之前,在我国语言风格研究的历史上,文革"样板戏"语言风格的研究还是一个空白。本书作者在对全部文革"样板戏"所作的穷尽性统计和分析、综合的基础上,建立起了一个有关"样板戏"话语语言风格的研究系统。在这个话语语言风格研究系统中,既包含有"样板戏"话语的各类表现风格,也有"样板戏"所体现的话语的特定的时代风格;既有对表现在"样板戏"话语中的不同语体的交叉渗透的语体风格现象的关注,又有对因政论语体过度渗透所造成的不良语言风格问题的剖析;既有对"样板戏"的整体风格的宏观研究,也有对风格构成要素运用上成败好坏论析的微观研讨,等等。值得注意的是,论著在描写揭示"样板戏"的整个话语风格体系的同时,还对其做了深入的解释,从而使得对文革"样板戏"话语的风格体系的把握,成为一种建立在认知基础上的深刻的把握。由于对"样板戏"话语语言风格的研究实际上是一种跨越语言和文学的交叉性研究,因此这一研究在实际上不仅填补了"样板戏"话语语言风格研究的空白,同时也成了"样板戏"乃至"文革文学"文学语言研究的先声。

除上所说而外,值得注意的是,"样板戏"话语的语言风格的研究和《语言学视野中的"样板戏"》的出版,还有着其他一些意义。

首先,这一研究不仅为文革"样板戏",同时也进一步为整个"文革文学"的研究,提供了便利和帮助。虽然《语言学视野中的"样板戏"》仅是从语言运用和所具的风格特点切入对文革"样板戏"进行研究的,但正如辩证唯物主义所告诉我们的那样,任何事物都是内容和形式辩证的统一。没有无形式的内容,也没有无内容的形式。内容决定形式,形式依赖于内容,并随着内容的发展而改变。但形式又反作用于内容,影响内容。实际上,"样板戏"的语言表现形式的形成离不开其所表现的思想内容,而"样板戏"所表现的思想内容又必须通过其语言形式才能体现出来。正由于内容形式上的这种辩证关系,使得对"样板戏"的语言形式的研究除了本身所具的意义之外,又可延伸开去,为更加全面、辩证地看待"样板戏"并最终对整个"文革文学"的研究提供了一种可靠的语言运用的亦即是物质性的依据,有助于对其做出科学的评价。

其次,为语言学和文学的交叉研究进行了探索,提供了有益的经验。

　　《语言学视野中的"样板戏"》从事的研究是一种探索性的研究，目前还没有比较成熟的研究成果可供借鉴与参考；并且这一研究在整体上看，其难度是较大的，它要求作者不仅必须有着深厚的语言学的基础和积累，同时又必须具有除语言学知识之外的对作为戏曲样式结构体式的其他各种构成要素的理解和把握。正因为如此，所以本书也和大多数探索性研究成果一样，难免会存在一些不足。这里须要指出的是，全书整体布局还不够匀称，个别章节还有进一步充实、完善的余地。体现着探索精神的论著终于面世了，这固然值得高兴；但对一个探索者来说，这应该又是新的探索和更为切实的努力并取得更大成果的出发点，这是我所希望于作者的。

　　是为序。

2004 年 12 月 16 日于复旦

序 二

陈思和

　　祝克懿博士的学位论文是用修辞学的理论研究"文革"时期的京剧"样板戏"。这是一个很好的选题，但也是一个有很大难度的选题。因为众所周知的原因，关于20世纪中国那一个历史时期的种种研究，现在多少还是一个禁区。我所指的禁区还不仅仅是客观上的种种限制，更主要的是，研究者主体的探索精神也多少受到了限制。尤其是对博士论文的规范以及所需要走过的完成答辩程序而言，要在这样一种形式下做完这个课题的研究，是一个大的挑战。

　　但我认为这是一个很有意义的课题。对于像"样板戏"这样的文学事件（我把它称为一个文学事件，是因为它是特定历史环境下的政治路线、政治动机以及权利斗争的产物，伴随着"样板戏"形成发展过程的是一系列骇人听闻的政治迫害事件。但我在本文中不涉及这个命题），我们今天对于它的研究还不能正常地展开，还需要从它的边缘地带进行迂回的切入，寻找到研究这个特定历史时代的政治文化产品的途径。而祝克懿从"话语"的角度切入剖析其与时代的各种关系，以及正面剖析它的文本，不失为一种可行的、也是有学术价值的探索。

　　我曾经多次公开宣布，我是不赞成"红色经典"这个提法的。因为这个概念不科学。什么是"经典"？过去我们习惯说的"经"是经文，比如圣经、四书五经，它是一个民族文化中处于最核心地位的文献。"典"是典范，是从意境到文字都非常完美的文本。"经典"是被历史所证明的代表着整个人类文化传统的根本的一些文本，只有经过漫长时间的考验，千锤百炼，精益求精，才能够称为"经典"。在中国这样一个文化传统源远流长的国家，如果要找经典作品，只能是从上古时代流传下来的、经过时间考验的作品。而所谓的当代文学史发展到现在也不过五十多年，把一些曾经在特殊年代、特殊环境里的流行读物称为"红色经典"，这本身是对"经典"这个词的嘲讽和解构。有些被改编成电视剧的所谓"红色经典"，连几十年的时间考验也没有过。如果不是出于眼下商业炒作的动机，就被人们遗忘了。有些作品仅仅残留在上一世纪50年代成长起来的一部分读者的模糊记忆当中，在他们的脑子里还剩下那么一点模模糊糊的痕迹。而至于今天的青年中还有没有人真正出于兴趣在阅读或谈论，只要正视现实，就不难知道这个答案。

如果不是我们这个年纪的人（50岁上下）对自己已经失去的青春年华带有一种变态的自恋情结的话，这些作品大多都被遗忘而烟消云散了。从这个角度来说，我不认为有一个所谓"红色经典"存在于文学史上（如果一定要算，《国际歌》大概可以算是一部"红色经典"）。"红色经典"这个概念本来很模糊，令人生疑。尤其是当有人把"样板戏"也纳入"红色经典"的范畴时，更使我看出了这个概念的荒唐性——因为在逻辑上已经把"红色经典"的意义给颠覆掉了。严格说来，"样板戏"是中国极"左"文艺路线导致出现的产品，它强调政治宣传意识，强调政治功能和作用达到了破坏文艺规律的地步，政治上也是反映了"文革"时期极"左"路线的立场、观点和方法。这与马克思主义文艺观（比如马恩所强调的莎士比亚化而非席勒化、倾向性应该从具体情节里自然而然地体现出来等等）是根本上背道而驰的。对于这样的作品，我们在今天还要把它当成"红色经典"，特别是把它当成一种不可动摇、不可戏说的"圣经"一样的东西，我觉得是非常可笑非常荒唐的，这与我们今天时代的主导思想理论也是相违背的。但是，正因为这种有害的文艺创作的样板，把极"左"路线对文艺创作规律的戕害推向极致，它也暴露了近五十年来主流文学观念、文学思想以及文学创作方法上的种种弊病，所以作为另一种意义上的"样板",它还是值得研究的。研究是为了总结经验教训,更好地吸收古典文学、民间文学的传统营养,推动今天的文学创作。比如说,"样板戏"之所以能够在荒芜十年的文学废墟上经久不衰,除了政治权力的强制性以外,确实也有一定的艺术因素在起作用。在我看来,之所以艺术因素能够起作用,它正是来源于民间文化的隐秘存在——也就是我过去归纳的"隐形结构"的理论。京剧"样板戏"不能不采取传统民间戏曲的形式与某些艺术手段,这就为民间文化因素提供了生存条件。民间文化利用了大众喜闻乐见的艺术形式,稀释了主流意识形态在文本里一统独霸的局面。我们在看到历史上政治对民间戏曲改造的同时,也应该反过来看到民间意识形态对政治权力所采取的反改造。民间文化不仅仅体现为艺术手段,也体现了普通劳动人民的伦理观念和审美理想,它是文本对读者产生吸引力的主要因素。如我过去所指出的,《沙家浜》的隐形结构里有民间的三男一女的模式,这当然是属于民间文化的隐秘结构,不可能明白表达出来——如果表达出来,与政治意识形态的主题必然相撞。在语言层面上,民间传统的话语与政治暴力话语也是处于抵触冲撞之中,读者从"样板戏"中受到鼓舞并引起爱好的,多半是那些体现了民间机智的语言,而不是那些充满血腥暴力的恐怖语言。这就说明从某些层面上民间的力量消解了政治暴力话语给艺术带来的污染。像《沙家浜》中"军民鱼水情"、"智斗",像《红灯记》里"赴宴斗鸠山",像《智取威虎山》里杨子荣扮演土匪上山的几场戏里,都有许多是政治暴力所不能完全抹杀的民间因素在起作用,而这些作用也是在被一改再改、歪曲遮蔽的状况下勉强生存下来的——这不能被看作是"样板戏"的本来属性,而是民间固有的艺术因素在传统京剧样式中的顽强体现。"样板戏"是在江青等人不断批判所谓"把杨子荣演成匪气"、"李玉和偷酒喝"、"突出白区地下斗争"等恐怖政策下逐步被改造和被遮蔽的。而且在所谓"大写十三年"、"以阶级斗争为纲"而编出来的《海港》,通篇是拙劣的政治说教和歪曲生活真实的情节,而这才符合"样板"的原始意图。

  研究"样板戏"的话语,实际上是研究"文革"时期文本中两种话语力量的内在冲撞及其相胜相克的矛盾状态。同时也可以看到,即使在大夜弥天的黑暗年代里,民间的传统艺术力量仍然借用种种形式的存在,不自觉地抵制了政治暴力的淫威,起到了安抚人心的作用。我这里想说的还有"样板戏"的音乐唱腔。因为当时所谓的京剧革命是作为一种艺术上的国家政策而出台的,必然会吸引大多数京剧艺术家参与其间,为此贡献出他们长期艺术实践中积累起来的艺术经验。尽管江青一伙后来采取卸磨杀驴的毒辣手法掠夺了艺术家们的劳动成果,但这些被掠夺的成果仍然保留在"样板戏"里,发挥其强烈的艺术魅力。我在这里可以随便举一个例子。我的外祖父是一个准票友式的旧时代人物。他与大多数上海的市民一样,对于传统京剧相当着迷,能唱会说,而对于一切改变旧戏程式的尝试都深恶痛绝。我记得很清楚,《沙家浜》刚刚上演时,他观看后如同五雷轰顶,回家大骂青衣怎么可以穿着裤子在戏台上奔来跑去。但是在"文革"中"样板戏"最肆虐的时候,他却捧着无线电一遍又一遍地听《海港》里马洪亮的几段唱,如获至宝似的告诉别人,那里有"麒麟童"麒派的唱腔。而当时的周信芳却遭受奇耻大辱而被害身亡。我不能想像,"文革"中双目失明、痛苦弥留中的艺术表演大师听到电台里的"样板戏"竟杂糅了麒派唱腔会是一种什么滋味。难道这能算是"样板戏"的包容性和多样性吗?如果当时谁像我的外祖父那样公开说出这个事实,他必然会因为"破坏样板戏"的罪名而家破人亡。

我说出这些现象,无非是想说研究"样板戏"所面临的复杂性,文化专制时代的文化产品同样也会呈现出极为复杂的形态。我们要真正研究这一形态,就不能给它简单地贴标签,而是在正视它在当时的政治权力斗争中所起的坏作用,正视它与马克思主义文艺观和美学观的背道而驰的艺术效果,以及正视它以权力为背景的"歌颂革命",实质上是为极"左"路线服务的政治内容,同时,也正视它在艺术上的复杂形态,因为在它的艺术传统的形成过程中也包含了艺术传统和民间传统的隐秘因素。这些民间因素不是与政治暴力同流合污,而是在处于艺术的内在冲撞和斗争中被顽强地体现出来,一定程度上满足了人民群众对于民族精神的审美需要。

祝克懿博士的学位论文在当下所允许的条件下解剖"样板戏"的语言特点,从修辞的角度小心翼翼地接近了这个暧昧复杂的庞然怪物,并且在规范的理论形态下阐述它的两重性。祝克懿是一位政治素养和理论素养都相当优秀的博士,她选择这样一个选题作为学位论文,本来就表现了自己的学识和胆识。她所运用的分析手法和理论观点也都相当平和客观,有理有节。她为以后人们研究这个课题积累了宝贵的理论经验,垫下了一块基石。愿这块基石能够成为研究这个领域的一个台阶,鼓励更多的研究者在这条崎岖小路上努力攀登!

2004 年 12 月 11 日于黑水斋

引　论

第一节　论题的价值和意义

当时间即将为 20 世纪画上句号,人们站在世纪的巅峰上回顾这不同凡响的 20 世纪时,才发觉了"文革文学"亟待研究的紧迫性。"纪念毛泽东诞辰百年"、"中国百年思想文化史"、"20 世纪文学史"、"20 世纪艺术史"这些目光宏阔的课题,作为一个契机,将"文革文学"研究引入了研究者的视野。

(一) 论题的社会学价值和意义

"文革文学"它不是一种简单意义上的文学现象。它那厚重的历史感和浓重的政治色彩,妨碍着人们对它的透视分析。它的一度被冷落以及在 20 世纪八九十年代以来的被审视、关注,全都因为它以有史以来最高的程度、最广的面涉及了中国的政治、思想、历史、文化问题。它集中映射了百年中国激进的思想文化史,成为诸多学科梳理、总结 20 世纪学术史必须正视的问题。因此,对"文革文学"的研究,已经不仅仅是学理层面上的学术需求,它关涉到社会思想历史文化方面总结过去、瞻望未来的社会功用方面的需求。

由于负载着社会、时代的诸多复杂要素,"文革文学"研究也越来越引起诸多学科的关切和注目。但人们最初的探寻,既非全面,又流于肤浅。一方面是人们心有余悸,就像踏过雷区,需要小心翼翼和相当的勇气;一方面是人们需要理性思考时间的沉积和足够的学术积累。其后的研究,由于多门学科学者目光的共同投注,研究开始切入本质,逐渐深入。总体来看,面上的研究已经展开,专门课题的研究还是显得很薄弱,更多的研究往往作为一个方面,包容在政治学、历史学、社会学、文化学、心理学、文学艺术等研究课题中。"文革文学"的本体研究尚且如此,"文革文学"第一要素——语言的研究更是不成气候、零零星星。

"样板戏"是"文革文学"的一个有机组成部分,是"文革文学"研究中集中体现时代精神,代表十年"文革"文学艺术,牵动一个世纪思想文化史的典型课题。"样板戏"的形式载体——文学话语,更是给我们留下了聆听时代足音、考查历史变迁的见证。它既映射了"文革文学"最普遍意义上的时代共性,又有其独特、鲜明的个性;它既有文本形式的文学话语体制,又因作为戏曲品种,有着戏曲特有的音乐体制、语言体制、舞美体制、表演体制。作为曾经是人为的行政禁区和后来自觉不自觉的社会心理、学术心理禁区,这个课题又从未有人去全面深入地探讨、客观坦然地涉及。因此,我们选取"样板戏"文学话语这个涉及语言与文学、文学与艺术学科交叉的课题,在古今戏曲、中西戏剧的理论框架中系统地研究"样板戏"文学话语的语言特点体系及其体现的时代风格特征,揭示其戏曲话语语言风格形成的社会历史文化原因,显然有着弥补"文革文学"语言系统研究缺失的意义。

"样板戏"是一种极其独特的历史文化形态。它的起点是毛泽东提倡的革命现代戏。它的原始文本是现代戏热潮中涌现出来的优秀剧目,并且,在50年代末60年代初都已创演成型。"文化大革命"中,在复杂的历史文化背景下,它又被添加进政治写作、阶级写作、革命写作的成分,被推动着走向了"样板"化的历程。十年"文革",十度春秋,它占据了全民精神生活的领域,"学唱样板戏,争做革命人"成为八亿人民积极参与的活动。十年戏剧舞台,三百六十多个奇葩异彩的剧种,惟它一枝独秀。"文革"结束,命运逆转,它又随江青走上一损俱损的不归路。80年代末90年代初,出人意料地它又在海内外重新火暴,复排、上演,并以"红色经典"为宣传口号在大江南北巡回演出,"我家的表叔数不清"、"共产党员时刻听从党召唤"的唱段又唱遍神州。近年来,裹挟在方兴未艾的"红色经典"改编热中,与《苦菜花》、《林海雪原》、《铁道游击队》、《小兵张嘎》、《红日》、《红岩》、《红旗谱》等作品一起,成为艺坛改编、传媒热播的对象。

从"文革"到今天,"样板戏"的物态形式并没有发生任何变化,为什么它会大起大落,被全面肯定——全面否定——有条件地肯定,走着一条"之"字形的路?为什么它不像同样被贬为阴谋文艺的小说《虹南作战史》、《牛田洋》,遭到鄙弃后,就一锤定音,不再复出?为什么它不像当时同样红遍大江南北的小说《艳阳天》、《金光大道》,尽管当下作者作了种种辩解、种种宣传的努力和复出的准备,人们也不再发生兴趣?这种种现象的背后,肯定还有人们目前还未认识到的更为复杂、更为深层的原因。

为纪念毛泽东《在延安文艺座谈会上的讲话》发表62周年,2004年5月23日,中国文联、剧协、影协、视协邀集有关学者、艺术工作者在京座谈,反思近期以来大规模的"红色经典"改编热。6月8日的《文艺报》还用一个版面的篇幅刊登了"'红色经典'现象透视——江西评论家七人谈",七位学者撰文各陈己见。傅伯言在《对"红色经典"现象的思考》中说:"不管你处在哪个国度,有一个认识是共同的,那就是:一个数典忘祖的民族是必然沦丧的民族,一个没有英雄的民族是没有希望的民族。""对英雄的崇拜,对英雄主义的颂扬,也是文学创作永恒的主题。'红色经典'便是高扬革命英雄主义精神的生动载体。"周劭馨在《"红色经典"的红色魅力》中说:"'红色经典'磅礴着正气、大气,它的核心价值是英雄主义精神。它所包括的作品,题材不同,风格迥异,但都有一个共同的精神母题,即理想、信念和英雄主义。每部作品塑造的英雄人物性别不同,身份不同,经历不同,个性不同,但都有着共同的本质特征:开拓祖国美好前景的崇高理想,树立崇高理想的乐观信念,不畏艰险、不怕牺牲的奉献精神。"

无疑,"样板戏"是以其革命理想主义和英雄主义精神的颂扬主题获取了其生存的权利。从更高的层面看,"样板戏"顽强的生命力,应该是它以其罕见的集社会、政治、历史、文化特征为一身的独特性,在文学、语言、艺术领域,甚至政治、历史、文化领域留下了重重的一笔,使之成了诸多学科研究20世纪学术史无法回避的问题。当下学界已经有了这样的强烈呼吁:对于"文革文学"包括"样板戏"这样一种特殊的历史文化形态,客观准确地认识它、评价它,已经不存在必要不必要、应该不应该的问题,而是要关注研究时机的尽快确立、研究视角的正确选取、研究方法的科学性、研究结论的可靠性诸问题。因为客观存在的东西,否认不了,回避不了,面对它只是时间早晚的问题,其结果只是认识的深浅问题、研究成果的多少问题。宋剑华在他的《苦涩记忆中的'文革文学':文学史意义与审美价值的评估》中就大声呼吁:我们"真诚地希望我们的文学史家,能够以宏大的气魄、博大的胸怀和超越的眼光,把'文革文学'的研究推上健康科学的运行轨道。""否则,我们的后人将更加难以理解它的发生与存在,我们的学术良心也会永久地受到指责。"[①]无疑,正确地面对,总结其诸多鉴往而知今的有益启示和教训,才不失为唯物主义、辩证法提倡的科学态度和学术方法;积极地探讨"样板戏"全面肯定——全面否定——有条件地肯定的发展规律,认识它产生的复杂广阔的社会历史文化背景,相对分离出"样板戏"话语承载的艺术语言的信息功能和社会政治功能,显然具有相当的学术价值和理论命题意义。

(二) 论题的语言学价值和意义

当下文学界、艺术界已经陆续有人把"样板戏"话语的研究作为有社会意义、有学术研究价值的课题。纵观语言学界专门的研究,"文革"中,由官方出版的"样板戏"评论集和报刊的评论文章中,偶有涉及语言研究的文章。"文革"后由于牵涉到评价诸多最敏感且尚未达成共识的政治问题,所以少有人涉足这块领地。当然,零星的研究也散见于文学史、文艺学、戏剧文学、社会语言学等学科领域。鉴于这个论题语言学研究的现状,从语言学的角度,放弃一边倒的赞颂或置疑,肯定或否定,以客观辩证的学术眼光系统地来观照"样板戏"话语,运用语言风格学的理论和方法得出一些有说服力的结论,重新构

---

① 《理论与创作》,2004年第3期。

建"文革文学"语言的认知体系,于社会于学术都是极其有益的。再则,研究的成果可以为政治学、历史学、语言学、文学艺术等诸多学科研究"文革"、"文革文学"、"文革艺术"、"文革语言"等问题提供一些立论的依据,还可以促进人们对剧诗戏剧语言的审美欣赏能力的提高。

第二节 论题的研究思路和研究方法

(一) 论题的研究思路

对"样板戏"的批评,历来有着不同的价值评判体系。有人注重它的政治背景;有人绕开政治这个敏感的领域,单单讨论它的艺术性;有人或以古典戏曲中的精品作参照,或以现代京剧中的精品作比较,或以观众的评判和艺术感染力为依据,得出了完全不同的结论。批判的话语有:"样板戏"是"阴谋文学";是"复辟工具";是"政治传声筒";"毫无美感而言";"把革命现代京剧归入京剧的范畴,更是对京剧的一次歪曲";"'样板戏'同时否定了写意的京剧和写实的话剧"。肯定的话语如:《戏剧丛刊》1991年第2期《若干保留剧目的启示》一文所言:据统计,1月9日演出《红灯记》共鼓掌53次,"痛说革命家史"一场鼓掌10次,祖孙三代在《国际歌》声中英勇就义一场反应很强烈。被江青加以破坏"样板戏"罪名,受迫害最重的《红灯记》的编导阿甲和张庚等老一辈戏剧家,今天也都热情肯定这个戏。事实表明,观众接受的是剧中表达的爱国主义和革命英雄主义思想,喜爱思想性和艺术性达到较好统一的现代戏。

对"样板戏"的评价分析,我们力求以语言事实来说话,力求用具体语言材料显示出来的结论作为论说的证据。

"样板戏"为什么会在拥有多元化接受品格的当代社会形成一个群众性的消费热点?我们认为其根本原因是:"样板戏"它不是凭空产生的艺术品,它一方面与传统戏曲有着天然的、千丝万缕的传承关系,它一方面又最大限度地借鉴了西方戏剧中写实的现代表现形式,在相当程度上迎合了现代人的审美情趣,吻合了由历史因素自然积淀、现代因素积极吸收的群众消费心理。

　　作为一种正常的认知演进程序,我们最初解读"样板戏"文本时,脑海中一片浮光掠影,久久不得其要旨。带着社会政治文化先入为主的框定,没有期望在文本解读中会获取一种充沛、厚重、完美、牵动人内心最深处情愫的情感满足,但又本能地觉得它不应该被简单地肯定与否定。用批判的眼光反反复复流连于文字表述,试图得出一个接近客观真实的解释。对英雄人物那反映坚强的革命意志和崇高献身精神的真情告白和豪言壮语,有感动,也有少许疑问;对那些假话、大话、套话相当反感,但却找不到一个突破口去对"样板戏"做出客观的评价分析。已有的研究成果表明:学界对"样板戏"的评价经常趋于肯定、否定的两极,肯定的一方目光经常聚焦于"样板戏"的主题、题材、舞台表演、音乐体制、观众缘;否定的一方则更强调它曾作为篡党夺权的工具,为虎作伥,扼杀其他戏曲,独霸戏曲舞台的政治功能。可是大量的史料已经告诉我们:"样板戏"根本不是单纯意义上的戏曲形态,它贯穿了"文革"十年,往前可关联到20世纪初的时装戏,40年代延安时期的旧剧革命,五六十年代的戏剧改革;往后又影响到新时期的戏剧创新。21世纪的今天,它仍被作为革命理想教育和道德传统教育的内容,作为对当下"帝王戏"、"侦探剧"、"言情剧"等消费文化的一种反动,被改编、改写、重演。当然不可否认有些改编行为背后隐藏着一定的商业动机。"样板戏"的生成和发展向上关系至毛泽东和一大批高层领导,后期还直接受制于形成政治权力中心的"四人帮",向下关系到数以亿计的观众群。它是一个制导因素异常复杂、形成因素众多的综合体。主题和题材都是表现革命战争和社会主义建设的,无论过去或现在都是社会认可、政府支持的反映对象。语言是标准的现代汉语,不像以古白话为载体的传统京剧,因为区分尖团音,在吐字发音上观众还存在语音听辨理解的问题。所以我们即使在确定了以语言风格作为研究"样板戏"的切入点时,还不十分清楚什么样的研究才是辩证的,是能反映其客观真实面貌的,是能够准确剥离出其负载的政治理念的。从表现形式观之,与传统京剧相比,"样板戏"贴近现代生活,没有那种让现代人接受不了的缓慢节奏和遥远古久的情节内容；与话剧相比，它的表演程式，声腔、音乐、舞美综合表现出来的艺术魅力更富于民族性；与流行音乐相比，它的京剧韵味又使它显得独特、优越、厚重、有底蕴。所以批判的意图一直没有找到科学的视觉和妥当的方法来贯彻执行。可当我们把目光上溯到传统京剧经典，流连在丰富厚重、千姿百态的戏曲语言中时，我们释然了，产生了峰回路转、豁然开朗之感。当我们以传统京剧经典作为参照系来审视"样板戏"时，它的一切像是在显微镜下面一样被放大了，优点与缺点都是那么显然，连从未被人注意到的微小瑕疵也都赫然在目。想说爱它，想要否定它也都不那么容易了。

传统戏曲中有一整套包含着审美潜质和艺术魅力的曲词、宾白、音乐、音韵，还有虚拟性、写意性的理论体系。我们对"样板戏"话语的主体考察，就是选取了这套理论体系作为纵向的参照系，以传统戏曲的经典之作为比较对象来进行的。

叙事性、抒情性、戏剧性是西方戏剧体系中区分戏剧话语结构模式，构成戏剧理论体系最重要的部分。由于西方戏剧重视戏剧性，中国戏曲重视抒情性，作为一种横向的参照系，我们在比较分析"样板戏"话语与西方戏剧话语间的对立统一关系时，只选取了戏剧性因素和抒情性因素参与讨论。

传统戏曲本质上是一种以抒情性为特征的曲本位戏曲，温柔敦厚、和谐优美是传统戏曲话语最重要的审美特性。西方戏剧是一种以对话为中心的剧本位戏剧，它有一系列不间断的戏剧冲突，还有一个越来越紧张的悬念，所以，形成激烈的冲突、紧张的悬念是西方戏剧话语最为突出的美学旨趣。

"样板戏"被人称为剧本位戏剧，从名称上就可以看出它对西方戏剧话语表现形式的借鉴关系。重视戏剧冲突，营造人际关系之间的紧张气氛，并在适当的地方形成戏剧小高潮，逐层推进，在全剧结束前使戏剧冲突达到顶峰，这是"样板戏"话语吸收西方戏剧话语的戏剧性，在剧中贯彻始终的美学原则。正是由于传统戏曲最为重视的抒情性被置于戏剧性之后，"样板戏"话语也因缺乏温柔敦厚的品质被人们诟病、批评。

实际上,"样板戏"话语接受西方戏剧重视戏剧冲突的表现手法完全取决于戏曲实施创作意图的需要,即"样板戏"的题材要全力表现革命战争、阶级斗争,主题要歌颂革命理想主义和英雄的献身精神。实质上,传统戏曲的抒情性也是"样板戏"话语极为重视的品性,只不过"样板戏"话语过于强调抒发雄浑豪放的革命豪情和阶级共性感情,偏离了传统戏曲中最为重要的温柔敦厚、和谐优美的审美特征,结果形成了雄浑豪放有余、柔婉优美不足的独特情感个性。

(二)论题的研究方法

我们选取了语言风格作为研究的切入点,一是因为语言风格学已经建立了一整套科学系统且行之有效的理论方法,借用这套理论方法,可以客观准确地再现"样板戏"话语中所体现的当代意识、崇高的情感品质和带有时代色彩的审美意识,再现"样板戏"话语作为一种戏曲艺术是怎样偏离了传统戏曲话语,成为政治传声筒,强化了其教化功能的。二是因为语言风格学的理论基础深厚,它综合运用了语言学、文学、美学、心理学、逻辑学、文化学、社会学等多门学科的理论知识和研究成果,所以,从语言风格学的角度切入研究,可以多层次、多角度地来剖析"样板戏"话语的语言特征,得出符合其本来面貌特征的结论。三是因为"风格研究"、"语言风格研究"也是多门学科共同关注的话题,人们对"风格"、"语言风格"也有着普遍的、通常意义上的了解和兴趣,因此,从语言风格学角度研究"样板戏"话语这个看似过时,实则有着学术价值和理论意义的课题,可以引起更多学科、更多学者的争鸣和参与的兴趣。四是不同的人从不同的角度对"风格"、"语言风格"有着不同的感知和体认,他们可以根据他们的理解来感知、体认"样板戏"话语中体现出来的语言风格特征,可以因此使研究产生广泛的影响力。下面介绍一组对语言风格的多种概说,即是想提供多向度的认识角度,以使人们能更全面也更自由地理解研究中对"样板戏"语言风格的种种描述:

> 风格是天与地之间浑然浩渺的一切,是具象艺术中一组线条粗朴、厚重的雕刻,是文学作品中塑造的一组有灵性、有力量、

有气质的群像。

　　风格是艺术个性成熟的标志,是艺术个性的集中化、完善化。

　　风格是文化和心理的内在价值观念的向外投射。

　　风格是可以把描写对象置于高、大、远的背景中展呈,获得阔远崇高优美效果的语言形态。

　　语言风格是统一在作品里的主客观因素的综合体现。

　　语言风格不是模式,是不稳定的稳定态,是一种动态结构。

　　语言风格是恒定的,是既有强烈的包容性,又有相对封闭性的整体。

　　语言风格是可以通过物化、标准化的描写而具有高度辨识性的结构体。

　　语言风格是各要素在空间上互相联系,在时间上不断后续的整体。

　　语言风格是有区别意义的形式、成分和表达方式。

　　语言风格是指运用语言所表现出来的各种特点的总和。

　　语言风格是一定的世界观表达手段的体系。

　　语言风格是对零度形式的一种偏离,是常规的一种变异。

语言风格是制导于言语表达者个人审美趣味，由语言要素和语言表达手段所传达出的整体美学风貌。

语言风格是一种言语格调和气氛。

第一章 "适者生存"法则观照下的中国戏曲

从秦汉至今,俳优、角牴戏、歌舞戏、参军戏、踏摇娘、宋杂剧、金院本、元杂剧、南戏、昆曲、京剧,中国戏曲一路走来,戏曲传统历史悠久,艺术成就卓越辉煌。

中国戏曲博大精深、浩瀚深广,仅留存至今的品种就多达三百六十余种。从历史的角度观之,并以"适者生存"的法则考察之,毋庸置疑,每一品种都是戏曲发展历史的胜出者,每一品种都以其顽强的生命力、独特的艺术魅力在中国艺苑争得了属于自己的一席之地。而京剧更是其中的佼佼者,它凭借着历史上历届政治权势的支持和首肯,以众多精粹的剧目、各种戏曲品种上演的排行榜首、长演不衰的历史纪录、庞大的京剧票友群体和不同层次的观众群,无可辩驳地获取了中国国粹、国剧的殊誉。

按理说,在历史的长河中,每一种戏曲品种都经历过同一时代标尺的检验,都有过消长增减的经历,为什么有些曾经显赫一时的品种消失了、衰败了,而有些后起的或最初处于弱势的品种一旦崭露头角,就能迅捷地以燎原之势占领戏曲市场,取得后来居上、以弱胜强的骄人业绩?用"适者生存"这条法则来检验中国戏曲史上百戏的兴衰史,即可找到了审视百戏,包括京剧现代戏"样板戏"在内的戏曲兴衰的共同规律。

适应社会政治、经济、文化的发展需求,适应观众的审美需求,适应戏曲自身发展的需求,是戏曲立足生存的根本,也是戏曲发展的必然归趋。每一种戏曲形式都不例外。不适者,衰也。其结果不外乎淘汰出局,或将其精华留存在取而代之的新兴戏曲形式中,在历史上只留下些许痕迹。适者,兴也。或集前代戏曲艺术之大成,或始终以独立的态势存在,充分体现传承、创新、发展、完善的戏剧发展规律。

作为戏曲的一种特殊形态,一种客观存在,"样板戏"尽管有着一些畸形的形态,但与世界万事万物一样,是接受"适者生存"社会法则检验存活下来的一种历史文化形态,是两千余年戏剧历史长河中"优胜劣汰"法则检验下胜出的京剧剧种的一种现代形态。"样板戏"产生于有着异常复杂的政治背景的"文革"时代,一方面它吸收了20世纪以来戏曲改革的经验和成果,把京剧的写意手法、传统程式、大众品格与现实生活、时代风格结合起来,使古老的戏曲艺术从题材内容到表现形式都有所继承又有所开拓发展,并且几十年来始终维系着一大批认可它、演唱它、关心它的票友群体和观众群。另一方面又由于"样板戏"创作中显露的"左"倾思想和被时代打上的深重的"文革"烙印,它遭到一大批在"文革"中深受其害、深感其疼的人义正辞严的批判和否定。因此,伴随它的始终是多舛的命运。它曾随江青等政治权势的灭亡走向不归路;80年代末它又"死灰复燃",怯生生地开始露面;90年代初部分剧目复排,并在大江南北巡迴演出;21世纪初,裹挟在"红色经典"潮流中,得到了文学界、文艺界辩证的评论,并悄然聚集了一批研究者和不仅仅有票友情结的观众群。在它近四十年的历史中,它曾大红大紫、喧嚣一时、不可一世,但更多的时候,处于被否定和肯定与否定之间的尴尬地带,艰难地蹒跚而行。虽然在复杂层面、复杂心态的研究者和观众群中,持否定态度者的眼光多聚焦于它与"文革"的实际联系,还有它被当时的政治权势赋予的社会政治功能,但持部分肯定、部分否定态度或更为复杂的态度者较为关注的则是它的戏剧形态本身。实质上,"样板戏"作为一种特殊的历史文化形态和现代京剧形态,它既有着一定的历史积淀,又有着丰富的现代要素。它的盛衰荣辱、毁誉褒贬又总是与中国的政治历史文化联系在一起的。所以研究"样板戏"话语,一个非常重要的不可或缺的内容就是既要追本溯源,探究戏曲艺术发展的源流关系,回溯"样板戏"本体与戏剧历史形态之间有着什么样的历史渊源关系,又要从历史的角度考察在政治、时代因素的影响下,"样板戏"话语是如何适应社会政治历史文化的需要,生成、发展、变化,并形成其话语独特的形态体系的。

第一节 中国传统戏曲的形成

在人类艺术史上,著称于世的古老戏剧文化有古希腊悲剧、印度梵剧和中国戏曲。古希腊悲剧和印度梵剧随其产生的社会基础的崩溃瓦解已经消失,只有中国戏曲延续下来,成为仅存的硕果。并且与时俱进,在继承中创新,以创新求发展,凭三百六十多个剧种的强盛实力,巍然挺立于世界戏剧文化之林,显示出中国戏曲蓬蓬勃勃的生命力和流芳千古的艺术魅力。

审视中国戏曲史,不难发现,无论从悠久的历史、历久弥新的特性,还是繁多的种类看,戏剧从来就是一个内涵十分丰富的命题。作为一种社会历史文化形态,戏剧从原始宗教仪式到散乐,从诗歌到形式精炼、体制完备的戏曲,再到综合艺术巅峰的国剧——京剧,经历了从孕育、生成到兴盛的曲折而又辉煌的历程。在这个漫长的发展过程中,京剧不断地吸收诗歌、音乐、美术、舞蹈、杂技、武术等各种艺术的有益成分,融合昆腔、秦腔、弋阳腔、梆子腔、吹腔、襄阳腔、二黄调、罗罗调等地方剧种的长处,发展成为一种博大精深、具有民族特色的综合性艺术。所以京剧既不同于西方以歌唱为主要表现手段的歌剧,也不同于以对话为主的话剧,又不同于以歌舞为主的舞剧。它不是一种单一性质的品种,它包容了唱、念、做、打等戏曲独具的艺术表现手段,还有一整套体现在表演、化装、服装、布景和道具中显现戏曲外部特征的虚拟动作和程式,集中而典型地反映了中国戏曲的写意性、虚拟性、程式性。因此可以说:京剧的形成过程实质上正是集百戏艺术之精华、兼容各地方戏曲之所长的过程,是写意性、虚拟性、程式性去粗取精、新陈代谢、不断完善的过程。

从戏曲的起源看,如果以王国维《宋元戏曲考》"以歌舞演故事"所作的描述为标准,那么,较少宗教意味,真正审美意义上的戏曲形态的出现最早可追溯到上古秦汉时代俳优的表演。汉代百戏杂陈,音乐、歌舞、杂技、武术、幻术、滑稽表演缀连汇聚,交相辉映。从汉代至有博大的经济力量和文化环境作为支撑的盛唐时代,角抵戏、歌舞戏和参军戏作为逐渐成形的戏剧形式活跃在宫廷和民间的戏剧舞台上。其中,角抵戏因其戏剧因素的完备,被研究者认定为戏剧形式确立的标志。到宋代,随着市民阶层对物质生活的要求日益提高,娱乐活动迅速繁荣兴盛,专门的表演场所——瓦舍勾栏也在城市出现。瓦舍勾栏的出现,使民间文学艺术以前所未有的速度迅捷发展。因为有了固定的演出场所与专业的戏班,部分戏剧队伍得以从统治阶级的高门宅第走向大庭广众,戏剧于是有了新的面貌。当时极为流行的宋杂剧在角色、演出程序、内容和表演风格方面都有了严格的定制。北宋末叶,浙、闽一带出现了南戏。南戏继承了宋杂剧表演故事的形式,也吸收了大曲、唱赚、诸宫调、歌舞、傀儡戏等形式的诸多因素,为日后在戏剧文学、表演、音乐方面极大提升的元杂剧的出现夯实了基础。早期南戏留下的剧目不少,但留下的记载表演形态、剧本体制的文本极少。据考证,确定是宋人作品的只有六种,而《张协状元》是其中唯一全本流传的剧目。

元杂剧的成熟,奠定了古典戏剧的体制,标志着中国古典戏曲历史上的第一个繁荣时期,也是戏剧史上的黄金时期的到来,元杂剧也成了戏曲发展史上岿立起的一座高峰。元杂剧题材广泛,风格多样,出现了许多创作书会和流派。剧作家也才人辈出、名作如流。留名史册的作家就有近二百人,剧目更高达六百余种,如今留存的就多达一百六十种以上。关汉卿、王实甫、马致远、郑光祖、白朴、纪君祥等大家就是在元杂剧领域大放异彩,尽显其戏曲艺术光辉的。

14世纪初叶以后,由于政治文化艺术方面的原因,盛极一时的元杂剧渐渐衰落。但其在文学和表演方面的实践经验和艺术成就,作为一种宝贵的遗产,被逐渐成熟的南戏和后世戏曲艺术所传承。比如"南北合套"、集曲的音乐等形式的运用,增强了音乐的表现力。

结构上也一改北杂剧"四折一楔子"的格局,采取了分场的形式。表演手段的综合程度也大大提高,游离于剧情之外的插科打诨逐渐与剧情结合起来,"生、旦、净、丑、外、末、贴"七种表演行当逐渐形成等等。

从明嘉靖到清乾隆年间的约两百年间,则是古典戏曲历史上的第二个繁荣时期。其间,京剧的源头之一,"被誉为'百戏之祖'"的"昆山腔"与地方剧种"弋阳腔"、"余姚腔"、"海盐腔"诸腔竞奏、各显其长,形成了百戏争奇斗艳、异彩纷呈的盛况。其结果是孕育了集百戏艺术之大成、长盛不衰、风靡神州的国剧——京剧。

第二节 中国京剧的形成

京剧的形成受元末明初产生的,被尊为百戏之祖的昆曲影响最大。昆曲是南曲的一枝,继承和发展了明代以前各种艺术形式的优秀传统,创造性地把文学、音乐、美术、声乐、形体表演等综合在统一的戏剧形式中,形成了独特的载歌载舞的表演艺术。昆曲开创了中国戏曲史的新纪元,形成了戏曲史上的黄金时代,并以其艺术的精美和表现手段的完备极其广泛和深刻地影响了后起的诸多剧种,如京剧、川剧、湘剧、粤剧、汉剧、赣剧、滇剧、婺剧等,就是从昆曲艺术中吸取丰富的滋养成长壮大起来,而且至今还保留着昆曲的剧目和曲牌表演的艺术形式。

昆曲曲调高雅精美、细腻委婉,有"水磨腔"之美誉。可以说,昆曲的每一句唱词都是精美绝伦的诗句。曲词有六朝辞赋的华美和五代词的绮丽,宾白又吸收了元杂剧语言的朴实本色,语言风格显得华美雅致、含蓄空灵而又自然真切。而这些特点又通过艺术手段的借鉴与传承,直接渗入到了京剧表演的艺术体制里。

昆曲尽管已有600年的历史和200年的繁盛史,但它最终还是走向了衰微。究其原因,不难看出昆曲虽然起于民间,但服务对象最后还是转向了宫廷。一方面固然是由于书会文人追求情节的曲折离奇,曲文的典雅、华丽、深奥,使得昆曲的文学体制越来越案头化,离大众生活越来越远,渐渐已不能满足广大观众群的欣赏口味和兴趣,一方面也是不得不让位于此时蔚为新声、内涵丰富且生气勃勃的京剧。因为戏曲是需要观众的艺术,求新求异是观众艺术欣赏通常带有的心理。昆曲逐渐脱离了观众,必然的命运是被冷落和代替。陈建功的小说《找乐》中就有"二黄"普及后京剧深入人心的一些场景描写,也可以看作是一种通过艺术所作的真实反映。

> 自打乾隆五十五年,"四大徽班"进京以后,北京人很少有不会两段"二黄"的了。蹬三轮的(其实该是拉洋车的,"三轮"的发明为时也晚——笔者),卖煎灌汤的,把车子、担子往马路边上一搁,扯开嗓子就来一段。这辈子想当诸葛亮是没指望了,时不时"站在城楼观山景",看一看"司马发来的兵",倒也威风呢。要不就"击鼓骂曹":"平生志气运未通,似蛟龙困在浅水中。有朝一日春雷动,得会风云上九重。"撒一撒胸中的闷气……

京剧对昆曲的取而代之,打破其在京城的权威地位和在戏曲舞台上的一统天下,完全因为它是两千余年戏剧形态自然发展和长期积淀的集中表现和突出代表,完全因为它集百戏之大成,其博大精深的艺术体系中包容了许许多多戏曲品种的精髓。当然,京剧的最终胜出,也与形形色色的地方戏曲在"花雅之争"中花部以综合实力战胜雅部昆曲也有着直接的渊源关系。

康熙年间,活跃在文化中心北京舞台上的戏曲除了昆腔,还有由弋阳腔发展出来的京腔。与此同时,各种地方戏曲也在蓬勃兴起,逐渐蔚为浩大声势。乾隆年间,各种声腔纷纷进军都会城市,相互吸收融合,表演水平迅速提高,很快衍成燎原之势,并且以积蓄的力量,向昆曲正声雅乐的地位发起了强有力的冲击,形成了历史上著名的"花雅之争"。清朝文人奉昆曲为正宗,又由于昆曲的曲调和唱词非常高雅,所以昆腔被称为雅部。而各地的地方戏曲品种花样繁多,便统称为花部,在民间又叫做乱弹。花部包括京腔、秦腔、弋阳腔、吹腔、梆子腔、二黄调、罗罗调等等。花部诸腔音乐结构上的特点是:以板腔体替代了南北曲中的曲联体;句法上以 7 字句或 10 字句的唱词取代了长短不一、形式谨严的曲牌句法结构;语言风格上以清新质朴、高亢爽朗的文词取代了文绉绉、低回缠绵,以供奉朝廷、娱乐朝廷为目的的文词。这些继承与革新的业绩,都成为京剧日后以生机勃勃、规模浩大、气象万千的面貌占领京师大舞台的雄厚根基。

乾隆四十四年(公元 1779 年),著名艺人魏长生把表演风格迥异于昆腔、京腔的秦腔带入了北京,让北京人耳目为之一新。发展的契机是乾隆五十五年(公元 1790 年),为贺乾隆皇帝 80 大寿,徽班的戏班三庆班入京献艺。祝寿演出活动结束后留京继续演出,受京城市民的热烈欢迎。四喜、春台、和春三个戏班借三庆班的东风先后云集北京,并与来自湖北的汉调艺人合作,经常以同台演出的方式切磋技艺,共同造势,以期与权威地位的昆曲抗衡。无疑,形式新颖、富于生气的徽腔汉调合流旋即以庞大的观众群为基础雄踞京师舞台,形成京城戏曲表演的主流,孕育出一个新的大剧种——京剧,发展成为戏曲史上的一个新的里程碑。

京剧之所以发展成为一个大剧种,在诸多地方戏曲中独树一帜,并且在近两百年的时间里独步一时,概而言之,还是四个字:"适者生存"。也就是说,京剧在与古今的各种剧种的竞争中,注重广泛地交流吸纳、融会贯通,充实和发展了自己的技艺和表现力,适应了社会各阶层的需要,集中而深刻地体现了戏曲艺术的发展规律。

京剧脱胎之徽剧本是一个土生土长的地方戏,它最初的声腔只有吹腔和拨子两种类型。但徽剧善于吸收各类声腔曲调的长处,加以独创的融合,迅速改善了它单一声腔表现力的局限性,所以徽班进京时就以高亢激越、浑厚深沉的声腔压倒在京都流行已久的平直高亢的京腔和低回缠绵的昆曲,充分显示了声腔曲调丰富的表现力和旺盛的生命力。留京上演以后,也不故步自封,而是不断地从昆曲、弋阳腔、秦腔的声腔中汲取精华要素,从汉调的声腔、板式、剧目、字韵中吸取营养,一旦时机成熟,便与汉戏迅速形成徽汉两调合流。两好合一好,互动共生、相辅相成,构成了有着雄厚基础和浩大气势的新皮黄体系——京剧。

除了声腔艺术的广纳博取,演员也都注重取长补短、丰富自己。尽管当时进京的徽班演员,个个都是身怀绝技的精尖人才,而且行当齐全,分工细致,声乐水平高,表演风格细腻,总体表演水平呈走高的趋向,完全能满足京城观众当时的审美情趣,但是为了在北京立住脚跟,获得长期发展的时机,徽班还采取多种措施变革技艺,比如除了锤炼自身的功力外,还接纳正在衰落的北京各剧种艺人进入徽班,采用多剧种、多声腔同台演出的方式等等措施。这样一来既能博采众长,也争取各剧种原有的广大观众,通过观众来适应北京的文化习俗和社会心理。

简言之,京剧大剧种的形成,有着以下几方面的意义:

第一,标志着古典戏曲的终结,近现代戏曲的开始。

第二,消融了花部(乱弹)等地方戏曲,把戏曲表演艺术推向了巅峰,把戏曲综合表演艺术的优势发挥得淋漓尽致。

第三,戏曲结构体制得以完善,表现为:文学语言体制规范化、音乐体制格律化、表演体制程式化。

第四,戏曲创作不再是才子骚人舞文弄墨的专利,也不再是文人眼中诗余、词余的小道末技。花雅之争以花部大获全胜的事实雄辩说明:戏曲源在民间,根在大众,成长在活力。也就是说,京剧的迅速繁盛证明:只要满足不同社会阶层、不同欣赏口味、不同观赏习惯的观众群的需求,戏曲就能永葆旺盛的青春活力。

第三节 "样板戏"的形成

一 20世纪京剧的探索与革新

任何艺术形式的生存、发展,无一例外,都要切合社会的需要,都要经受历史的考验。中国三百六十多个剧种,惟集古典戏曲之大成的京剧毫无愧色地高居榜首,成为中国艺术的国粹、国剧,不难推知,京剧在承上启下、不断完善自身的过程中经受住了历史的考验。

200年前徽班进京,就是为了适应社会的需求,对整个民族民间演唱艺术遗产进行的大整理、大荟萃。之后又经过数代艺术家的精心琢磨、实践,才把京剧发展成了体现中国民族民间文化艺术传统,集众多艺术形式之长,且自成一家的表演系统。200年来,随着社会政治、经济的转型,思想文化的推动和社会风尚的变化,京剧也在不断改善自己,寻求与时代结合的途径。无论角色行当、声腔、脸谱、表演程式、剧目、流派,都无不体现着批判、继承与创新的精神。

五四前后,西方戏剧文化的浪潮猛烈地冲击着立足于本土文化的京剧。中国新文化运动的主将陈独秀、胡适、周作人、傅斯年等对传统戏曲作了彻底的否定,引进介绍了具有崭新结构形式和反帝反封建内容的话剧。从此,传统戏曲的"一统天下"被打破,形成了"戏曲——话剧"并列共生的文化格局。田汉、洪深立足于戏曲的民族性,借鉴西方英雄剧诗的表现形式,以纪实的艺术手法塑造当代人物,对旧有的戏剧观念和审美意识进行大幅度的革新,创作了《江汉渔歌》、《白蛇传》、《谢瑶环》等二十多个戏曲剧本,对传统京剧朝着适应现代生活方面的转化,做出了巨大的努力。① 50年代末,在大跃进的时代精神鼓舞下,中国京剧院阿甲等剧作者把歌剧《白毛女》改编成现代京剧。演出后得到了京剧界的肯定和观众的热烈欢迎。尽管在艺术上还有稚嫩等诸多不足,但成功地证明了京剧也可以反映现代生活,京剧的艺术样式完全可以突破,形成一种新的艺术形式,这样做为紧接其后大批优秀京剧剧目的涌现,做了有益的尝试,打下了坚实的基础。

由于几千年的历史文化积淀和近两百年来的艺术积累,京剧已经形成一套相对固定的表演程式。如表演手段中的脸谱,小生的小嗓,水袖、髯口、雉尾、厚底靴等等。这些形式上的因素决定了京剧是以表演传统戏为主流的艺术形式,也决定了观众根深蒂固的接受习惯和审美心理。所以,尽管胡适等文化先驱的全盘否定和猛烈批判,传统京剧还是以其审美上的"民族性"特点和拥有的广大城市市民、农民观众,继续朝着演传统戏为主流的方向从容迈进。这大概是传

---

① 参看董健《中国戏剧现代化的艰难历程》,《文学评论》,1998年第1期。

统戏曲自身的艺术规律性在起作用,而且也与传统戏曲没有丧失它所以成为京剧的本质规定性不无关系。

社会需要传统京剧,几千年的戏曲艺术史也选择了京剧。尽管在表现形式上,传统京剧有不利于反映现代生活的弊端,在表现内容上,也有不少封建糟粕,缺乏人民性的东西,但作为一种保存了大量艺术精华的,可以继往开来的大剧种,凝聚了千百年艺术特征的瑰宝,传统京剧是应该在戏曲界获得一席之地的。现代戏是适应时代变化、社会需求的京剧新形式,它能最迅速、最直接地反映现实生活,是在传统戏基础上的革新。再则,传统戏与现代戏并非水火不容,它们完全可能在现实生活中以不同的形式相兼共存。周恩来清楚地看到这一点,做了《关于文艺工作两条腿走路的问题》的重要讲话,强调既要演现代戏,又要演传统戏,二者不可偏废,并把二者并举拟定为两条腿走路的方针。1960年文化部副部长齐燕铭又把"两条腿走路的方针"丰富成为"现代戏、传统戏、新编历史剧""三者并举"的方针。无疑,这种尊重京剧艺术规律的科学态度,承前启后,促进了京剧艺术的繁荣与发展,也给京剧的三种表演形式:现代戏、传统戏、新编历史剧在现代的发展,从政府行为的角度定了位。

本来,何种艺术形式能获得生存、发展的机会,历史自会做出优胜劣汰的选择。建国以来,传统京剧自身的完善,依历史进程循序而进,充满契机;以现代化、大众化、民族性为核心的现代戏、新编历史戏的生成,也处于一种自然的转化升华过程。从京剧改革的实践看,以传统京剧表现现实生活,田汉、洪深的创作,也已经做出了成功的努力。所以,京剧完全有可能在保持"质的规定性"的前提下,发展出现代戏这种新形式或下位类型。现代戏与传统京剧完全可以在传承与创新关系的基础上,以相兼并容的两种形式共存,而不是以时代变更为依据,全部更换,或你中有我,我中有你的文化态势。1964年6月至7月的第一届全国京剧现代戏观摩演出大会也唱响了京剧在现代繁荣昌盛的序曲。不幸的是,历史对京剧开了一个大玩笑,某些政治权势的干预和随之爆发的"文化大革命"把正在康庄大道上行驶的京剧拉入到偏道斜径,京剧开始了它多舛的命运。

二　戏改传统的延续

从京剧表演的传统看,反映现代生活也是京剧的传统,京剧界从本世纪初就开始了这种努力。1905年潘月樵主演的抗日留学生潘伯英的《潘烈士投海》,王鸿寿编演的为友复仇,刺杀清朝高官的《张文祥刺马》,还有《铁公鸡》、《恨海》、《徐锡麟》等就是反映当时社会现实的。京剧大师梅兰芳编演过现代戏《邓霞姑》、《孽海波澜》、《一缕麻》。周信芳也搬演现代政治事件,编排过鼓吹倒袁(世凯)的《宋教仁》。尽管这些戏因为穿上了现代服装被称为"时装戏",是"旧瓶装新酒",而且因为没有克服现代生活与传统戏曲表演程式之间的矛盾而流于消沉,但不可否认,它首先对历史悠久的传统戏曲发起革命,深刻地影响了之后传统戏向现代戏的转型,并为现代戏在革命战争年代的勃兴和建国以后的繁荣昌盛提供了可资借鉴的经验和教训。

1942年,毛泽东的《在延安文艺座谈会上的讲话》发表。毛泽东在《讲话》中提出了文艺为工农兵创作、为工农兵服务的方针。文艺界积极实践,并开始注重内容与形式的完美结合,使戏曲艺术在思想上、艺术上都逐步达到新的高度,创作演出了一批优秀的现代京剧。特别是延安平剧院1942年10月成立以后,整理演出的京剧传统剧目一百多出,改编演出了新京剧《逼上梁山》。公演后,好评如潮,毛泽东于1944年1月9日给编剧杨绍萱、齐燕铭写信,肯定了剧作对京剧改革和现代戏创作的意义:

> 看了你们的戏,你们做了很好的工作,我向你们致谢,并请代向演员同志们致谢!历史是人民创造的,但在旧戏舞台上(在一切离开人民的旧文学旧艺术上)人民却成了渣滓,由老爷太太少爷小姐们统治着舞台,这种历史的颠倒,现在由你们再颠倒过来,恢复了历史的面目,从此旧剧开了新生面,所以值得庆贺。……你们这个开端将是旧剧革命的划时期的开端,我想到这一点就十分高兴,希望你们多编多演,蔚成风气,推向全国去![1]

---

[1] 刘景荣、袁喜生《毛泽东文艺年谱》,第85～86页。

之后，延安剧院又编演了传统剧目《三打祝家庄》，创作演出了《上天堂》、《边区自卫军》等十七八出现代戏。

从1944年毛泽东提出"旧剧革命"始，至"推陈出新"、"百花齐放"方针的提出，到60年代初《关于文艺的两个批示》止，毛泽东对戏剧界投注的目光集中在舞台上是在演传统戏还是现代戏，舞台上的人物是帝王将相、才子佳人，还是工农兵。其实，1958年，配合政治上的大跃进，在运用京剧表现现代生活方面，文化部和戏曲界有了一些大的举措，比如：发出了《关于繁荣艺术创作的通知》，召开了"戏曲表现现代生活座谈会"等。在会上，文化部副部长刘芝明提出口号：鼓足干劲，破除迷信，苦干三年，争取在大多数剧种中和剧团的上演剧目中，现代剧目的比例达到20%至50%。紧接着《人民日报》又发表了题为《戏曲工作者应该为表现生活而努力》的社论。由于政治权势的鼓动和大张旗鼓的宣传，戏曲界很快掀起了一个创作演出现代戏的高潮。这次戏曲大跃进，使现代戏的创作有了量的增加和质的飞跃，为运用传统的艺术形式表现现代生活做了有益的探索。但由于毛泽东忽略了文化发展的相对独立性，没有重视文化形态的特有规律性，对这种发展现状毛泽东于1963年9月提出了批评："戏剧要推陈出新，不要推陈出陈。""陈"就是封建主义，资本主义。文化方面特别是戏剧大量是封建落后的东西，社会主义的东西太少，在舞台上无非是帝王将相。江青把毛泽东的话又进一步诠释为："在戏曲舞台上，都是帝王将相、才子佳人，还有'牛鬼蛇神'"，"一大、二洋、三古，可以说话剧舞台也被中外古人占据了"，"是封建主义的一套，是资产阶级的一套"。①

其实，传统戏未必都是封建主义、资产阶级的东西，也不是旧剧的同义语。表现帝王将相、才子佳人的剧目，也有表现人民性的，如：《将相和》就表现了廉颇、蔺相如为国家利益不计个人得失的高尚品质。1944年毛泽东肯定《逼上梁山》，也因为它揭示了80万禁军教头林冲从委曲求全到反抗斗争性格发展的必然性。而反映现实生活

---

① 徐达深《共和国史记·上下求索》，第1027页。

的现代剧目也不尽然都是精品,如大跃进中产生的一批作品,由于吮吸了过多的政治营养,宣传教育的社会功能过度膨胀,政治思考多于艺术锤炼,所以其迅速热切应答时代呼唤的优势反而成为劣势所在,一旦政治时效性消失,就丧失生命力,沦为只有空洞说教的"宣传戏"、"任务戏"、"运动戏"。① 而有着大跃进的创作传统,把文艺的政治宣传功能发展到极致的"样板戏"也是现代戏曲,但学术界对其现代性、艺术性的评价从来就没有一个定论。有从艺术角度认为是现代戏的精品杰作的,有认为是对现代戏曲的颠覆、曲解的。吕效平在他的《戏曲本质论》中就认为:在"文革"十年反现代化的政治文化生态中,戏曲的现代化进程无可避免地被中断了。"文革"中出现的"样板戏"徒具现代形式,根本背离现代精神,沦为文化专制主义的工具。就其本质而言,"样板戏"可视为"伪现代戏曲"。②

三 现代戏热潮成就的"样板戏"

1964年6月5日～7月31日,在北京举行了第一届全国京剧现代戏观摩演出大会。这次大会,35个剧目清一色的现代属性,标示戏剧改革成果——现代戏的大检阅。对此,国家领导人也感到格外欣喜,文化部部长沈雁冰说:"今天这样多的京剧团集中北京演出,舞台上没有帝王将相,也没有才子佳人,都是新时代的工农兵形象,这在京剧历史上是没有过的,也是历史上所没有的。"③北京市市长彭真也说:"我们的京剧要为社会主义服务,为工农兵服务,这是判别京剧艺术好坏的第一个标准,是决定京剧生死存亡的关键问题。"④毛泽东更是频频光顾剧场,显示了他对现代戏的极大的支持与关注。也是在这个会上,江青以特殊的身份粉墨登场,开始实施她"文艺旗手"的伟大抱负。大会期间,江青在演出人员座谈会上发表了讲话,

---

① 参看王世勋《京剧现代戏断面谈》,《戏曲艺术》1992年第4期。
② 吕效平《戏曲本质论》,第339页。
③ 徐达深主编《共和国史记·上下求索》,第107页。
④ 彭真《在京剧现代戏观摩演出大会上的讲话》,《红旗》,1964年第14期。

指责戏剧舞台上还是帝王将相、才子佳人，是封建主义和资产阶级那一套，提出要在舞台上塑造当代的革命英雄形象。之后，现代戏会演的丰硕成果被江青窃为己有，开始了戏曲"样板"化的历程。1970年，毛泽东发出要普及"样板戏"的号召，全国工农商学兵掀起了大唱、大演"样板戏"的热潮。戏曲的"三条腿"只有京剧"样板戏"一条踽踽独行。传统戏、新编历史剧终被遗弃长达十余年，在戏剧舞台上销声匿迹。

本来，传统京剧向现代京剧的发展，反映了艺术本体为适应现代社会需要自身发展的规律性。毛泽东提倡现代戏，客观上切合了戏剧发展的规律，在宏观上引导了传统戏向现代戏的自然转型。但毛泽东提倡现代戏是以否定只演才子佳人的传统戏为基础的，指导方法上急于求成，所以在一定程度上影响了传统戏产生、完善、发展的内在规律性。特别是江青、张春桥等政治权势只是为了把现代戏作为邀功领赏，进入高层政治权力中心的资本才关注现代戏的，致使现代戏沦落成为实施他们政治目的的工具。被他们选中并树为"样板"的现代戏也不幸被磨损了它原有的品性和光辉，即使在"文革"结束近三十年的今天，要成功地剥离它身上附属的帮派色彩、工具色彩，认可它尚存的革命理想主义、英雄主义的内核，肯定它在表演结构形式、语言系统方面通过戏改获得的审美价值，也都相当不容易。

第二章 "样板戏"话语生成的语境

从艰难的生成,到"文革"时的辉煌,再到今天褒贬不一的生存状态,"样板戏"始终是以异常复杂、扑朔迷离的面貌呈现于世人面前的。

当下史学界与文学界已达成的共识是:京剧从现代戏到"样板戏"是一种质变,现代戏与"样板戏"是同一批剧目在不同时期的不同存在。这种观点的核心是:"样板戏"具有两种相当不同质的生存态势。可我们展开研究,深入观察不同时期的文本后,才发现"样板戏"文本的性质和状态是根本不可能用一两句话概括出来的。"样板戏"文本既有可认知性,也伴随着研究问题的艰巨性与复杂性。因为"样板戏"的文本并不仅仅以两种态势存在,而是以更为复杂的态势存在的,而且还涉及政治的、历史的、社会的、文学的、语言的、戏剧艺术自身的诸多的复杂因素。

"样板戏"是 1944 年毛泽东提出"旧剧革命"以来戏曲改革的成果形式之一,从 1942 年的《讲话》以来就开始理论准备和创作实践。"样板戏"的前身是 50 年代末 60 年代初现代戏热潮中涌现出来的优秀剧目,既有京剧,也有沪剧、话剧、淮剧,电影文学剧本和芭蕾舞剧,1963 年以后陆续被改编成京剧文本(除《奇袭白虎团》和《平原游击队》,因第一戏曲文本就是京剧文本)。有的京剧文本边修改,边演出,边出版,所以有好几个改编本。1974 年 12 月,人民文学出版社出版的《革命样板戏剧本汇编》(第一集),向社会集中公布了《智取威虎山》《红灯记》《沙家浜》《红色娘子军》《海港》《龙江颂》《奇袭白虎团》《平原作战》《杜鹃山》等9出现代京剧的标准样本。1976年1月《磐石湾》的京剧文本在《人民文学》复刊号上推出。至此，"样板戏"中的10出京剧文本全部定稿。

根据"样板戏"文本基本上以三种态势存在的客观性，我们分析出三种文本：原始文本、改编本、改定本。这三种文本的生成大致可分三个阶段。

第一阶段：原始文本生成

戏剧改革，始终被毛泽东视为建设新中国文化抱负的重要组成部分，所以从新中国成立以来，毛泽东就持续不断地对传统戏缺乏人民性提出批评，力主工农兵占领舞台，提倡演革命的现代戏。在党和毛泽东的积极倡导下，现代戏蓬勃兴起，50年代掀起两次高潮，到60年代初，涌现出一大批现代戏优秀剧目，其中包括后来改编为"样板戏"的剧目。与"文革"中"样板戏"一枝独秀的状况形成对比，文艺界当时还算是百花齐放，从改编为"样板戏"的剧目品种多种多样即可看出。

《智取威虎山》的京剧文本1958年由上海京剧院集体改编自曲波的小说《林海雪原》。1961年刘沛然、马吉星也曾根据小说改编出电影文学剧本。1963年上海京剧院修改加工京剧文本，参加全国京剧现代戏观摩演出大会。

《红灯记》的原始文本是迟雨、罗静的电影文学剧本《自有后来人》。1962年上海爱华沪剧团凌大可、夏剑青将其改编成沪剧《红灯记》。1964年，哈尔滨京剧团王洪熙、于绍田等也写出京剧改编本《革命自有后来人》。京剧"样板戏"文本即是根据沪剧本改成。

《沙家浜》的京剧文本改编自上海市人民沪剧团1960年文牧编剧的沪剧文本《芦荡火种》。1963年江青将沪剧文本通过文化部转交给北京京剧团，由汪曾琪、杨毓珉等改编为京剧。公演后，根据毛泽东的提议，正式更名为《沙家浜》。

《海港》的原始文本系上海市淮剧团编写的《上海的早晨》，1964年由何慢、郭炎生、李晓民改编成京剧文本。

《龙江颂》改编自福建省京剧团1963年演出的同名话剧。1964年由上海市南汇区新华京剧团搬演成现代京剧。

《奇袭白虎团》的原始文本就是京剧文本,1957年由中国人民志愿军京剧团的李师斌、李贵华、方荣翔创作,1964年由山东京剧团重排公演。

《杜鹃山》的京剧文本改编自上海人民艺术剧院1963年编写的同名话剧,同年由汪曾琪、杨毓珉改编成同名京剧。

《红色娘子军》的京剧文本改编自同名芭蕾舞剧文本。

《平原作战》的原始文本是电影文学剧本《平原游击队》,1966年中国京剧院改编成京剧。彩排成功后,被江青窃为己有。后又由张永枚编剧,另以《平原作战》为名拍成电影。1999年才重新以阿甲、陈延龄、翁隅虹、张东川为编剧,编成京剧文本,并在《中国戏剧》上刊出。

第二阶段:改编成京剧文本

1963年,江青先后把沪剧文本《红灯记》、《芦荡火种》推荐给文化部副部长林默涵。随后,沪剧文本由中国京剧院和北京京剧一团改编成现代京剧文本。搬演后一炮打响,成为艺术界的双璧。上海、北京两地京剧团受到鼓舞,又陆续改编出多个现代京剧文本。毛泽东对现代京剧的成功尝试倍感欣喜,积极关注、支持京剧的修改、演出,还对《智取威虎山》、《沙家浜》、《奇袭白虎团》等提出具体修改意见。周恩来、彭真等党的领导人也对现代京剧关怀备至,对推动现代京剧朝着健康合理的方面发展做出了巨大的努力。不可预测的是,江青此时个人野心开始膨胀,利用其特殊的身份开始插手现代京剧。1964年全国第一届现代京剧观摩演出大会后,江青、张春桥、康生等人就基本上独揽了修改京剧文本的大权,使现代京剧偏离艺术的康庄大道,滑入了充当政治舆论工具的轨迹。这个阶段京剧文本的修改,有编、导、演遵循艺术自身规律,在排、演实践中不断的修正、提高;有根据毛泽东和国家领导人指示所作的修改;更有根据江青等人行政命令所作的种种变动。与原始文本相比,开始呈现极其复杂的面貌特征。

第三阶段:"样板"化的改定本

1966年11月28日,康生代表政治权势宣称"培育"了八大"样板戏"。至1976年1月《磐石湾》在《人民文学》推出,这一时期是"样板戏"的模式化时期,也是从集体领导逐渐转变为个人把持的时期。现代京剧《智取威虎山》、《红灯记》、《海港》、《沙家浜》、《奇袭白虎团》与芭蕾舞剧《白毛女》、《红色娘子军》;交响音乐《沙家浜》一起,被钦定为"样板戏"。现代京剧文本开始走上"样板"化的历程,"小改天天有,大改不间断",同一剧目有数个改编本,都反映了"样板"的艰难生成。改定本陆续登在《红旗》、《光明日报》、《文汇报》上。1968年起,第一批钦定的五个"样板戏"与后来改编的《红色娘子军》、《龙江颂》、《平原作战》、《杜鹃山》四出现代京剧一起,陆续拍成彩色影片。

综上所述可知,原始文本在"文革"前就已经生成;改编本有在"文革"前生成的,也有在"文革"中生成的;改定本则都是在"文革"中生成。从原始文本到改定本,"文革"前后不同的政治语境对"样板戏"文本产生了什么样的影响?不同时期文本的语言风格特征有没有延续性?换言之,"文革"前后两种不同的社会历史文化背景对"样板戏"文本的生成有没有产生直接的制导作用?文本语言风格特征有没有发生变化?这是我们在本章拟讨论的问题。当然,语言风格的变化包括由不同艺术品种,如电影、话剧、沪剧、淮剧等的语言形式转换为京剧语言形式引起的风格变化,这种变化本书暂不涉及。

第一节 胡适、鲁迅、毛泽东对现代汉语的影响力

一 "样板戏"文本所依托的载体——现代汉语的生成

传统京剧于清代中叶崛起,并且以清新劲健、富于生活情趣的语言形式后来居上,迅捷地取代了日趋僵化的杂剧和传奇。其时文本所依托的语言形式是在口语基础上产生的与文言文分庭抗礼的新兴书面语——古白话。在当时,古白话随着元曲、话本小说、笔记小说和明清小说《水浒》、《儒林外史》、《红楼梦》、《聊斋志异》等文学名著

在民间的广泛传播已经得到了极大的推广和普及。另外,这种古白话长期被用以记录禅家和理学家的语录,朝廷的外交事务,逐渐取得了正式语体文的地位,并得到了朝廷上下的认可,被称为"官话"。18世纪初,清雍正皇帝还下令作为一种官方交际语言,在朝廷官吏中推行。行政命令的强制性也大大促进了民族共同语的统一,增强了古白话作为书面语言的独立性、重要性和社会实用性,同时,也给京剧文本以古白话作为形式依托,并且得到观众的认可提供了可行性。

"样板戏"文本所依托的语言形式载体是由古白话发展而来的现代汉民族共同语。现代汉民族共同语是在五四运动反帝、反封建的历史背景下形成的。五四新文化运动把提倡白话文、反对文言文作为行动纲领写在旗帜上,结束了文言占统治地位、白话文处于辅助地位的局面,既标志着中国语文,也是中国文化从传统到现代的转型,也标示了现代汉民族共同语的形成。

现代汉民族共同语形成后,经历了20年代的白话文运动,30年代的大众语运动,40年代的以民族形式为本位的语文建设运动的发展,到50年代中后期逐步成熟规范。以胡适、鲁迅、毛泽东为主帅的一大批杰出的政治家、语文学家、文学家既有宏观的历史视野,又有微观的理论建设和写作实践能力。他们审视出语文发展从文言到白话文、从白话文到现代汉民族共同语发展的必然规律性,在五四时期到40年代末短短的30年间,引导了语文改革的发展方向,实现了中国语文从文言文到白话文的转型,从白话文到现代汉语的过渡,形成了一整套大众语文建设的理论系统,完成了语文形式现代化、大众化、民族化的协调统一。50年代中后期,党和政府协同语文学家、文学家,完成了现代汉语的理论建构,为现代汉语达到普遍意义上的成熟规范提供了行政保证。

在现代汉语走向成熟规范的期间,有两方面的努力起到了巨大的推动作用。一是对现代汉语构建的理论倡导,一是对现代汉语写作实践的影响和示范作用。

综观现代汉语的发展史,在这两方面的努力之中,作用最大、影响最力、范围最广的有三个人:胡适、鲁迅、毛泽东。这三个人恰好是现代汉语形成发展过程中20年代、30年代、40年代以来三个时期语言发展和规范的主要代表,三个人对现代汉语的影响,正好延续了现代汉语纵向的历史发展过程。比较三个人理论倡导和写作实践对现代汉语的影响力,可以看出"样板戏"文本所用的现代汉语与传统京剧所用的古白话的差异,还可以看出毛泽东语言对现代汉语,包括"样板戏"文本无与伦比、不可替代的巨大作用力。

二 胡适的影响力

五四白话文运动的主要倡导者胡适、陈独秀、钱玄同、刘半农都是新文化运动领导人。四个人同一时期在蔡元培为校长、新文化运动大本营的北京大学任教,而且又都是被称为新文化运动号角的《新青年》的重要撰稿人。这个时期,胡适是一个领袖人物,其理论探讨和创作实践最具影响力。早在1915年,胡适在他的《胡适留学日记》中就提出了言文合一的语文观。1917年1月1日发表于《新青年》上的《文学改良刍议》实为文体、语体革命宣言,提出了八条改良原则:"不用典"、"不用陈套语"、"不讲对仗"、"不避俗字俗语"、"须讲求文法结构"、"不作无病之呻吟"、"不摹仿古人"、"须言之有物";并明确提出:文学革命"不论古今中外","都是从'文的形式'一方面入手","都是先要求语言文字文体等方面的大解放"。[①]

如果说,清末的白话文运动还只是动摇了文言文的正宗地位,为白话文的合法地位摇旗呐喊,那么五四白话文运动已经拟定了主要的原则和建设的纲领,使新的活的可读、可听、可讲、可记的白话文第一次取代了旧的死的文言文。

胡适被誉为"白话圣人"很大程度上是肯定胡适语言的浅白通顺、清新明快、意气昂扬的风格特征。

除了理论倡导,胡适还在写作实践上致力于西方文学名著的译介,白话文体的建设和白话诗、白话小说、话剧、散文的创作,这些都对现代汉语的形成直接产生了作用力和示范力。

---

① 《谈新诗》,《星期评论》1919年"双十"纪念号。

三 鲁迅的影响力

大众化运动正式实施是1934年下半年,但理论倡导却开始于1930年。鲁迅、郭沫若、郑伯奇、瞿秋白、茅盾、陈望道、叶圣陶、周扬等新文化运动的理论前驱都是积极的参与者。仅鲁迅就发表了近30篇文章来参与讨论。

"大众语"是文艺大众化讨论中首先涉及,又必须解决的先决问题。瞿秋白发表了《普洛大众文艺的现实问题》等三篇长文组织起了大众语的讨论。他认为:中国语文文字有三大类:古代文言,即"周朝话";五四式的白话,即"非驴非马"的"骡子话";章回体的白话,即"明朝话"。大众语文革命的任务就是摈弃上述三种语文,创造一种大众读得出、听得懂的现代中国的普通话。

提出"大众语"概念,并把大众语文革新讨论推进一步的是上海的陈子展。他在《文言——白话——大众语》①中把文言、白话、大众语视为中国语文发展必经的三个阶段,进一步拓展了大众语的外延。他认为:"所谓大众语,包括大众说得出,听得懂,看得明白的语文文字。标准的大众语,似乎还得靠将来大众语文学家的作品来规定。"陈子展的文章得到了学界众多学者的支持。陈望道的支持最力。他在《关于大众语文学的建设》②肯定了陈子展提倡大众语的历史必然性,在"说、听、看"三项外延的基础上补充"写得顺手"一项,完善了"大众语"的外延标准。

尽管这些讨论都触及到了大众语的根本性、方向性的问题,对推动白话文向现代汉语的转化起到了一定的推动作用,但限于纸上谈兵,且只囿于知识阶层,对复古的文言保护者的触动不是很大。而真正从理论和实践的结合上引导了语文改革的方向,以其在社会上的权威地位和大量的创作实践推动大众语文建设的是鲁迅。在历时四年半的讨论中,鲁迅坚持以平民性和实用性作为大众语区别于文言

---

① 《申报·自由谈》,1934年6月18日。
② 《申报·自由谈》,1934年6月19日。

文和五四白话文的基本属性,提出建设大众语的任务就是"提倡大众语,大众文,而且书法更必须拉丁化"。鲁迅对大众语的性质作了界定,认为大众语是以交通和教育的充分发展为生成基础,是在现代都市文化环境下多元方言口语与现代的一元五四白话口语以及外来语有机结合的产物。鲁迅认为,"应该有为大众设想的作家,竭力来做浅显易解的作品,使大家能懂、爱看,以挤掉一些陈腐的劳什子"。鲁迅还首先在口语中发现了大众语的雏形,认为它是博取方言、白话之长,重新创造的一种新的白话,"活的"白话,"采说书而去油滑,听闲谈而去其散漫,博取民众的口语而存比较的大家能懂的字句","新的缘故,就因为有些是从活的民众的口头取来,有些是要从此注入活的民众里面去"。① 不仅语文观是力主通俗易解,在写作中鲁迅也是以此作为语言运用的基本原则的,他提倡努力"将活人的唇舌作为源泉,使文章更加接近语言,更加有生气"。鲁迅的小说写作即为很好地贯彻通俗易解原则的范例。他的小说语言"读得顺口"、"看得明白";语句精粹明快,无繁文衍句;善于从口语和方言中提取熟语警句,以增强语言生动形象性和独特的表现力。鲁迅的杂文也极其重视炼字,句法的奇崛严谨更是鲁迅个性语言的表征,也曾成为有人攻击鲁迅语言不好懂的理论根据。但学界对鲁迅的语言功效及示范性的高度赞誉,源自"鲁迅的语言可以说与当时中国人的生活最近,他的文字具有一种奇异的'及物性',能够始终把不断当前化的生存图景——他所谓的'现在'——置于目前,使人读来不'隔'。这是真正意义上的存在的语言,自由的语言,如江河行地,随物赋形,盈科以进,圆转无碍,虽以杂文而得名,却并不限于'杂文'、'杂感',也适合创作、翻译"②。其实,这就是切合大众语运动主旨的,为民众、为生活的话语。

---

① 参见韩立群《中国语文革命——现代语文观及实践》,第 112 页、124 页、128 页。
② 郜元宝《作为方法的语言——"胡适之体"和"鲁迅风"》,《文学评论》1998 年第 1 期。

由于鲁迅创作语言贴近口语,始终保持着为大众的方向,鲁迅的作品和一批坚持以现代白话来创作的文学巨匠如茅盾、巴金、老舍、曹禺作品的语言被当做典范的现代白话文来学习摹仿。这批文学巨匠又以他们的写作精典,为现代汉语写作提供了楷模的作用。现代汉语中的语法规范是"以典范的现代白话文著作为语法规范",这典范的现代白话文著作的构成,这批精典就是其中主要的构成成分。

四 毛泽东的影响力

在现代汉语的形成发展过程中,诸多政治学家、文学家、语文学家都产生过不容忽视的历史性影响,郜元宝就曾以《作为方法的语言——'胡适之体'和'鲁迅风'》为题作过比较研究。他分析鲁迅的语言为传统型通儒型语言,胡适的语言为现代型专家语言,其视角主要是二人的文体特征,较少涉及其语言对现代汉语的影响。实质上,鲁迅、胡适二人不仅是文学革命的开拓者,还是语言革命的发起者,正如郜元宝在文中也谈到的:"讲20世纪中国文学的语言,一般都要追溯鲁迅、胡适的有关理论主张,却未曾深察他们的文体差异。建立现代'国语的文学-文学的国语',鲁迅、胡适确实起过并还在起着不可替代的典范作用,对他们的文体特质及影响倘不细加分疏,便很难触到20世纪汉语言文学与汉文学语言的根本问题。"[①]

比较而言,毛泽东对现代汉语的影响力又是鲁迅和胡适远远不及的。

毛泽东语言作为现代汉语的个体,与现代汉语相辅相成、互动共生,有着个性与共性的辩证统一关系。从社会学的角度看,毛泽东语言作为一种权威语言、行政语言,从语言学角度看,毛泽东语言作为一种原型语言、核心语言、典范语言在现代汉语成熟规范过程中都起到了巨大的、无与伦比的影响和示范作用。在2001年第1期的《文艺理论与批评》上,编者为傅金祥《毛泽东语体在现代汉语写作发展

---

① 郜元宝《作为方法的语言——"胡适之体"和"鲁迅风"》,《文学评论》1998年第1期。

史上的地位和影响》题写了编者按:"现代汉语与现代中国是一种表与里、形式与内容的关系,现代中国的成长史也正是现代汉语从草创走向成熟的过程。领导中国人民走出半封建、半殖民地梦魇,毛泽东作为现代中国的缔造者,同时也对现代汉语的成熟发挥了独一无二的、巨大的、不可磨灭的影响。正如乔叟与现代英语,马丁·路德与现代德语,拉伯雷和蒙田与现代法语之间难分难解的关系一样。"编者的按语准确地界定了毛泽东语体对现代汉语的影响的重要性。

现代汉语20年代生成,经历了三四十年代的发展,到50年代中后期达到了普遍意义上的成熟规范。毛泽东语言的发展几乎与现代汉语发展同步,其间,四五十年代是毛泽东写作的重要时期。由于毛泽东在党内军内已经巩固的领袖地位,毛泽东语言对现代汉语的成熟规范产生了巨大的影响。从40年代起,毛泽东的文章作为重要的学习材料大量印发,解放后又编进了各类教材,广泛地影响了社会各阶层。"文革"中大搞偶像崇拜运动,《毛泽东选集》成几何级数地翻倍印刷发行,《毛主席语录》、"老三篇"人手一本,毛主席《最高指示》、《最新指示》的高频度、高密度的宣传领会执行,其语言的示范性、渗透力、穿透力在中国历史上甚至世界历史上也可谓登峰造极。

对影响了中国20世纪大半个世纪的毛泽东语言的认识,关涉到对现代汉语体系本身的认识。因为现代汉语中作为语法规范的"现代典范的白话文著作"中有相当大的比例是由毛泽东著作来构成的。尽管在现代汉语成熟规范过程中有两方面的努力起到了巨大的推动作用。一方面是语言学家、教育家的研究、倡导和教学活动。一方面是现代作家的现代文写作实践的示范和影响作用。但前一方面的努力偏重于理论探讨和教学活动,影响限于知识阶层。后一方面的努力,如大师级的胡适、鲁迅、老舍、茅盾等,他们的写作或文白相杂,不具典范性,或影响面相对小,没能渗透到社会各阶层。只有毛泽东的著作,真正把古汉语书面语改造、转化成了老少皆宜、妇孺皆知的现代白话文,并且以其个性鲜明、通俗易懂、新鲜活泼的大众化语言,给现代文的写作提供了典型的范例。

纵向考察现代汉语20～90年代的书面语,可分出三个区别明显的时期:20~40年代的文白相杂时期,50~70年代与口语完全吻合的现代白话文时期,80~90年代渗入西方语言成分的时期。毛泽东语言对现代汉语发展三个时期的影响是:第一时期:改造文言文,奠定白话文基础;第二时期:完善现代汉语语体体系;第三时期:成为传统语言理论、语文体式标准重要的组成部分。横向考察台湾、香港、澳门等地报刊中保留较多文言格式、文言成分的书面语,归纳出现代汉语迥异于近代汉语、台湾等地现代汉语的面貌特征,可以显示出毛泽东著作对大陆现代汉语的独特影响力。

从学科的角度,语体的研究视角可以更科学、准确地考察毛泽东语言对现代汉语成熟规范的作用力。

毛泽东语言的影响覆盖了现代汉语语体系统中的每一种下位语体。

口头语体:

毛泽东口头语言通俗易懂、简洁明快、大气磅礴、幽默风趣,其语体的个性特征直接影响了现代汉语的口语。

书面语体:

一、创立了现代文的政论语体。中国古代没有政论语体,上世纪初康有为、梁启超、严复、章太炎等人从传统的论说文中发展出了古典政论文。毛泽东继往开来,创立了现代政论文。到今天为止,政论语体的写作仍然是在毛泽东政论语文体式的框架里来进行的。政论文是毛泽东写作过程中自始至终采用的语体,所占比重也最大,这与政论语体的宣传鼓动功能可以很好地适应毛泽东作为政治家、革命领袖的写作需求直接相关。

二、更新了新闻语体。受西方新闻学影响,脱胎于古典文学的新闻语体20年代生成。其写作格式源自西方,语文体式却是古典的。毛泽东全新的新闻写作一扫新闻界的沉闷空气,用简洁明快通俗的白话文写作出外国学者赞誉的"把短小精悍的文风和丰富深刻的内容完美地结合在一起的范例"。倘若把台湾的、建国前的和五六十年代的报纸新闻作纵横对比,可以通过语文体式间鲜明的区别特征,判断新闻语体是否经历过毛泽东语体的作用力。

三、改革了公文语体。旧公文语体中包括一些繁文缛节的程式和若干专门用语。毛泽东的公文写作破除了旧公文中的繁琐程式,清除了表达冗余信息的公文用语,形成了公文写作庄重平实、明快简约的语体风格特征。

四、推介了社会科学语体。毛泽东宣传马列主义,宣传历史唯物主义和辩证法的重要成果是科学论文《实践论》、《矛盾论》,其言语行为的言后结果是推出介绍了社会科学语体。

五、毛泽东虽不是一个专业诗人,古体诗词的创作却达到了少有人能及的高度。诗词语言雄浑豪放的语言风格奠定了浪漫主义文艺创作的基石,这种创作倾向强烈地表现在延安时期、"十七"年时期、"文革"时期的文艺创作里。

毛泽东的写作主观上是为了中国革命,具有很强的政治功用性,客观上对现代汉语形成了巨大影响,推进完善了现代汉语语言体系。

傅金祥在《毛泽东语体在现代汉语写作发展史上的地位和影响》[①]一文中以翔实的材料、准确的推理论证了毛泽东语言对现代汉语写作的影响。但他只注意强调了写作的示范作用,而忽略了口语交际的示范作用;强调了耳濡目染这种自发的接受毛泽东语言的影响,而忽略了语文学家自觉地接受毛泽东语言的影响,在知识阶层这个庞大层面上,最有效地发挥了、强化了毛泽东语言的示范作用。其实,语文学家选用毛泽东的文章,正是注意到了其典型性和规范性。比如教育学家选用毛泽东文章,是要教会学生怎么准确选词炼句、表情达意;修辞学家选用毛泽东的文章,是因其具有政论语体标准体式的特征:逻辑严密、推理准确、富有战斗性和文学性;语法学家选用毛泽东的文章,是因其句子结构规范,逻辑层次清楚,关联词语准确表义,具有很强的可分析性;演讲学家选用毛泽东的文章,是因其深入浅出,富有哲理,能动之以情,晓之以理,是极富鼓动性、艺术感染力的标准的演讲语体。总之,正是语文学家的种种教学、写作实践和口语交际活动,从不同角度强化毛泽东语言的示范作用,而且比自发的

---

① 《文艺理论与批评》,2001年第1期。

耳濡目染的示范作用更自觉、更理性、更有渗透力。

　　毛泽东的文章不但有写作实践的示范作用，还有傅文没谈到的理论指导作用。比如毛泽东在《反对党八股》中对语言运用提出了三点要求："第一，要向人民群众学习语言"，"第二，要从外国语言中吸收我们所需要的成分"，"第三，学习古代语言中有生命的东西"。语言学家在拟定现代汉语规范政策时就把它们作为语言运用的准则加以引用。如胡裕树主编的《现代汉语》中就有："毛泽东同志说：我们还要学习古人语言中有生命的东西。……当然我们坚决反对去用已经死了的语汇和典故，这是确定了的，但是好的仍然有用的东西还是应该继承。""我们应该把这个意见作为处理古语词的准则。""毛泽东同志说：'要从外国语言中吸收我们所需要的成分。我们不是硬搬或滥用外国语言，是要吸收外国语言中的好东西，于我们适用的东西。因为中国原有的语汇不够用，现在我们的语汇中就有很多是从外国吸收来的。'可见适当吸收外来词是很必要的。"[①]不言而喻，毛泽东的语言观对现代汉语规范理论也起到了指导作用。概言之，毛泽东的语言无论从实践的还是理论的角度，都对现代汉语写作和口语交际起到了示范作用。

第二节　毛泽东语言对"样板戏"文本的示范作用

　　具体考察原始文本、改编本、改定本的话语，我们发现毛泽东语言对这些现代戏文本（三种文本统称为现代戏文本，下同）最大的影响表现在三个方面。

一　纯正明快、大众化语言的示范作用

　　规范纯正、畅达明快、少有文言印记和欧化倾向，这是毛泽东语言最突出的特征。现代戏文本生成的年代，正好是毛泽东的个人威望最高、影响力最大和社会偶像崇拜形成的时期，所以，毛泽东语言

[①] 胡裕树《现代汉语》，第13页。

纯正明快、大众化语言的特征通过种种渠道、种种方式广泛影响了现代汉语的写作和口语交际。在这种语境中生成的现代戏文本,有毛泽东的文章作为范本,又源于生活、高于生活,语言自然是通俗易懂、明白如话的。它既接近口语,又锤炼得雅致优美,具有中国作风和中国气派,少有拖沓冗长的欧化句式,少有文白相杂、晦涩难懂的语句。语言基本上符合现代汉语规范,经得起分析,少有文理不通的现象。语句简明流畅,不像传统戏曲中有的剧目为了追求词藻工丽,语言陷入形式主义,也不像有的剧目,语句晦涩难懂,出现脱离观众的倾向。现代戏文本的这些特点,使得这些现代戏为广大群众所乐于接受,成为同期戏曲中最受观众喜爱的剧目之一。比如当年的观众至今还记忆犹新的文本,有"提篮小卖拾煤渣,担水劈柴也靠她,里里外外一把手,穷人的孩子早当家,栽什么树苗结什么果,撒什么种子开什么花"这样富有生活情采、清新流畅的唱词;有"普天下受苦人同仇共愤,黄连苦胆味难分。你推车,他抬轿,同怀一腔恨,同恨人间路不平"这样晓畅清丽、词浅意深的唱词;还有"有堵墙是两家,拆了墙咱们就是一家子"这样情真意切、平易畅达的念白。总之,真正做到了是"场上之曲",而不是"案头之曲"。

考察现代戏不同的三种文本,我们又发现改定本由于集中一流的剧作家、艺术家长时间锤炼,语言在精炼、畅达、典雅方面要更胜原始文本一筹。如1958年的原始文本《智取威虎山》中少剑波带着警卫员高波到李勇奇家借宿的场景:

李勇奇　庙小不容大神,干脆说,没地方住!
……
少剑波　(看见桌上的匕首,拔去,递给李勇奇)老乡,对我们用不着这个。不过可以告诉你,我们不是国民党,也不是座山雕。打搅啦!
(少剑波、孙达得出门,少剑波带上房门)
李　母　我看八成是正牌军吧?
李勇奇　这年头,兵变匪,匪变兵,兵匪一气通;都是王八兔子鬼吹灯!

在1970年报改定本中,这些话语以达、信、雅为目标作了调整。

  李勇奇　(发现锅内的粥,感动,深思)中国人民解放军?
      这些兵急人难治病救命,
      又嘘寒又问暖和气可亲。
      自古来兵匪一家欺压百姓,
      今日事却叫人难消疑云!
      真是我们盼望的救星来了吗?
      ……
  李勇奇　(上下打量参谋长)你们到底是什么队伍?到深山老林干什么来了?
  参谋长　(亲切地)老乡!
      我们是工农子弟兵来到深山,
      要消灭反动派改地换天。
      几十年闹革命南北转战,
      共产党、毛主席指引我们向前。
      一颗红星头上戴,
      革命红旗挂两边。
      红旗指处乌云散,
      解放区人民斗倒地主把身翻,
      人民的军队与人民共患难,
      到这里为的是扫平威虎山!

  对话演变成了曲白相生的戏剧情景,口语体改造成了适合于入曲演唱的书面语体式。而且无论是白是曲都注意了语音的调配,唱腔大都注意了平仄押韵,选词用语也表现得更加符合戏曲的文雅、畅达特征。原始文本中李勇奇的话语粗鲁,有詈语,有俚语。尽管是一种误解话语,但直接影响到了戏曲语言的表达质量,也影响到了以少剑波为代表的人民军队的形象塑造。改定本中用"兵匪一家"一笔带过误会话语,正面表现了人民军队亲民、为民的军队宗旨,又恰到好处地凸现出山民李勇奇粗而不野、鲁而不暴的性格特征。参谋长的一段唱腔,与原始文本中的简单对话相比,也因用适情切景的话语阐释了崇高的革命目标和表现了耐心细致的思想政治工作效应,显示了作为军事指挥员的高度政治素养和宏大的魄力。

总体来看,这段唱词在两种文本中的差别也基本上反映了原始文本与改定本之间在语言风格上的差异。因原始文本是在大跃进精神鼓舞下,短期内由个别人或少数几个人突击出来的,如《智取威虎山》就是10天时间赶写出来的,语言自然较为粗疏、平易、直白,但也显得更朴实、本真,生活气息浓厚,个性鲜明。改定本的语言千锤百炼,在相当程度上达到了精致凝练、流畅优美。可改定本中相当比例的话语由于按照"文革"文艺批评规定的同一标准来决定原始文本语言的取舍和锤炼语句,往往过滤掉人物语言中属于生活真实、属于个人特性的东西。改写的结果往往形成诸多公式化、概念化、千口一辞的雷同话语。

二 推陈出新、为我所用方法的示范作用

毛泽东极具点化生发,化平凡为神奇,博采众长,推陈出新的语言才能。"他善于从古代历史、文学中,从群众生活中吸收大量的成语、典故、熟语和格言警句,并加以改造,赋予新的内容。"① 由于巧妙地点用、化用这些词语,就使"他的文章透明清澈,没有什么晦涩难懂的地方,可又有一种智慧的深度","普通人读了不嫌深,高级干部和理论工作者读了不嫌浅"。② 所以,他的语言成为各个阶层的人易于接受、乐于接受的语言,他的文章的许多篇目成为作家、修辞学家引章摘句的典范作品。现代戏文本也努力学习运用这种语言才能,选用了大量的古语词、成语典故、谚语、歇后语、格言警句,改造提炼,赋

---

①② 引自傅金祥《毛泽东语体在现代汉语写作发展史上的地位和影响》,《文艺理论与批评》2001年第1期。

予其新的生命,增加了语言的艺术感染力。

　　成语的选用触目皆是,不胜枚举。成语的改造使用别出新意。如"真金哪怕烈火炼"从成语"真金不怕火炼"改造而来。"心齐能使山河变"显然改造自成语"人心齐,泰山移"。"军民是十指和心紧相连"在比喻当中引用了"十指连心"这个成语。"亲人蒙难,怒火三千丈"由唐代诗人李白的诗句"白发三千丈,缘愁似个长"引发而来。"蚂蚁上树,预示着满天风雨;蝼蛄钻洞,能毁掉百里长堤。"上句改造了谚语"蚂蚁上高天将雨",下句改造了古代成语"千里之堤以蝼蚁之穴溃"。谚语"真是猢狲肚皮里打不出好主意,狗嘴里落不出象牙来","四海之内皆兄弟,多一个朋友多条路","行得春风有夏雨"等的运用,使语言富蕴生活情味。歇后语"秋后的蚂蚱,蹦跶不了几天了"形象生动说明了日本鬼子已是穷途末路,不能再行猖獗的斗争形势。"空船断缆是顺水顺风而来,怎么会逆风逆水而去"的念白既通俗易懂又深刻精警。"鬼子多,和他转;鬼子少,和他干;鬼子驻下我扰乱;日本鬼子准完蛋"的对白晓畅平易,朗朗上口,既是群众化的口语,又提炼得有艺术性。

　　其实,现代戏文本在点化引用精典名作方面最多的还是毛泽东的语句。毛泽东的"老三篇"确实达到了语言流畅、易读易记、形象生动、语精意深的高度,所以成了那个年代人们耳熟能详的篇目,在各个文本中也得到了反复多次的引用。张思德的死被毛泽东赞誉"重于泰山",于是有"好妈妈斗敌寇一死泰山重"、"阶级的情义重于泰山"等曲词反复地引用。毛泽东赞扬白求恩"毫不利己,专门利人",于是就出现"毫不利己破私念,专门利人公在先"的唱词。严伟才更是反复论述"纸老虎外强中干"的原理。杨子荣"立下愚公移山志,能破万重困难关"。毛泽东把革命的形势比着"星星之火,可以燎原",小英就唱赞"看星火已燎原越烧越旺"。除了点化引用毛泽东话语,现代戏文本更多的是直接引用毛泽东语录。对照原始文本,没有一个文本引用过毛主席语录,而京剧文本和改定本少的引1段,多的引了27段,这又显现出原始文本与改定本的一个区别,即改定本打上了明显的"文革"印记。

毛主席语录均从政论文体中选出，所以毛主席语录是以政论话语的形式进入戏剧语体的。适量的渗入，可使逻辑语言的哲理性与文学语言的形象性交织一起，增加语言的感染力。而过量的渗入，就会与文学语言的语体特征相冲突，危及文艺语体的本体特征。改编本中，个别文本如《奇袭白虎团》，有过量引用毛主席语录这种政论语体成分，形成政论语体向戏剧语体超载渗透的倾向性。

三 豪迈雄放语言风格的示范作用

作为革命家和诗人，毛泽东总是把革命乐观主义、理想主义与诗人的浪漫情怀融为一体的。在他的文章中，他把严密的逻辑性、强烈的战斗性、丰富的文学性与革命的理想主义精神结合起来，表现出一种豪迈雄放的语言风格特征。这些特征又直接影响了现代戏文本的生成，使豪迈雄放成为现代戏文本最主要的一种风格表征。我们以毛泽东在《新民主主义论》中的一段话为例：

> 1）共产主义……是自有人类历史以来，最完全最进步最革命最合理的。……资本主义的思想体系和社会制度，已有一部分进了博物馆（在苏联）；其余部分，也已"日薄西山，气息奄奄，人命危浅，朝不虑夕"，快进博物馆了。惟独共产主义的思想体系和社会制度，正以排山倒海之势，雷霆万钧之力，磅礴于全世界，而葆其美妙之青春。①

"共产主义"、"人类历史"、"思想体系"、"社会制度"等都是一些表意庄重、气魄宏大的词语。四个"最"的连用，四个短语构成的排比，使人联想到毛泽东评论鲁迅时连用的五个"最"，"鲁迅的骨头是最硬的，他没有丝毫的奴颜和媚骨，这是殖民地半殖民地人民最可宝贵的性格。鲁迅是在文化战线上，代表全民族的大多数，向着敌人冲锋陷阵的最正确、最勇敢、最坚决、最忠实、最热忱的空前的民族英

---

①

雄"①。可看出毛泽东喜用甚词和并列结构构成的排比来详尽表意、增强气势、抒发感情。接下来的话语运用对比兼比喻的手法,形象描绘出资本主义如夕阳西下,共产主义如旭日东升的两幅图景。四个贬义成语铺排迭出,以其近义的特征,互衬互补,深刻揭示了资本主义的腐朽本质。通过对比的手法,以排比兼拟人辞格表现出一种雄大壮阔气势,热烈赞颂了共产主义势不可挡的力量及光明的前景。

像具有这种雄放阔大意境的语句,在现代戏文本中不是少数。如:

2) 革命者怕什么风狂雨猛,
 风狂红旗舞,雨猛青松挺,海燕穿云飞,征帆破雾行,
 暴风雨更增添战斗豪情!(《海港》)

3) 井冈山光辉大道壮丽宽广,
 枪杆子必开创人类历史新篇章!
 这几天魔窟里嘈杂吵嚷,
 笑顽敌垂死挣扎枉费心肠。
 洒热血迎黎明我无限欢畅,
 望东方已见那光芒四射喷薄欲出的一轮朝阳。(《红色娘子军》)

这些语句,与毛泽东的话语在阔大雄放的精神气质上是息息相通的。博大的气势,激荡的豪情,对比互衬的手法,排比的句式都表现出语言豪放风格表现特征上的一致性。

当然,毛泽东作为胸襟博大、目标高远的领袖人物,他抒发浩大气魄的感情,是他的真情实感的流露。他自身的气质内在的气势和气度决定他说出来的话就是内涵厚重、力拨千钧的豪言壮语。德国社会学家马克斯·韦伯认为:有一种领袖人物,其自身与生俱来地具

---

① 《毛泽东选集》第二卷,第 686 页,698 页。

有某种超出一般人之上的品质,同时也具有非凡的特殊才能。这种特殊品质和才能,一般在两种场合中得到突出的体现:一方面,当社会发生严重的危机和动荡时,他有足够的能力,从外部造成影响,排除险情,扭转乾坤,转危为安;另一方面,他又有创造体制和树立信仰的魅力,从内部营造价值体系,从而建构起新的体系。这样的人物,是"超凡魅力型领袖"。而毛泽东就是这种超凡魅力型领袖,他的超凡魅力与他的浪漫诗人气质融为一体,就使他的话语经常是激情澎湃、气势浩瀚、意境雄阔。而现代戏中的英雄人物,特别是"样板戏"中的人物所表现出来的品格,主要是根据一定政治观念被拔高、被纯化、被类化的品格。人物往往表现出一种阶级的共性,而不是人物自身性格特征所具有的个性。如李玉和就是具有"中国无产阶级优秀品质的升华和结晶"的"最光辉的典型",方海珍就是"无产阶级专政下继续革命的光辉典范",郭建光就是"工农子弟兵的光辉典范"等等。为了树立这些典范,就必须运用"三突出"的原则层层衬托,层层拔高。所以这些人物的话语,有时候看上去像是豪言壮语,实则带有假大空话语的特征。以《龙江颂》原始文本与改定本作为比较,可以看出人物话语被拔高的痕迹。在原始文本中干部们做思想工作时讲的是既朴素又有理想的话语:

> 4) 郑 强　我们都是党员,不能站在大队部,只看门口田啊!
>
> 郑 坚　对呀,人家说,站在家门口,要看到天安门。
>
> ……
>
> 郑 坚　是啊,人家还说,站在天安门,要看到全世界呢!

男性的大队支部书记郑强到了改定本中,变成了女性的支部书记江水英;朴实的、符合其身份的话语被拔高得虚假、空洞、乏力,完全不符合一个普通农村干部的思想觉悟和理论水平。

5）江水英　抬起头,挺胸膛,/高瞻远瞩向前方。/莫叫"巴掌"把眼挡,/四海风云胸中装。要看到世界上,/多少奴隶未解放,/多少穷人遭饥荒,/多少姐妹受迫害,/多少兄弟扛起枪。埋葬帝修反,/人类得解放。/让革命的红旗插遍四方,高高飘扬!

没有本源的气势和力度,不切合人物身份的豪言壮语,只能是失去真实,没有内在的假大空话语。

第三节　文学创作的引导作用

这部分的讨论,是基于这样的认识展开的:现代戏文本从50年代的原始文本到70年代的改定本,经历了漫长的历史过程。其间,同期的有代表性的、反映着时代精神的文学创作在创作倾向、思维模式、语言风格方面,不可能不对现代戏文本的生成、修改产生同化的影响。所以我们以同期的文学创作为大语境,观察原始文本的生成及改编本受同期文学创作影响,文学话语不断被置换为政论话语的过程。当然,我们仅列举有最直接最密切引导作用的文学创作。

五六十年代,对原始文本生成影响最大的同期文学创作是诗歌和小说。

一　政治抒情诗的创作

50年代的文学创作,有文艺理论家把它归结为以"颂歌"为其表现特征的创作。这"颂歌"的功能,其实有很大一部分就是由政治抒情诗来承载的。政治抒情诗以其敏锐、直接反映现实生活的特性,切合了50年代政治运动、政治斗争频繁出现的复杂形势需求,因此获得了繁荣兴盛。

政治抒情诗与一般抒情诗的区别在于,前者往往选取国内外重大政治事件和历史场景作题材,代表一个政治群体或一个阶级、一个阶层,抒发一种群体所共有的普遍的感情,一般不抒发纯粹的个人感情。如建国初郭沫若庄重典雅的《新华颂》，胡风气象恢弘的《时间开始了》，何其芳气势雄放的《我们最伟大的节日》，就是代表全中国人民热情讴歌新中国成立的以赞颂为目的的诗体。

50年代到60年代，政治抒情诗日益繁荣，其中成就最高的是郭小川和贺敬之。郭小川创造了鼓动型的政治抒情诗，后又把它发展成"辞赋体"。贺敬之则专心致志于"楼梯式"的政治抒情诗的创作，发扬光大了前此创作的颂体。一大批诗人受到感染，也纷纷致力于政治抒情诗的创作，其作品产生了相当大的社会影响，政治抒情诗的创作成为当时一种主导性的创作。到60年代，政治抒情诗的创作已经失却本色，染上了较重的政治理念色彩，发展成直接切合政治需要的政论型的政治抒情诗。於可训对这时期的政治抒情诗是这样评价的："除了极少数优秀作品，一般诗的情感化和形象化程度不高，诗思政论有余而哲理不足，诗兴激扬过甚而缺乏调节，诗风偏于直泻而不够委婉曲折，'文化大革命'中甚至发展到直接演绎政治理论和标语口号式的直白呼号的程度。"①

读到这些评论，比照现代戏各个时期的文本，我们切切实实的感到了政治抒情诗与大部分文本特别是改定本之间那种一脉相通的气息，或许可以这样说，正是这些政治抒情诗，奠定了现代戏文本抒情的格调气氛。

以郭小川1964年的《他们下山开会去了》为例：

我们的党，/是祖国的头脑和心脏；/我们的毛主席，/是人民的领袖和榜样。/而这本小书呵，/就是党与毛主席的化身和塑像；/全体牧工依靠它，/创建了一个强大的牧场；/在所有的重要关头，/它指示了最正确的方向。

……

世间再也没有别的珍宝，/比它更为坚实深广！/大敌当前，/它就是反抗的长枪；/狂风袭来，/它就是高大的屏障；/困难

---

① 於可训《中国当代文学概论》，第69页。

挡道，/它就是排山的巨浪；/云雾迷漫，/它就是明丽的曙光。

　　世间再也没有别的珍宝，/比它的价值更为高昂！/生活和战斗，无不在它里面闪亮；/过去和未来，/无不在它里面包藏；/理想和现实，/无不在它里面放光；/红花和绿果，/无不在它里面喷香。

诗歌语句竭尽赞扬歌颂之能事，褒扬的是这样一本小书：

　　三寸宽，四寸长；/是谁用密密麻麻的小字，抄满了毛主席的文章；/是谁在它的扉页，画上了毛主席的画像；/是谁在它的行间，记下了阅读时的感想。

有毛主席画像和文章的手抄本，其威力几乎等同于毛主席语录本本身。尽管诗作的诗句还是形象生动、富于诗意，还不属于於可训评论的直接演绎政治理论标语口号式的诗，但鲜明的政治倾向、浓烈的说教意味已经溢出了诗句，夸大其词也已经跨过了真实的最后界限。但这就是那个特定年代人们真诚信奉的特定的话语，郭小川只不过作为时代精神的代言人，代表人们抒发了这种感情。这种颂扬话语与"样板戏"中的颂扬话语息息相依。

试析原始文本淮剧《海港的早晨》和改定本京剧《海港》中人物抒发感情的特征。

淮剧

1) 我们要立足码头看世界，
   解放全人类理想最崇高。

2) 在这样一个光辉灿烂的时代里，同志们！把我们的青春，把我们的一切，毫不保留地贡献给革命吧！让我们终身为无产阶级壮丽事业，为全人类彻底解放，战斗到底！

3) 未来的天地我们主宰，
　　　定要把革命红旗在世界高峰插起来！
京剧
　　1) 毛泽东教导我们：要完全地彻底地为全中国人民服务，
　　　为全世界人民服务，这就是我们最崇高的理想。
　　……
　　千万个英雄说不尽，
　　我们要——
　　学他们献身于世界革命，奋斗终身，做一个永不生锈的
　　螺丝钉，
　　这才是革命者伟大的胸怀，灿烂青春！

　　2) 万船齐发上海港，/通往五洲三大洋。/站在码头放眼望，/反帝怒火燃四方。/世界人民声势壮，/相互支援力量强。/码头工人跟着党，/说到做到斗志昂。/胸怀着马列主义毛泽东思想走向那共产主义，/要把那世界彻底变个样！/高举红旗奔向前方！

　　淮剧中的金树英宣讲革命的大道理，语句中出现了"世界"、"全人类"、"理想"、"时代"、"革命"、"高峰"等语义内涵庄重阔大的名词，"崇高"、"壮丽"等表意高尚壮美的形容词，"主宰"、"贡献"、"战斗"、"解放"等极富革命性的动词。激越奔放的语势，立足中国放眼世界的豪情，与京剧文本中方海珍的豪言壮语在语言风格上有着相当的一致性。只是《海港》的唱词把这种感情气氛营造得更浓烈、更极端、更革命，也更空洞乏力。

　　出自同一个人物之口的话语，在不同文本中，都抒发了工人阶级要解放全人类的感情，但只是一种激昂有余、理性不足的空洞感情，也反映那些年代人们的思维特征，映射出50年代末的时代精神。淮剧《海港的早晨》出版于1964年10月。当时的文学创作还未摆脱

50年代末大跃进中以浮夸和空想代替浪漫主义，又以这种扭曲的浪漫主义取消现实主义的创作倾向的影响，而且片面强调理想、热情、想像等主观因素和浪漫主义。这些因素影响淮剧文本的抒情格调，又决定了京剧文本的感情基调。总之，无论是原始文本的创作，还是其后文本的改编定型，都是映射时代精神的，所以它们在创作倾向、思想内容、思维模式、语言风格上是有着继承性的。

二　小说创作

小说创作中有两类对现代戏文本的影响最大。第一类是塑造英雄性格，表现英雄主义主题的小说。比较有代表性的反映革命战争的小说，有茹志鹃以切合当时热烈高昂时代风格的《百合花》；有表现崇高悲剧风格的峻青的《黎明的河边》，王愿坚的《党费》；有被称为"战争史诗"的杜鹏程的《保卫延安》，吴强的《红日》，知侠的《铁道游击队》；还有表现革命英雄传奇的曲波的《林海雪原》等。反映革命历史的小说，有梁斌的《红旗谱》，罗广斌和杨益言的《红岩》，冯德英的《苦菜花》，李英儒的《野火春风斗古城》等等。这些创作对现代戏文本的创作的影响是不言而喻的。"样板戏"剧中那老老少少、男男女女的英雄人物，我们都能从这些小说中找到身影。有的剧直接就取材于这些小说，如《智取威虎山》就取材于曲波的《林海雪原》。

50年代，在革命取得胜利之时，回忆艰苦卓绝的斗争，歌颂具有牺牲精神的英雄，是时代的主题。自然，弘扬革命英雄主义精神，也成了小说和戏剧的共同主题。《芦荡火种》就是以南京军区提供的"36个伤病员"的材料为蓝本编写而成，《奇袭白虎团》是根据志愿军排长杨育才的真实事迹编写，《平原游击队》取材于抗日英雄甄凤山和郝庆山的英雄事迹。

当然，小说的成功创作，给戏剧文本的生成提供了一个典型的范例。英雄们的崇高品质，高尚气节，敢于斗争、敢于牺牲的精神被移植在戏剧里，构成了具有审美价值和艺术感染力，并葆有长久生命力的主题。而表现这种主题的表现形式——戏剧话语，也相应获得了认知的价值、审美的特征。

第二类小说是作品主题大幅度向阶级斗争或路线斗争倾斜,人物形象的塑造越来越追求理想化的小说。如浩然的《艳阳天》、陈登科的《风雷》、姚雪垠的《李自成》(除第一卷外)、金敬迈的《欧阳海之歌》等。这些作品中对阶级斗争、路线斗争扩大化描写和塑造人物高大完美的倾向,为改编本,特别是改定本描写扩大化、绝对化的阶级斗争,在"三突出"创作方法律定下塑造高大完美的无产阶级英雄人物,提供了参考标准。

三 红卫兵诗歌创作

红卫兵诗歌是"文革"初期充分反映了时代精神的"最强音",是当代诗歌中恶劣的创作倾向和潮流的代表。红卫兵本不是一个文学群体,而是一个政治层面上的社会群体。他们以《五·一六通知》精神为理论依据,大破而不大立。他们的理念是:"破"字当头,立也就在其中了。他们具有当下政治需要的破坏精神和极端情绪,把感情斗争和疯狂破坏当做是革命。以打砸抢、假大空为特征的"文革"话语,与他们有着最为直接的联系。"文革"初期他们那种"王天下者,舍我其谁?"的气势,把社会搅得掀起了九级浪。这种气势反映在前期的诗歌里就是咄咄逼人、粗鲁无理的话语:"舍得一身剐,敢把皇帝拉下马!""红卫兵生来就造反,得罪多少王八蛋!""×××算老几,老子今天要揪你!抽你的筋,剥你的皮,把你的脑壳当球踢!誓死保卫党中央,誓死保卫毛主席!"还有改造苏区革命民歌的歌谣体:"铁气节,英雄胆,提着脑壳来造反;方向一明不回头,敢闯火海上刀山。"①

这些诗,算不上是严格意义上的诗歌创作,只是这些标语口号式的诗句,却适于宣泄红卫兵极端的情绪和表现他们不成熟的创作心理。

后期的诗歌,火药味不那么浓烈了,增加了一些文学的意味。杨鼎川认为:"有一些诗,抒情主人公的形象相当鲜明,个性色彩也不淡薄,而且语气雅驯,韵脚缜密,读之上口,可视作'文革'前盛行一时的

---

① 杨鼎川《1967 狂乱的文学年代》,第 151 页。

政治抒情诗的延续。"①

从1968年年底出版的诗集《写在火红的战旗上》的目录看,红卫兵诗歌的风格发生了一些变化。诗集选入1966年至1968年红卫兵传单小报上的诗共98首。诗集分为八编:1. 红太阳颂;2. 红卫兵歌谣;3. 在那战火纷飞的日子里;4. 夺权风暴;5. 长城颂歌;6. 献给工人同志的歌;7. 井冈山的道路;8. 五洲风雷歌。这八编的诗不再像前期的诗只强调"斗争",还增加颂扬的主题。

很难相信,声势如此浩大的红卫兵运动,反映时代"最强音"的红卫兵诗歌对戏剧文本的修改会没有波及。三忠于四无限,大唱语录歌,大跳忠字舞,早请示晚汇报的造神运动影响到全中国人民生活的行行业业、角角落落。老太太到菜场,开口就是"要斗私批修,买一斤黄瓜",营业员回答"为人民服务,找您五分钱"。照相馆贴出告示是:"凡到我革命照相馆照相,拍革命照片的革命同志,进我革命门,问革命话,须先呼革命口号。如革命同志不呼革命口号,则革命职工坚决以革命态度不予照相。致革命敬礼。"②红卫兵大破四旧,使得许多店纷纷更改店名。北京一家服装店更改店名后,还怕跟不上红卫兵的造反步伐,又贴出对联:"革命服装大做特做快做,奇装异服大灭特灭快灭",横额是"兴无灭资"。可以推知,跟政治切合得最紧的"样板戏"必定有红卫兵话语的印记。当然,我们不是说,红卫兵曾经用过的一些话语出现在"样板戏"中,我们就断定它们是红卫兵话语,如"为革命粉身碎骨也心甘"、"刀山火海也敢闯"、"革命到底,永不下战场!""以血还血,以牙还牙"、"恨不得把你碎尸万段"、"毛主席的恩情比天高,比地厚,更比海洋深!""毛泽东思想把我的心照亮,浑身是胆斗志昂"等,我们就说它们是红卫兵话语。我们想表明的一点是,在用极端的话语来表达极端的情绪这一点上,它们是相通的。

---

① 杨鼎川《1967 狂乱的文学年代》,第149页。
② 转引自陈汝东《社会心理修辞学导论》,第51页。

四 回应政治呼唤的创作

积极回应政治的呼唤,是那个年代部分创作显现出来的共性。悦上,是一种最为突出的特征。比如张永枚的《西沙之战》就直接用"劲松"这个人所皆知的隐喻和象征,作为水兵们英勇杀敌的力量源泉,成为今天的读者难以卒读的悦上话语:"吹奏着雄壮的军乐,水兵们杀声动海天。""冲上去!以劲松的意志,劲松的勇敢!冲上去!……前进的道路,开辟在大风大浪间!"为了扣合政治宣传的需要,把政治术语也直接搬进了诗体:"国旗在飘扬,雄伟傲长空,召示我们继续革命!批林批孔当闯将,粉碎敌人复辟梦!"就连具有战士的情怀、战士的歌唱的诗人郭小川,也写出不少切合政治形势的诗作。《万里长江横渡》、《长江边上"五·七"路》,就是以思考毛主席关于无产阶级专政下的继续革命为主要内容,来表明他的政治态度和政治热情。

根据政治需要,时时调整自己的创作,也是那时常有的情景。金敬迈的《欧阳海之歌》出版于"文革"前,主人公欧阳海曾被描写为反复研读刘少奇的《论共产党员修养》,提高了个人的修养。"文革"开始后,作者作了修改,因为《论共产党员修养》变成了大毒草。

在这类文学创作中,最令人注目、最引人深思的是郭沫若的创作。这位 20 年代"五四运动的急先锋,在他的《女神》时代,豪放潇洒,傲视人间,那时候他属于他自己。他以太阳自比,用整个生命拥抱诗歌,拥抱生活,拥抱生命。可从 40 年代开始,他的所有创作包括诗歌、戏剧甚至学术研究,都转变为一种积极配合的态势。他总是力求通过体现和说明另一伟人的存在来说明他自己的价值。有人把他比作总是高高地昂着头的雄鸡,由于条件反射,一见到太阳就引吭高唱。有人把他比作太阳底下失去自我的蜡烛。"① 他真诚地歌唱"难怪阳光是加倍地明亮,机内机外有着两个太阳"(《题毛主席在飞机中工作的摄影》),"祝我们亲爱的导师毛泽东主席万寿无疆!"(《歌颂全运会》)我们在《郭沫若全集》四卷、五卷中还找到很多类似这样的颂

---

① 李辉《沧桑看云》,第 22 页。

扬语句。我们深感惊异,"文革"中才为大家熟知的这些颂扬话语,竟这么早就出现在诗人"文革"前的诗集里。

在这种文化语境中,改编本、改定本对政治的回应显得是那么自觉、主动和积极。《龙江颂》、《海港》原文本只反映了人民内部矛盾,以江青为代表的意识形态为了体现"千万不要忘记阶级斗争"的主题,硬提升了矛盾冲突的等级。原始文本中几乎没有口号入剧,改编本和改定本中胜利之时、英雄就义之前都要喊"毛主席万岁!"等口号。毛主席语录被大量引用,毛主席是红太阳、大救星的比喻不断复现。在《龙江颂》的原始文本中,"毛主席"及毛主席语录一次也未出现过。社员们满怀丰收喜悦吟唱的是"啊,九龙江,富饶的九龙江,我们的亲娘,你勤劳的儿女在你的哺育下成长","没有党的领导,就没有这种风格,一切归功于党!"到了改定本中,"毛主席"出现了16次,"毛泽东思想"出现一次,毛主席语录被四次引用。社员们吟颂龙江和归功于党的话语,被置换为:"江大海大天地大,比不上毛主席的恩情大!同志们,我们这次战胜百年未遇的特大干旱,全靠党的领导,全靠战无不胜的毛泽东思想!"话语的置换,完全是为了回应"文革"政治的呼唤,从而也映射"文革"的时代精神风貌。

正是在这种为回应政治呼唤的创作中,"样板戏"的文学话语无数次被政治话语置换,文学话语出现了向政治话语位移的倾向性。

第四节 "文革"文艺批评的钳制作用

"文革"前,在相当长的时间里,文艺界片面强调文艺的阶级性和政治性,片面强调文艺的认识功能和教化功能,片面强调与各种政治运动相呼应。这不能不对文艺创作产生极大的钳制作用。

"文革"中,文艺批评重视为政治斗争服务的工具功能。文艺批评的标准从"政治第一、艺术第二"变为"政治标准唯一"。怀疑一切、否定一切、打倒一切,积极配合政治成为文艺批评的主要表现特征。这种批评被人们称为"棍子"式的批评。姚文元就是这种批评的典型代表,获取了"无产阶级金棍子"之贬称。他的语言风格特点其实就是独断和霸气。李辉在《风落谁家——关于姚文元的随感》①中具体描述了这种风格:"读姚文元的杂文,或者评论,我不由感到一种逼人气势如山一般矗立面前,如海浪一般向你涌来。但一旦走进这山背后,便发现这气势只是虚假的声势。他是以语言的喧嚣和情绪的亢奋,掩饰着逻辑混乱和思想苍白。那么多大小长短的文章,除了批判叱呵还是批判叱呵,除了引经据典寻章摘句还是引经据典寻章摘句,他并没有表现出更多更出色的其他才能。我无法想像,这样的文字这样的气势,居然在相当长的时间里成为文化界舆论的主流,成为备受青睐的样板。"

其实,李辉的疑问从语言的角度来审视,就可以得到很好的说明,亦即:假大空的话语是那个时代政治需要的话语,姚文元善于用假大空话语去切合政治的需要,所以其文字成为"文革"文艺批评的主流话语。

这些"文革"文艺批评作用于改编本的修改,一个突出的表现是一整套文学创作模式的形成。

按照《纪要》的规定,描写革命战争,"矛盾的主要方面",只能是"革命的英雄主义和革命的乐观主义";描写战争艰苦性和残酷性的话语,必须通通删去。沪剧《芦荡火种》中郭建光有一段唱词:"战斗负伤半月余,两腿沉重步难移,心欲抗日身无力,真是哪——英雄最怕病来欺。今日总算能举步,重返部队喜有期。"这段唱词没有出现在改编本里,因为被认为是歪曲了英雄形象,给英雄人物脸上抹了黑。改编本改为:"战斗负伤离战场,养伤来到沙家浜。""军民们准备反'扫荡',何日里奋臂挥刀斩豺狼?!伤员们日夜盼望身健壮,为的是早早回前方!"改编本中"军民们"、"伤员们"这两个集合名词充当话语的主体,以集体话语替换了个人话语,以集体强劲刚健、奋发有力的话语替换了个人悲切感叹的话语。这正是整个"文革"时期,也是"样板戏"的一个突出的思维特征:强调集体话语,忽略个人话语。经过改动的话语,美则美矣,雄也则雄矣,可是被抽去了属于人的正

---

① 李辉《沧桑看云》,第96页。

常感受,消解了人物个性的东西。按照"文革"文艺批评的标准,受重伤也不能表现伤痛,情绪也不能低沉,只能以雄赳赳、气昂昂的高大完美形象出现。每一个英雄人物都按高大完美的标准套刻出来,于是,李玉和偷喝酒,杨子荣上山时哼的土匪小调的细节描写全都得删去。无疑,所有的剧作都只能铸造出一批公式化、模式化,没有七情六欲,只有规定划一感情的革命人。我们曾经把"样板戏"中的一二号人物的话语抽出来做情感分析,这才发现,一二号人物除了对敌人强烈的憎恨和对党、对同志、对人民无比热爱的感情,他们不再有其他感情(除《磐石湾》陆长海还有夫妻感情)。也就是说,"样板戏"反映的人物感情,是非真实的人物感情,是一种失衡的、偏颇的感情。而"样板戏"正是加重戏的分量,把这种阶级爱憎感情演绎得催人泪下,动人心魄,才在一定程度上掩盖了生活真实与艺术真实的矛盾,才使这些英雄人物产生了打动人的艺术魅力。但这些人物过于纯化、过于完美产生的虚假感,也必定会在一定程度上削弱了人物由真实和个性化带给艺术的强烈感染力。

"文革"文艺批评坚持《五·一六通知》精神,要求创作以写阶级斗争为主,于是表现现代题材的《海港》、《龙江颂》就增加了阶级对立面钱守维和黄国忠,增加了许多剑拔弩张的阶级斗争话语。如毛主席"阶级斗争必须年年讲、月月讲、天天讲"、"千万不要忘记阶级斗争"的话被反复引用。方海珍提醒装卸队长:"老赵,咱们可不能麻痹大意,只听见机器声,听不见阶级敌人霍霍的磨刀声啊!"江水英有高度的阶级斗争预见性,她告诫李志田:"还要注意暗藏的阶级敌人!""要警惕阴暗角落逆风吹。"这些阶级斗争扩大化、绝对化的话语,给剧作平添了浓浓的火药味。

"文革"文艺批评大批"人性论"、"人道主义",认为"人之常情"是地主资产阶级的腐朽感情,要求"在描写人物之间的相互感情时,鲜明地揭示人物的阶级关系,从阶级关系的诸方面表现人物的无产阶级感情",即"共同的阶级仇,民族恨"。① 由于把人物的感情限制在

---

① 刘康润《阶级的情义重于泰山》,1972年6月3日《文汇报》。

阶级仇、民族恨的范围内,其他表现人物家庭生活、正常感情交流的话语就没有了容身之地。如《红灯记》中最初改编本在刑场斗争一场有很重的感情戏,后被砍掉了。扮演李奶奶的高玉倩就说:"原来监狱一场,最有光彩。李玉和背对观众,踉踉跄跄上场,大段唱。老奶奶和李铁梅又被带上场,鸠山逼供,一边打李奶奶,一边打爹,铁梅心如刀绞,三人轮唱。最后,李玉和和老奶奶走上刑场,铁梅哭嚎:'怎么就剩我一个人了……'李玉和高喊:'你要挺住,咱们的人是杀不完的。'一家人生离死别,为革命献出一切的感情得到尽情抒发。可江青说是哭哭啼啼,是资产阶级的人性论,好嘛,全给改成直眉瞪眼、硬邦邦的了……"①

1967年10月改编本中本来还保留了铁梅的一些感情戏,铁梅哭唱"爹这样的好人,大家需要你,儿愿替爹一死……(哭头)(哭头是戏曲中哭号的一种表演程式)我的亲爹呀……(跪抱李玉和哭)",在改定本中又给删去了。一个17岁的女孩子,面临家庭突如其来的重大变故,面对凶恶强悍的敌人,还有什么方式能比哭诉这种方式更适宜表达她的感情呢?可是"文革"文艺批评就是不让她哭,要让她成为小强人,表达强烈的阶级仇、民族恨。"咬住仇、咬住恨,嚼碎仇恨强咽下,仇恨入心要发芽!"还让她强迫自己"不许泪水腮边挂"。这都使铁梅的话语失却正常人性,显得不合情理。人物多有革命豪情,缺乏人之常情,处于刚强有余、柔弱不足的一种失衡状态中,这就是"样板戏"人物塑造表现出来的一种共性。

第五节 "文革"语言的思维特征

从上面三节的分析可以看出,"样板戏"话语的生成由于受到多种因素的影响,形成了一个极为复杂的混合体。从原始文本到改定本,语言风格也发生了变异。这种变异与"文革"语言风格变体有着密切的联系,只不过,"样板戏"作为一种艺术形式,毕竟还呈现出自

---

① 许晨《人生大舞台"样板戏"内部新闻》,第174页。

身发展变化的一些规律性。

陈松岑对"文革"语言风格变体有着深入而客观的研究,其结论源于详实的语料、精密的统计、准确的推理,是目前关于"文革"语体研究权威性的结论。他认为"文革"语体有下列六种特点:

其一,含有"批"、"斗"类语素的词出现频率很高,是造成正式语体火药味重的主要语言手段。甚词的频繁使用,形成了说话、办事走极端的风气。

其二,祈使句、感叹句的使用频率上升,而陈述句的使用频率下降。

其三,排比、对偶、反复多,并列结构充任句子成分的句子多。

其四,大量直接引用马列经典著作原文和领袖语录、毛主席语录。

其五,散文体裁中夹杂韵文。

其六,粗话、脏话对书面语形成污染。

这六种特点,在"样板戏"中都有反映,在下面的分析中,我们将会有所涉及。这里想进一步思考的是,在"文革"特定的社会环境中人们形成了一些共同的社会心理,文学界与心理学界用群体意识、集体无意识、趋同心理、盲从心理等术语来解释这种共同的社会心理。从语言学的角度看,正是在"文革"特定的共同的社会心理作用下,"文革"话语才得以形成。换言之,"文革"话语是被"文化大革命"这一特定历史时期赋予鲜明时代特色的话语。其政治化、模式化的程度,可谓空前绝后。有人从政治学的角度研究它所写照的极左思潮和空洞的意识形态说教;有人从文学的角度揭示其八股形式掩饰下极端的思想、苍白的形象和亢奋的情绪;有人从语言学的角度研究它作为政治理念的载体,在表达方式上的形式主义、感情色彩上狂热与粗野的特征。总而言之,不同学科都从不同角度分析了"文革"话语由于受政治权势控制、干预而产生的"假、大、空"性质特征。但"文革"话语假在哪里,空在何处,大话有多大?极少有人给出令人信服的回答。运用可能世界语义学的理论,从逻辑语义的角度来审视"文革"话语,我们发现,对"假、大、空"这种"文革"话语形成的原因,我们有了新的解释力。下面,我们拟以《人民日报》1966～1976年元旦社论为语料,来尝试做一分析。

<h2 style="text-align:center">一　□P</h2>

可能世界语义学的兴起,深化了语言的逻辑分析,促进了语言研究方法的日趋严密。可能世界语义学提出了可能世界,用可能世界来解释必然性,即通过命题在可能世界里的真实性来描述必然性,为必然性这种过去几乎无从下手分析的性质提供了分析的可行性。可能世界语义学认为,现实世界有许多可能的情况,一种可能的情况就是一个可能世界,现实世界不过是其中一个实现了的世界。一个命题在现实世界里是必然的,当且仅当,它不仅在现实世界里是真的,而且在所有可能世界里都是真的。具体运用可能世界学说到语句分析,与命题形式相应的语言表达式在可能世界集合中取值的情况大致有:

- ❖ 如果一个语句在所有的可能世界中皆为真,那么这个语句在现实世界中必然为真。命题形式为:□P
- ❖ 如果一个语句至少有一种可能世界支持为真,那么这个语句在现实世界中可能为真。命题形式为:◇P
- ❖ 如果一个语句在所有可能世界中都为假,那么这个语句在现实世界中不可能有真实性,故不成立。命题形式为:→P

以这种理论为指导,我们先考察"文革"元旦社论中"□P"类句子。

1) 中国任何时候都不做超级大国,现在不做,将来也不做。(1971年元旦社论)

语句P是一个包含三个判断的复合命题。它包括两方面的内容。其一是做出一个否定判断:"中国不做超级大国"。其二是表明这个判断在"任何时候",包括"现在"和"将来"时效内的真值。根据中国一贯反对强权政治、霸权主义的对外政策,复合命题中的三个判断在过去、现在、将来的所有可能世界中都为真,与现实世界具有必然联系,所以语句 P 是一个真命题。

  2) 对待我们的工作必须采取一分为二的观点。(1966 年元旦社论)

  "一分为二"是辩证唯物主义看待世界的最基本的方法之一。社论既把它作为理论方法提出,又具体地运用它来分析形势。先肯定成绩:"第一个五年计划,在 1957 年超额完成了。从 1958 年开始的第二个五年计划,到 1960 年就提前两年基本完成了。"1961 年到 1965 年,各行各业也取得了较大的成绩。然后指出工作中的不足:如"农业抵抗自然灾害的能力还不强,每年总还有部分地区遭受自然灾害。在工业交通、基本建设方面,还有不少薄弱环节。不少部门的科学技术水平,比起世界先进科学技术水平,还有一段相当大的距离。"较为实事求是的分析,符合主观理论,又符合客观实际,因此语句所代表的命题在可能世界中被赋予真值,模态词"必须"也切合现实世界的规律,表现为客观必然性。

  毋庸讳言,在"文革"十年间元旦社论中,特别 1967 年"文革"全面发动后的社论中,像 1)、2)这样反映客观必然性的语句不是很多。充斥社论的要么是形势一派大好,到处莺歌燕舞的虚假赞颂,要么是反帝反修、阶级斗争永不忘的偏激。因此这一类语句更显其难能可贵。

二　把 $\Diamond P$ 当做 $\Box P$

  如果一个语句所代表的命题可以在所有的可能世界中取得真值,或者可以在某些可能世界中取得真值,而说话人只认定其中一种可能性,并把它作为唯一的现实性,那么我们说,这种取值方法是以一元否定了多元,以可能性取代了必然性,即把 $\Diamond P$ 当做了 $\Box P$。如果这种可能性在可能世界集合中证据支持度最小,与现实世界的必然联系又最少,那么可以说,这种可能性几近于不可能。在"文革"社论中,不乏这样取值的语句。不难作结,这就是社论话语形成"假、大、空"性质特征的主要原因之一。例如:

3)再有几个月时间,整个形势将会变得更好。(1968年元旦社论)

时态词"将"表示命题是对未来情况的判断。由于未来情况蕴含着不可知、不确定的因素,所以,形势变化就包含着多种可能性,至少具有"更好、更糟、有点好、有点糟、不好、不糟"六种可能性。可是社论用模态词"会"限定了可能性的取值,并借助于肯定句和陈述语气的形式,把"更好"认定为唯一的可能性。这实质上是以一元否定了多元,以可能性取代了真实性。事实的发展也证明了社论的判断最缺乏证据支持关系。形势不是变得"更好",而是变得"更糟",到了天下大乱、无法收拾的地步。模态词"会"所认定的可能性尚未实现为真,故命题不成立。

4)它们(指美苏两国)的日子不会太长了。(1970年元旦社论)

六七十年代,美国与前苏联以其强权政治和强盛的经济实力,在世界格局中占据着重要的地位。毛主席关于"三个世界"理论的划分,就是对世界各国政治、经济存在差异的清醒认识。尽管美苏两国到处侵略扩张,干涉别国内政,加剧了国内外矛盾,但并未像社论断言的那样穷途末路,在做垂死挣扎。事实上,在可能世界集合中,"它们的日子"有多种发生的可能性,只断定有"不会太长"一种可能,是以证据支持度低的可能性否定了证据支持度高的可能性。离开了现实依据的判断,只能增加命题的虚假性。

5)各革命组织,都要以毛主席的无产阶级革命路线作为自

己行动的唯一指南。(1968年元旦社论)

6)否定或修改以阶级斗争为纲,在理论上和实践上就必然会犯错误。(1970年元旦社论)

例5)中"毛主席的无产阶级革命路线"只是行动的指南之一,而不是"唯一指南"。把"之一"当做"唯一",表达的只能是以偏概全、以可能为必然的虚假命题。正如十一届三中全会指出的那样,在我国的社会主义革命和社会主义建设中,阶级斗争已经不再是主要的矛盾。因此6)中"否定或修改以阶级斗争为纲"与"犯错误"之间根本就不存在必然的逻辑联系,符合客观实际的真值是证据支持度很小的可能性,必然性应该替换为或然性。

试比较《人民日报》"2000年元旦献辞"中关于未来形势的分析。

7)政治多极化和经济全球化是未来世界的两大趋势,我们将面临着严峻的挑战,更面临难得的机遇。

献辞既有对多元环境的展示,又有对多元选择的辨证分析,判断恰当,推理周密,是一个获取真值的命题。

三 把 $\neg P$ 当做 $\Diamond P$ 或 $\Box P$

以假值作为真值的论证方法,是"文革"社论话语形成"假、大、空"性质特征的又一重要原因。

8)无产阶级文化大革命是使我国社会生产力发展的一个强大的推动力。(1976年元旦社论)

9)革命推动了生产。农业在连续十二年丰收的基础上,又获得了全面丰收。工农业总产值比一九七三年又有新的增长。工业、基本建设和科学技术工作,都获得了新的成就。我国市场繁荣,物价稳定,生产建设蒸蒸日上。

　　这同资本主义世界生产衰退,失业增长,通货膨胀,面临深刻的经济危机形成鲜明的对比,显示了社会主义制度巨大的优越性。(1975年元旦社论)

　　"文化大革命"是使我国生产关系遭到极大破坏,生产力受到极大阻碍的历史大倒退,无论是今天,还是社论发表时的1976年,都是一个不争的事实。社论不顾事实,硬把可能世界中都证实为假的判断说成是现实世界中必然为真的判断,导致命题8)缺乏真实性而被赋予假值。再分析例9)的判断"革命推动了生产"(这里的"革命"即指"文化大革命"),我们认为这个判断含有这样一个三段论式:

　　　　所有的革命都推动生产,
　　　　文化大革命是革命,
　　　　所以,文化大革命推动了生产。

　　大前提中的"革命"是指"破坏旧的生产关系,建立新的生产关系,解放生产力,推动社会发展"。也只有在这个意义上,"革命"才会与"推动生产"发生必然联系。如前对8)的分析,"文化大革命"不是真正意义上的"革命",与大前提中的"革命"内涵外延均不同,故小前提推不出"文化大革命推动了生产"这个结论。客观事实也证明了,1966~1967年"文化大革命"全面展开以后,国民经济状况就急剧恶化。尽管周恩来、邓小平先后主持日常工作,使国民经济出现转机,但都因"批林批孔"运动和"反击右倾翻案风"的干扰破坏,使国民经济再度下降,1974年竟出现财政赤字7.7亿。因此,1975年的元旦社论以假为真,罗列了一大串证据支持度为零的假证据,只能徒增浮夸、矫饰、虚张声势的假话、大话、空话和缺乏说服力的对比而已。

　　以假值作为真值的论证方法,还应该包括以否定为肯定,以不可能为可能甚而必然这样两种下位类型。

10) 随着批林批孔运动的深入,必将出现一个社会主义建设的新高潮。(1975年元旦社论)

这是一个充分条件假言判断,也是一个在可能世界取得假值的判断。因为两个支判断之间推不出模态词"必将"所代表的必然联系。肯定前件,那么后件必然假,只有否定前件,后件才可能真。而社论却肯定了应该否定的前件,只能使判断成为一个假命题。

11) 衷心祝愿我们的伟大导师毛主席万寿无疆!(1968年元旦社论)

12) 我们伟大的领袖毛主席万岁!万万岁!(1970年元旦社论)

有几年的元旦社论都在开头祝愿"万寿无疆",结尾高呼"万岁",形成了一种模式,一种套子。若抛开民族心理、传统文化赋予语句的感情色彩不论,这些语句在可能世界中为假值。社论把不可能当做可能,甚而必然,主观上是利用话语作为宣扬个人崇拜、施行愚民政策的交际工具,客观上却把话语变成了毫无交际意义的空壳子、空套子。

毋庸置疑,"文革"语言中以假值为真值,以否定为肯定,把不可能当成可能甚而必然的这种思维特征也会反映在"样板戏"的话语里。如对阶级斗争扩大化、绝对化的虚构话语,高、大、全式英雄人物的模式话语,以阶级共性感情取代了正常人伦感情的偏颇话语,两极分化爱憎感情的偏激话语等等,都是以艺术形式表现出来的与"文革"思维特征相吻合的假、大、空话语。

第三章 "样板戏"的音乐体制

戏曲是一种综合性的艺术。从表演看,音乐似为曲之第一要素;从文本看,语言又是当仁不让的第一要素了。所以,对"样板戏"这样一个错综复杂、众说纷纭、莫衷一是的研究本体,本选题选择了从语言风格切入的研究视角。因为,从语言形式视角得出的一些论据会更客观合理地帮助人们判断推理,得出符合"样板戏"本来面目的结论。

戏曲,曲字当先,有曲才有戏。人们所言"唱戏"、"听戏",其实从本质上道明了中国人戏曲观念中音乐的重要性。音乐是中国戏曲的魂灵,特别是在以唱腔为主要构成元素的京剧里,更是形成中国戏曲和以对话为中心的西方话剧最大区别的分水岭。所以,在某种意义上可以说:中国戏曲的传承与革新在很大程度上就是音乐体制的传承与革新。另外,在戏曲话语本体的结构体系中,音乐体制也是最为重要的组成部分。而且传统戏曲音乐体制中类型的划分、结构体式和节奏的分析,实质上与语言系统中篇章、句法、音律等结构要素的分析是相互依存、联为一体的。也就是说,戏曲音乐与戏曲文学这两个范畴的研究内容,在传统戏曲中是由曲牌、板腔等视角内容联结统筹在一起的。曲牌、板腔从曲调的角度看是戏曲音乐,从曲词的角度看又是戏曲文学。所以本节的戏曲音乐性的分析也是纳入到"样板戏"话语结构系统的分析之中的。

戏曲作品从文人的案头之曲要变成戏曲舞台上的场上之曲,从书斋剧变成演出剧,一个必备的条件就是戏曲唱词应该具有以鲜明的节奏、丰富的乐音为特征的可唱性和可演性。也就是说戏曲唱词能够从文字搬演到舞台,除了具有歌剧音乐、舞剧音乐都有的有组织的乐音表现出来的旋律和节奏以外,还应该符合戏曲语言特有的音韵、声律规律。传统戏曲音乐的体制主要分为"曲牌"和"板腔"两大声腔系统,每一声腔系统有严格而具体的腔调程式和板式规范,如声腔分昆曲、西皮、二黄、杂曲小调数种,昆曲要按照一定的曲牌的固定格式来填定,按固定的曲调来演唱。西皮、二黄的板式分散板、倒板、摇板、慢板、快板、三眼、二六板、流水板、南梆子等。而且每一腔调、每一板式又有着严格概括和对应着的情感类型。近些年来,音乐界、戏曲界有数人撰文肯定"样板戏"的音乐创作成就,认为"样板戏"的音乐体制不但接受传统戏曲板腔体系统的音乐体制,也吸收了西洋音乐中和声、复调、配器、管弦乐法等技术手法,形成了它继往开来、取精用宏的独特音乐体制,对京剧音乐本体实现了一次全方位的超越。循此观点,我们理出了两条思路,分为声腔系统和伴奏音乐系统两个部分来讨论"样板戏"的音乐体制与传统戏曲的音乐体制之间的传承、偏离与更新的关系。

第一节 传统戏曲音乐的声腔体系

自古而今,戏剧学家从音乐体制的角度将曲词的唱腔体式归结为两大类,一为长短句的曲牌体,一为七字、十字句为主的板腔体。在非戏曲专业层面上的讨论,经常以上位概念"传统戏曲"、"传统京剧"笼而统之地加以分析。涉及"样板戏"的唱腔体式,也只是提一下它属于板腔体的声腔体系。至于上述几种概念之间的关系,较少加以区分。通过比较研究我们发现,板腔体实际上是在曲牌体基础上发展起来的一种声腔体系,两种体系之间既有区别,又有着继承与发展的联系。而"样板戏"音乐体式和节奏虽然主要传承了传统戏曲板腔体的声腔系统,但对曲牌体的声腔体系也是有所选择地加以吸收的。又由于"样板戏"的声腔体系必须服从表现"文革"时期"左"倾文艺思想的主题,在相当程度上又偏离了传统京剧的声腔体系。鉴于这种客观现状,"样板戏"对传统京剧的声腔体系的传承与偏离也拟成为这部分研究的主要内容之一。

一　曲牌体的声腔体系

曲牌的形成最初应该源自对民歌的加工创作。当某种被公认为很优秀且反映现实的民歌在社会上广为流传,产生了一定的影响力后,大家就会按其音乐节奏、曲词结构,根据不同的表达内容和感情色彩,重新填上新词进行演唱。久而久之,这种民歌的曲调、唱法、字数、句法、音韵、平仄等形成了一种套路、一种定式,对曲词、音乐的表达与理解形成了一定的规约性,按曲填词唱乐的曲牌就自然而然地产生了。当然,后来艺人收集整理民歌进行的再创作,文人加盟所进行的专业创作,还有借用诗词等其他文艺形式的曲谱等等,也都是曲牌的重要来源,也都极大地丰富了曲牌的类型和表现力,并且逐渐构成一种填词作曲的曲牌体系。据研究,曲牌体最早萌芽于魏晋南北朝,而后,随唐代音乐的繁荣而正式形成。周贻白的《中国戏剧史长编》统计宋元南戏的曲牌共537调,元代杂剧仅留存下来的曲牌就有282调。《九宫大成南北词宫谱》收南曲曲牌1513个(包括集曲),北曲曲谱581个。① 曲牌类型之丰富可见一斑。

曲牌从音乐上讲就是戏曲的曲调格式、体制,从格律上讲,就是戏曲的文字格式、体式。最初,每种曲牌都有一定表意的、情感的类型化意义,而且曲牌名称的类型化意义和所填唱词格式内容是协调统一的,哀曲填哀词,喜曲写喜词。明王世贞的《曲藻》中就记载了各种宫调具有不同的风格特征和感情色彩:

　　仙吕调宜清新绵邈;南吕宫宜感叹伤惋;中吕宫宜高下闪赚;黄钟宫宜富贵缠绵;正宫宜惆怅雄壮;道宫宜飘逸清幽;大石

---

① 上海艺术研究所、中国戏剧家协会上海分会编《中国戏曲曲艺词典》,第28页。

宜风流酝藉；小石宜旖旎妩媚；高平宜条荡滉漾；般涉宜拾掇坑堑；歇指宜急并虚歇；商角宜悲伤宛转；双调宜健捷激袅；商调宜悽怆慕怨；角调宜呜咽悠扬；宫调宜典雅沉重；越调宜陶写冷笑。①

近人许之衡在《曲律易知·论过曲节奏》中对南曲宫调的音律风格也有相近的论述：[仙吕]、[南吕]、[仙吕入双调]，慢曲较多，宜于男女言情之作，所谓清新绵邈，婉转悠扬，均兼而有之。[正宫]、[黄钟]、[大石]近于典雅端重，间寓雄壮。[越调]、[商调]，多寓悲伤怨慕，[商调]尤婉转。

到后来，由于不断扩充和填写新词，内容与形式逐渐发生了一些错位现象。所以到后来，粗壮鲁莽、豪气冲天的李逵的曲词也采用了《点绛唇》、《步步娇》这类曾经女性特征极为浓郁的曲牌，"相国"小姐崔莺莺的唱词也可用写意粗犷豪壮的曲牌《混江龙》了。也就是说，部分曲词和曲牌的内容和形式在长期的运用中发生了分离现象。

曲牌也是元明以来的南曲、北曲、小曲、时调等各种曲调名的总称，以南曲、北曲为主。

北曲指宋元时期在北京、山西一带形成的北杂剧。北曲用套曲，最初以"声相邻"为原则安排曲牌，明代后也按宫调用曲；用韵以《中原音韵》为准，无入声，押韵方式是一韵到底；音乐上用七声音阶，音调遒劲朴实，以弦乐器为主伴奏乐器。曲词中多有衬字。

元杂剧都采用北曲，明清传奇也部分采用北曲。全剧分为四折，开头部分一个楔子。每折有一个套曲，由四个不同的宫调组成。以正末、正旦为主角，一人主唱，即以正末主唱或者是旦角主唱。其余人物没有曲词，只有宾白。②

南曲与北曲相对，宋元时期在浙江温州一带形成，多源自唐宋大曲、宋词和南方民间曲调。用韵以南方语音为标准，一曲之中可以换

---

① 王世贞《曲藻》，《中国古典戏曲论著集成》（四），第27页。
② 参看祝肇年《古典戏曲编剧六论·唱词体式》。

韵,有平上去入四声,明中叶以后也兼从周德清的《中原音韵》;音乐上用五声音阶,音调柔婉优美,以箫笛为主伴奏乐器。曲词中较少使用衬字。南戏和明清传奇以南曲为主。南戏不分折,也不用套曲,是比较自由的曲牌联唱。后逐渐分"出"。开始剧本篇幅长短不限,后发展到有五六十出之多。与北曲不同,南戏是多人主唱,一般以生、旦为主唱,还有帮唱、合唱、接唱等多种形式。

曲牌体是由若干不同曲牌的唱腔连缀而成,其中各个曲牌也可以单独反复。每个曲牌的字数、句数、字的阴阳四声、某处叶韵等在曲牌体中得到了综合反映。周德清把它总结为:调有定格、句有定式、字有定声。① 作为一种综合体式、谱系,曲牌体是戏曲作者创作中可遵循的一种格式样板,是一套有示范作用的规则,是一种表演风格、语言风格的基调。作者依照不同曲牌的体式、谱系填曲写词。其功能就像一把双刃剑,有利有弊。有规范创作、统一风格、化难为易、保持传统等显而易见的优点,简言之为:

1. 依照曲牌,可确定其所属宫调,因为曲牌是受宫调限制的,而宫调又是与戏曲的思想感情直接相关的。宫调相当于今天用名称固定下来的感情基调。元周德清《中原音韵》对宫调的功能阐释极为清楚:大凡声音各应于律吕,分为六宫十一调,即十七宫调。十七宫调在金元散曲和元剧中主要运用的有五宫四调:"中吕宫、仙吕宫、黄钟宫、正宫、南吕宫;双调、越调、商调、大石调",即所谓的"北九宫"。作曲者可根据表达内容和情感的需要来选择不同的宫调。如:"仙吕调清新绵邈。""南吕调感叹悲伤。"

2. 曲牌又称"牌子",曲牌从音乐上看,是曲调的格式类型,从语言文字结构上看,是曲词的格式类型。每一曲牌都有一定的曲调、唱法、字数、句法、音韵、平仄等基本定式。如《山坡羊》、《挂枝儿》、《醉太平》、《一枝花》每一曲牌都有各各不同的结构定式。曲牌的丰富多样为戏曲创作刻画人物、烘托气氛、写景抒情提供了可资选用的极大余地,也给创作带来了风格类型的多样化。

---

① 周维培《论〈中原音韵〉》,第 116 页。

3. 确定其篇章结构、句法结构类型,确定其平仄四声。每个曲牌的篇章结构的长短,句数、字数的多少,声调、音韵的选用,都是严整的、有规律的。如《赏花时》只有五句,每句的字数分别是:七、七、五、四、五;《南吕一枝花》是九句,每句的字数分别是:五、五、五、四、五、五、七、七;长的曲牌如《古竹马》有二十一句之多。曲牌中每一句中的每个字也要求按照曲谱规定的平上去入四声来填写唱词。不同曲牌方便作曲者各取所需、对号入座。

但严格按照曲牌的规定确定其音乐结构和语言文字结构的同时,也给创作和曲牌体式的创新带来了极大的束缚。特别是明清以来的一些抛开戏曲内容,一味讲求声韵格律,唯合律为上的倾向,使得戏曲格律变成一种桎梏,严重地制约了反映生活百态的戏曲创作,使得曲牌成为文人显雅争宠的把玩之物,也逐渐附着了一种颓丧之气。昆剧的衰落就是最好的例子。昆曲早在魏良辅改造昆山腔的初期,它就有着典雅深奥、脱离观众的弊病。入清以后这种情况愈演愈烈,到了乾隆时代,创作与演出已完全被宫廷所垄断,为士大夫所控制。尤其是剧本内容很少有反映时代精神和现实意义的,多是恭颂皇帝、粉饰太平的"承应戏"和庸俗无聊、专门在误会巧合上玩花样的风情闹剧。从昆曲的形式看,许多文人创作的昆剧剧本,唱词雅而又雅,运用典故滥而又滥,一般观众根本无法欣赏。词句十分典雅,而且注重音韵,一句唱词,随字吟讴,按笛凑腔,平仄四声阴阳清浊都必须辨别清楚。度曲首先推崇的是五音——喉、舌、齿、牙、唇,且有深浅之分。字形之中也有大小、阔狭、长短、尖钝之别,不可相混。没有读过很多书的浅腹之辈自然难以问津。"一字之长延至数息"和一唱三叹的度曲法,只能适合于在府邸厅堂演出,而难以适应较大的观众场面。何况它的曲文过于典雅纤巧,尤其那些"骈俪派"的作品,一字一典,音律和谐,甚至连角色上场的说白也用骈文。这是水磨腔的长处,同时也显现出它搬演上舞台的局限性。当它很难让普通的老百姓接受,把大众关在门外时,便自我孤立起来,终于无奈地走向了式微。

从今天留存的金元散曲和杂剧看,像昆曲那样完全依照曲谱四声格式去填定词曲的也不多。可以看出,曲谱中选出的唱词样板,只是一个标准样式,一种创作模式,尽管可以给创作者提供一种范示,但创作实践中是不可能字字声声都严格照谱拟调的。考察古典戏曲中的精品,基本合律者属于普遍现象,严格合律者也是极为少见的。

曲牌严格的体式、谱系凝聚了千百年来戏曲作家的心血和创作经验,是戏曲结构体制中特点规律和精华要素的集中反映,大致规定了曲牌与感情表达之间的一种联系,对戏曲创作起到了一种规范、指导的作用,并且对作曲者入门、听曲者迅速理解等也提供了许多可利用的便利条件。但由于条条框框太多、太死,极大地限制了作者在戏曲艺术领域的自由驰骋、充分发挥。戏曲史上创作卓有成效的鸿儒巨匠关汉卿、王实甫,无不是在突破严整规程的基础上有所拓展、有所创新,才使其剧作名扬千古、流芳百世的。所以李渔的《闲情偶寄·凛遵曲谱》就说:"曲谱者,填词之粉本,犹妇人刺绣之花样也,描一朵,刺一朵,画一叶,绣一叶……是束缚文人,而使有才不得自展者,曲谱是也;私厚词人,而使有才得以独展者,亦曲谱是也。"①

二 板腔体的声腔体系

板腔体是戏曲音乐体制上与曲牌体相对的另一种体式。板腔体是现代戏曲最常采用的音乐结构体制,全部唱腔由源于同一腔调的各种板式组成,曲词以七字或十字为基础,比曲牌体更为自由灵活、简单易行。

板腔体的产生有赖于清代地方戏曲的勃兴。板腔体的远祖可追溯到唐代的"变文"、"俗讲",近亲则是明清的"宝卷"、"弹词"。② 尽管当时曲牌体已经发展到了顶峰,而且具有了朝廷"钦定"的显赫身份,但它日趋明显的迂腐、板滞、僵化,受到了源于民间、兴于民间,具有通俗浅近、生机勃勃特性的板腔体的强烈冲击。板腔体逐渐以实力打破了当时曲牌体一统天下的格局,为自己在戏曲界争得了生存

---

① 李渔《闲情偶寄》,《中国古典戏曲论著集成》(七),第38页。
② 参看祝肇年《古典戏曲编剧六论》,第104页。

和发展的合法地位。

当时,最先向曲牌体一统天下发起冲击的地方戏曲是充满浓郁生活气息和勃勃生机的秦腔。它充当板腔体地方戏曲的急先锋,最先入京,最先获得朝廷和广大观众的青睐。它以高亢、激越的音调和节奏明朗的板式与靡靡之音的昆曲、京腔分庭抗礼,其成就为四大徽班晋京铺就了坦途,并为日后徽汉合流形成雄浑浩大的国剧——京剧打下了雄厚的基础。

发展至今,板腔体的队伍异常宏大、力量雄厚,京剧、汉剧、滇剧、沪剧、评剧、粤剧、越剧、桂剧、陕西梆子、河北梆子、河南梆子、晋剧、吕剧、黄梅戏等的声腔体系都属于运用七字句和十字句的板腔体。

板腔体与曲牌体的声腔体系在诸多方面存在着迥然有别的特征。

曲牌体的曲词有着南北九宫的宫调限制,从篇章结构看,曲牌体具有封闭性,其使用规则较为凝固、繁复、局促,每个曲牌曲词的句数多少是有定数的,两句、四句、七句或九句,多者也可达二十一句,罕见的最长者《东堂老》的《正宫煞尾》也只有四十八句。曲牌体是长短句交互使用,作者按谱填词,曲词和宾白的平仄、韵律、对仗、词藻都有严格的限定,不能随意增减句子的字数。曲词从两字句到十余字的句子,都必须严格按曲牌填写,至多是根据特定情境中人物的语气神情增加衬字。刘熙载就说:"曲所以最患失调者,一字失调矣,一牌、一宫俱失调矣。"①一般情况下,曲牌体的形式是现成的、规定的、模式化的,曲词按谱填词总是以内容服从形式的安排来体现形式和内容之间的关系的。

虽然曲牌体的篇章结构、句式结构、音步节奏有着严格的规定,但在具体写作过程中,为了表达不同思想感情需要,曲牌也不是铁板一块,其定规也时常被打破,也会在严整的体式中显现出一种灵活性。周德清把此种变通拟为"定格"和"变格"。比如曲牌篇章结构一般都比较短小,七句九句为常,在表现大容量、奔放的感情内容时,作

---

① 刘熙载《艺概·词曲概》,《中国古典戏曲论著集成》(九),第118页。

者也会在曲牌的长短句中加进整齐的句式，利用有限的格式装载较大容量的内容。根据需要，每曲增加的句数、每句的字数多少不限，四句以上的，类似后来戏曲中的曲词"垛板"。如《柳毅传书》第一折龙女所唱的［混江龙］："往常时凌波相助，则我这翠鬟高插水晶梳，到如今衣裳褴褛，容貌焦枯，不学他萧史台边乘风客，却做了武陵溪畔牧羊奴。思往日，忆当初，成缱绻，效欢娱，鹰指爪，蟒身躯，忒燥暴，太粗疏，但言语，便喧呼，这琴瑟，怎和睦。可曾有半点儿云雨期，敢只是一划的雷霆怒，则我也不恋你荣华富贵，情愿受鳏寡孤独。"12句三字句，一气呵成，感情奔泻而下，增加了曲调鲜明的节奏感，充分表达了龙女若急风骤雨般的满腔哀怨和憾恨。

　　板腔体的结构体制突破曲牌体的种种局限，其音乐体制和语言结构体式较为简单划一。篇章结构突破曲牌体限定句数的规定，往往是以形式来服从内容，因内容而设句谋篇，很好地印证了"有话则长，无话则短"的古训。板腔体少则两句，分为上下句，灵活自由；四句、八句的七字句在结构上形成一个方块，类似七言格律诗，但既没有限定一定是四句或八句，也没有格律诗严格的平仄格律。长腔也可长达几十句，最长者也可长达七八十句。这样，抒情写意更显从容充沛、畅达明快、粗犷恣肆。板腔体的结构体式以七字、十字为主，自由便捷、容易驾驭；七字、十字一句的长度，使得曲词包容量大，有利于叙事抒情；二五、四三、三三四的音步节奏也平稳明快、富于生机。无疑，板腔体以简单朴素的形式来适应地方戏曲生动内容的这些优点正是板腔体后来居上，胜过曲牌体的要点、亮点之一。

　　七字句、十字句可能源自民间的说唱文学，七字句中四三音步节奏格律与唐诗中的七律七绝应该也有着传承关系。七字句用于戏曲文学，至少是在明代传奇的曲牌体中。而十字句的格式，则是在七字句的基础上发展而成。

　　七字的音步通常为上二下五、上四下三句两种格式。

　　　　［慢板］但愿/吉人有天相，遇险/遂能化平夷。(《古国风云》)

［垛板］白天／担水十数担，夜晚／碾磨五更敲。(《井台会》)

［西皮流水板］有生之日／责当尽，寸土怎能(够)／属(于)他人。番王小丑／何足论，(我)一剑能挡／百万(的)兵。(《穆桂英挂帅》)

十字的音步通常为上三下七或三、三、四句式，所以十字句有"七字头上添三字，攒成十字看来因"的"攒十字"又一称说。十字句比七字句使用频率高，一则是因为十字句线性结构长，容量大，有利于从容议论、叙事、抒情；二则十字句结构形式又较灵活，根据表达需要可长到十字，也可以化长为短，将十字分解成三字、四字或七字的短语结构。如：

［慢板］与法海／在金山／一场恶战，与许郎／见一面／(哪)痛裂心肝。(《白蛇传》)

十字句也有上三下七格式的，但较少，而且经常与上四下三的七字句或三、三、四的十字句混合使用。如：

［慢板］劝皇儿／你莫要哭哭啼啼，尘世上／哪有爹娘不疼闺女，既出嫁／就该懂／人情大礼，若不然／人家说／(你)不懂(得)礼仪。《打金枝》

七字、十字句最突出的优点是结构匀称整齐、节奏铿锵。但伴随优点而来的缺点节奏单一、呆板乏味也较为突出，不如曲牌体的长短句有抑扬顿挫的结构错综美。为了突破七字、十字句在表意上的不足，板腔体的句法结构也从曲牌体的长短句中吸收一些句式，来丰富自身的句式表达体系。如《柳荫记·思兄》一场祝英台的一段唱：

［四平调］自从／别兄转家乡，朝朝暮暮／思梁郎。梁兄呀，

(我)白日/望到日西降,(我)晚来/盼到月儿照纱窗。一听/黄犬叫汪汪,疑是/梁兄到我庄。思梁兄/从夜到天光。八月/桂花香,九月/菊花黄,十月/寒霜降,不见/我梁郎。莫非/有阻挡?病倒/在榻床?悔当初/未把真情讲,到如今/害得我/望穿眼一双。

唱词有七字句,有六个五字的垛句,有八字句,还有十一字的长句。多种句式的交汇,以更自由的节奏,更丰富的形式,细致入微地描摹了祝英台对梁山伯刻骨铭心的眷念和爱意。

当然,戏剧作家为使音步节奏和句式类型变化多致,创作中有时会利用体系内部的结构要素来改造七字、十字句,增加一些句式变化。上三下四节律的"倒7字",三、四、三节律的"倒十字"结构就是常见的格式。

[原板]你不是/三战潼台/(的)杨宗保,我不是/大破天门/(的)穆桂英。(《穆桂英挂帅》)

有时把"正七字"、"正十字"与"倒七字"、"倒十字"交叉使用,再适当运用配合人物神情语态的"衬字",使板腔体的音乐体制和结构体式克服了平板僵硬的体式,显得跌宕多姿、精彩迭出。如吉剧《搬窑》中的一唱段。王允听说薛平贵从西凉发来了大兵,便到寒窑去见女儿王宝钏,允诺富贵,想说服女儿出面,帮他解除危机。王允说了许多动情的话,想以父女之情来打动王宝钏,但王宝钏唱道:

好一个/父女之情/比海深,依我看/恰似寒泉/冷透心。十八年/炊断粮绝/无人问,只有那/凄风苦雨/叩窑门。爹爹呀,你心问口,口问心,你可送过/(那)米一粒、柴一根、布一寸、铜一文,连一句/暖心(的)话/(儿)从未出唇。

唱段开头运用了三、四、三倒十字的句式,充分表达了对父亲虚情假意、道貌岸然的讥讽。接着运用呼告"爹爹呀!"将叙事口吻转换为质问口吻,以直呼形式"你"打头,七字句、三字句、十字句交互使用,以跳跃、冲动的语调表示了富贵不能动、贫贱不能移的决心。句式的变化对人物思想感情的表达起到了不可低估的作用。

板腔体以七字句、十字句为主,偶尔也会根据内容表达的需要使用三字句、四字句、五字句。一般不是大段地使用,经常是交叉使用于七字句、十字句当中,用于内容需特别强调时,多采用"垛板"形式。如《李陵碑》中老令公杨业的唱词:

> 只剩下六郎儿把胡征剿,
> 可叹他,为国家,又尽忠,又尽孝,
> 南征北战,马不停蹄,为国勤劳。

上句是十字句,下句变成了四个三字垛,三个四字垛。这是戏曲中的灵活通达,在曲牌体中,就是在律诗中也是绝对不允许的。

曲牌体中特别是元杂剧中,是比较注重"衬字"的使用的。衬字能协助演员生动形象地描摹人物神情语态,烘托环境气氛,巧妙地传情达意。如《鲁斋郎》第二折

> [南吕一枝花]全失了人伦天地心,倚仗着恶党凶徒势。活支刺娘儿双拆散,生各扎夫妇两分离。从来有日月交蚀,几曾见夫主婚、妻招婿?今日个妻嫁人,夫做媒,自取些奁房断送陪随。那里也羊酒、花红、段匹?

虽然按照曲牌,仍然是九句,但从定格字数的四十八字增加到七十五字。由于加进"活支刺"、"生各扎"等二十七个衬字,增加了曲词句法结构的参差美,丰富了语音文字的生动形象性。

板腔体中的曲词却不太注意衬字的运用,元杂剧中丰富的衬字没有继承下来,偶用之也多是一些表意不可少的虚词。这大概正是七字、十字句有时显得形式呆板,人物语言缺乏生动的神情语态的原

因之一。

第二节 "样板戏"音乐的声腔体系

戏曲界专业人士普遍认为,"样板戏"中曲词的声腔系统是板腔体系统,样板戏中句结构体式主要依据的是板腔体中的七字句和十字句。可我们考察了曲牌体、板腔体和"样板戏"的声腔系统后发现:"样板戏"的曲词音乐虽然是以板腔体为主的声腔系统,但也继承了曲牌体系统中大量的声腔手段。上述戏曲发展史已经表明:板腔体是以地方戏曲的声腔系统为基础发展起来的曲词的新兴体式,它是在清代的戏曲舞台上崭露头角,并逐渐成熟、完善,发展成为体系的。本质上它也是戏曲革新的产物,是对已形成数百年的曲牌体结构形式的革新。但毋庸讳言,传统的力量是巨大的,并非另起炉灶的板腔体受曲牌体结构体式的影响也是巨大的。千余年的戏曲发展史也证明了任何一种新的形式要想获得长久的生命力,都会在融会贯通传统形式和他种形式中采用一些为我所用的东西来丰富自己、完善自己。板腔体的发展亦遵循了这条规律。板腔体中戏曲曲词一般不用曲牌,但也有直接把曲牌用于唱段,作为一种点缀或用作上场引子;有的借用兄弟剧种的曲牌"改调歌之"。当然,有时候曲牌体、板腔体的元素又浑然一体,让人无法辨出唱词结构所出的理据。

"样板戏"是对板腔体的革新,但唱腔中既有板腔体雄浑高亢的主调,也有曲牌体的优雅精美。声腔结构也借他山之石来攻己之玉,在板腔体铿锵行进的主旋律中穿插着曲牌体和美的音律。有时候,曲牌体和板腔体在曲词中的构成元素我们很难清晰地辨别;有时候,两种体式不同的构成元素又显得泾渭分明。比如直接采用曲牌的长短句句式,就与七字、十字句为主的板腔体形成鲜明对比。"样板戏"中的例证比比皆是,《杜鹃山》、《磐石湾》中就有不少依曲词内容而定的长短句,如《杜鹃山》中雷刚的唱段:

[二黄小导板]大火熊熊浓烟卷, （七字句)

[回龙]
　　心似江水波浪翻。　　　　　　　　　　（七字句）
　　党代表隔岸观火不许交战，　　　　　　（十一字句）
　　难道说她的心冰冷雪寒？　　　　　　　（十字句）
　　难道她炮火声中吓破了胆，吓破了胆？　（十一字句）
　　不！　　　　　　　　　　　　　　　　（一字句）
　　她在那刑场上面对强敌，神色不变，慷慨陈词，大义凛然，她
是一个好党员！　　　　　　　　　　　　（十、四、七字句）
[摇板]
　　思绪万千，心烦意乱，　　　　　　　　（四字句）
[散板]
　　闹革命为什么这样难？！　　　　　　　（九字句）

　　一言以蔽之，"样板戏"的唱词体系是以板腔体为主，吸收了曲牌体灵动优美的特质，依内容而建构的新体式。声腔体系既有继承又有发展，是一个新兴的综合体系。

　　（一）篇章结构的分析
　　"样板戏"曲词的篇章结构自由、开放，形式服从内容是其谋篇构局的基本原则，板腔体一般是两句至十余句，"样板戏"曲词篇幅长短完全由内容表达的需要决定，有一句的，最长也有二十余句的。

　　　马洪亮　[西皮摇板]
　　　　码头工人志如钢。（《海港》）

　　马洪亮仅有一句的唱词是杂在数人的对白之中的。曲白过渡极为自然，似已融为一体。

　　　杨子荣[西皮散板]
　　　　紧跟踪可疑人形迹不见，
　　　　再访问猎户家解决疑难。（《智取威虎山》）

人物杨子荣上场，唱词主要通过叙事交代行为动作——为何而来，此行的目的，故精炼的两句唱词足矣！

铁梅［西皮散板］
学爹爹浑身是胆万难不怕——
李奶奶（接唱）
革命人经得起地陷天塌！（《红灯记》）

整段唱腔只有两句。戏剧情景是鸠山与侯宪补马上要把李奶奶和铁梅祖孙俩带到宪兵队，祖孙俩一边出门一边抒发为革命将一往无前、无所畏惧的豪情。由于情节没有安排人物长篇大论抒情的时空和环境，所以唱腔只设计了两句唱词：一为铁梅的直抒胸臆的真情告白，一为李奶奶通过比喻方式表明敢于面对一切的决心。

［西皮快板］
为非作歹几十年，血债累累罪滔天。代表祖国处决你，要为人民报仇冤。（《智取威虎山》）

杨子荣处决栾平前是因舞台上既要彰显杨子荣智斗的胜利，但时间和环境又都不允许杨子荣用大段的唱词来历数栾平的罪证，而且最迫切需要的是马上处死栾平，铲除祸根，以免匪首座山雕反悔，八大金刚阻挠，造成后患无穷，所以曲词采用的是只有四句的快节奏的板式唱腔。

［反二黄散板］
十三年，一腔苦水藏心底，/面对亲人，诉不尽这满腹冤屈。/
［原板］
南霸天凶残歹毒横行乡里，/逼租讨债，打死我爹娘，抛尸河堤！爹娘啊！……/硬抓我这五岁孤儿立下一张卖身契，/从此

锁进黑地狱,每日浑身血淋漓!/睡牛棚,盖草席,/芭蕉根,强充饥,/两眼望穿天和地,/孤苦伶仃无所依!/

[快原板]

剑麻压在石头底,/筋骨磨碎志不屈。/死不甘心做奴隶,/不向老贼把头低!/拼剩最后一口气,/找不到报仇的好时机……/想不到今天哪,春风引我到这里,/找见了救星,看见了红旗!找见了救星,看见了红旗!……

[垛板]

亲人哪!生死和你们在一起,走遍天涯永不离。/要当兵,要报仇,要造反,要雪恨,/要把南霸天刀剁斧劈!(《红色娘子军》)

孤苦伶仃、尝尽人间苦楚的吴清华终于找到了亲人,看到了光明。她的倾诉、她的激愤、她的欣喜不是三言两语能表述尽的,所以剧作安排了长达22句的长唱段,让她尽情地抒发似高山流水奔泻而下,一发而不可遏止的激情。

受现代戏节奏的制约,"样板戏"的唱腔一般不超过二十句,少数主要人物的主打唱腔有二十多句的,但没有像曲牌体、板腔体长到四五十、七八十句的。

(二)句结构的分析

"样板戏"的曲词中,七字句、十字句是主导句式。例如:

[二黄二六板]

众望所归根基牢,

鸿图大展云路遥。

且看明朝椰林寨,

万紫千红分外娇!(《红色娘子军》)

但十字句因其容量大,擅长叙事抒情,所以比七字句用得更为普遍。

[西皮导板]
　　担重任乘东风急回村上,
　　[回龙]
　　面对这波浪翻滚的九龙江,岂能让旱区缺水禾苗黄。
　　[原板]
　　党决定堵江送水奇迹创,齐动员全力以赴救旱荒。
　　在眼前有一场公私交锋战,
　　战斗中人换思想地换装。(《龙江颂》)

　　七字句、十字句格式往往交叉使用,句式结构显得参差错落,富有长短句音节错落有致的意味。

　　　　望北京更使我增添力量,
　　　　革命豪情盈胸膛。(《龙江颂》)

　　曲牌体中使用衬字是它在结构上的一个特色。曲牌中规定的字称为正字,正字之外的字称为衬字。如[点绛唇]的格式为:"四、四、三、四、五"。二十字之外的字称为衬字。南曲板式固定,有"衬不过三(字)"的不成文的规定;北曲衬字不受限制。衬字有专门的,如:"端的个"、"生各扎"、"活支剌",也有些是代词、副词等虚词和"哪"、"啊"、"呀"、"呢"等语气词。衬字的功能是,可使曲词顺口悦耳,口语色彩更浓;可以使紧句变为松句,句法结构由短变长,组织变得疏松有致,语意舒缓、轻松、生动、活泼;有助于曲词从容地叙事说理描绘事物的情状。一般情况下,板腔体是不太注重使用衬字的,"样板戏"使用也不普遍。有的用上衬字后,增加了长短句的特殊效应。

　　[二黄快三眼]
　　一路上/多保重——山高水险,沿小巷/过短桥/僻静安全。为革命/同献出/忠心赤胆——烈火中/迎考验/重任在肩。(决)不辜负/党(的)期望/(我)力量无限,天下事/难不倒/共产党员!

这段十字句的唱词加上了少许衬字,还有两处加上有特殊表达意蕴的破折号,这样分解了六句都为七字句可能形成的板滞、僵化,使唱词长短交相辉映,产生了较强的艺术感染力。

曲牌体的句式特点是长短句交叉使用,句子具有很大的弹性,少的可以只有一个字,多的可达二十个字左右。但以三字句、四字句、五字句、六字句最为常见。长长短短、变化丰富的句式,形成结构形式上的参差错落,同一句式连用,不同句式交错使用,都极大地丰富了句式的表现力。比如:

[普天乐]
恨无穷,愁无限,伤心故园,西风渭水,落日长安。(《梧桐雨》)
[收尾]
四围山色中,一鞭残照里。(《西厢记》)
[三煞]
笑吟吟一处来,哭啼啼独自归。(《西厢记》)
[金盏儿]
我看你眉扫黛,鬓堆鸦,腰弄柳,脸舒霞,那昭阳到处难安插,问你一犁两把做生涯。也是你君恩留枕簟,天教雨露润桑麻。既不沙,俺江山千万里,直寻到茅舍两三家。(《汉宫秋》)

四个例子中三至九字句都有,句子长短错落,同一句式连用,不同句式交叉使用,挥洒自如,富有情致。

在以七字句、十字句为主的板腔体里,也有三、四、五字各种句式。但不像曲牌体那样普遍,而且有一些限定条件:三字句、五字句一般不大段使用,经常是掺杂在七字句、十字句中间。四字句用于曲词也较为少见。①

"样板戏"在句式运用上显示出极大的灵活变通性,因"样板戏"

---

① 参看祝肇年《古典戏曲编剧六论》,第111页。

多是因内容而设句,基本上是遵循板腔体的定律写作曲词,但又不是太刻意地去追求是否是七字或十字。二、三、四、五字句是七、十字句分解为两、三个结构片断的容量后出现的变式句;六、八字句作为七字句的邻近句,九、十一字句作为十字句的邻近句,都是因内容表述的需要字数自然增减出现的变式句。多种句式交叉运用自如,实质上是曲牌体句式运用特点融于板腔体系统的一种表现形式。如:

〔西皮快板〕
党给我智慧给我胆,(八字句)
千难万险只等闲。(七字句)
为剿匪先把土匪扮,(有一衬字的七字句)
似尖刀插进威虎山。(八字句)
誓把座山雕,埋葬在山涧,(夹在七、十字句中间的五字句)
壮志撼山岳,雄心震深渊。(夹在七、十字句中间的五字句)
待等到与战友会师百鸡宴,(十一字句)
捣匪巢定叫它地覆天翻。(十字句)
(《智取威虎山》)

〔西皮流水〕
为革命/为人民/为阶级/而战,(十一字句)
党(的)教导/是我们/力量(的)源泉。(十字句)
(《红色娘子军》)

〔西皮快板〕的七、十字句中间插进了整齐的五字句式,八、九、十一字句穿插运用于七、十字句之中,有的句子还加上了衬字。〔西皮流水〕中的三、三、三、二句式也显然属于一种变式句。再看其他变式句的运用。

〔流水〕
揭谎言,明真相,驱迷雾,迎曙光,驱迷雾,迎曙光,将火种播

第三章 "样板戏"的音乐体制

向这万里山乡!(《杜鹃山》)

急促节奏的三字句大段使用,与语气舒缓的十字句配合,类似曲牌体中的长短句。

[原板]
到如今闯下大祸,(难呀)难原谅,
多亏了党(的)挽救,我幡然猛醒,悔恨交加,止不住(我)热泪盈眶,
(我)热泪盈眶!
[垛板]
从今后,下决心,立志向,擦亮眼,挺胸膛,迎着风雨,经受考验,坚决战斗在海港,我百炼成钢!(《海港》)

十四个句子,七字句只有三句,其余主要是三、四、五、六字句。这段唱词的句式与其说属于板腔体,不如说属于曲牌体。

板腔体的京剧中,四字句的曲词是较为少见的。地方戏曲中还能找到一些例子,曲牌体中却运用普遍。如:

[上小楼]
(你道他)"兵多将广,人强马壮";大丈夫敢勇当先,一人拼命,万夫难当。(《单刀会》)

[幺]
(你道是)先下手强,后下手殃。我一只手揪住宝带,臂展猿猱,剑掣秋霜。(《单刀会》)

再读读"样板戏"中的四字句,其语言风格何其相似!

我胸中一阵阵江潮起伏,风云翻卷,警钟长鸣!(《海港》)

定使这上海港,紧连着江南塞北,莽原椰林,支援那国内建设,世界革命。(《海港》)

三年前龙江村山洪迸发,暴雨倾盆,田地全淹尽,房被冲毁,人困山顶。(《龙江颂》)

不言而喻,"样板戏"继承了曲牌体的写作传统,在曲词中经常使用四字句,而且达到了偏爱的程度。一种四字句是固定结构,像成语典故格言等的四字格;一种是根据表达内容和表达形式临时组织起来的四字格。上述例中带点的四字格是汉语中固定的结构。这类四字格可使唱词精炼典雅、意蕴深厚、节奏明快。带下横线的四字结构是作者根据内容临时编排起来的。这一方面是结构整齐的需要,一方面也是音韵和谐、琅琅上口的语音的需要。

由于对四字格的一种偏爱,七、十字句也经常被改造成多于七、十字的变式长句。如《平原作战》中就有:

指明了抗战的前途红火亮堂、天高地宽。
搅得我晕头转向如陷泥塘。
看破他有隙可乘枉自设防,炸军火决不动摇挥兵前往。

两种四字格与前后的四字格在意义上是互为补充说明的,有着修辞上的强调意义。

贼龟山突然传令情况有变。此时刻更应冷静,当机立断。

例中四字格的出现,有着叙事抒情需要的因素在内。

"样板戏"中还经常无条件地使用五字句,如《平原作战》中:"北风刺骨寒,鬓发结冰霜。"《磐石湾》:"嗓音同哭哑,眼泪同哭干,双双问大海,一起唤苍天。"《红色娘子军》中:"枪林弹雨里,军民肩并肩。""(你)长在穷人家,从小受磨难,懂得奴隶苦,应知翻身甜。"《沙家浜》

中阿庆嫂的著名唱段即是以五字句为主的,而这样大段的五字句在板腔体中是没有的。

[西皮流水]
垒起七星灶,
铜壶煮三江,
摆开八仙桌,
招待十六方,
来的都是客,
全凭嘴一张,
相逢开口笑,
过后不思量,
人一走,茶就凉——
有什么周详不周详!

结尾用了两个三字句,一个八字句的句式来煞尾,一则以句式的长短变化来获取多彩的戏剧效果,消除单一感,二则从文字整体看,上小下大,句子整散结合,协调稳妥;从语音看,上是明快的短句,下是长长的句子加上拖腔,既有利于抒发感情,又符合曲词写作的一般规律和听觉审美的要求。

总之,"样板戏"声腔系统的句式运用继承了板腔体以七、十字句为主的传统,吸收了曲牌体大量使用三、四、五、六言句式的长处,因内容而设句,灵活自如,取博采精,化腐为新,综合形成了自己独特的句式结构体系。

(三) 句结构的音步节奏

"样板戏"的曲词主要采取的是二、五体式,四、三体式的七字句和三、三、四体式的十字句。

人物唱词中有不少标准的节奏体式:

[西皮快板]

喝令/九龙东流水,快向后山/展翅飞。端起龙江/化春雨,洒遍灾区/解旱围。(《龙江颂》)

　　[西皮散板]
　　手提红灯/四下看……上级派人/到隆滩,时间约好/七点半,等车/就在这一班。(《红灯记》)

　　[西皮散板]
　　持久战/放光辉/无敌力量,直觉得/手中枪/也添锋芒。看星火/已燎原/越烧越旺——战斗中/堡垒村/越打越强!(《平原作战》)

[西皮快板]中二、五与四、三体式交互运用。《红灯记》的[西皮散板]是四、三,二、五体式的七言句,是李玉和第一次亮相时的唱段,像传统戏曲中人物自白的定场诗,都是规规矩矩的五言或七言的四句。《平原作战》的[西皮散板]是三、三、四体式的十字句。

有时候,为满足观众求新求变的审美心理,也是为了更灵活、便利地组句谋篇,曲牌体、板腔体中还大量使用了上三下四或三、四、三节奏的倒七字句和倒十字句。

"样板戏"中也有不少倒七字、倒十字的格式,而且还是相当整齐的几句,不是孤零零的一句两句。如《龙江颂》里的上三下四的倒七字句:

　　[二黄原板]
　　辜负了/党的期望,对不起/阶级亲人,一阵阵/(的)风和雨啊,一层层/(的)沉痛教训。

如《智取威虎山》杨子荣的唱段中三、四、三的倒十字句:

　　[原板]

愿红旗/五湖四海/齐招展,哪怕是/火海刀山/(也)扑向前。
〔散板〕
(我)恨不得/急令飞雪/化春水,迎来春色换人间。

〔二黄原板〕的倒七字内部还有变化,前两句是动宾结构,后两句是偏正结构。〔原板〕的第二句也是倒十字,只不过"恨不得"三字承前省略了。更多的时候是常式句和变式句交互使用的。

很多曲词中正七字、倒七字,正十字、倒十字是交叉使用、互为包容的。如:

〔快板〕
霎时间/天兵骤降/磐石湾。
打得/敌人魂魄散,
穷苦渔家/尽开颜。
围住了/小英雄/(他们)齐声夸赞。(《磐石湾》)

短短的四句唱词中,正七字、正十字句,倒七字、倒十字句都派上了用场。

第三节 "样板戏"音乐的板式体系

传统京剧音乐基本上属于板腔体,唱腔以徽调的二黄和汉调的西皮为主体,综合"汉调"、"徽调四平"、"吹腔"、"拔子"和昆曲曲牌、民间小调。西皮有导板(倒板)、慢板、原板、快三眼、二六、流水、快板、散板、摇板等板式,二黄有导板(倒板)、回龙、慢板、原板、快三眼、散板、摇板等板式。另外还有反西皮、反二黄、南梆子、四平调、吹腔等。西皮调适于表达昂扬奔放的感情,二黄适于表达苍凉深沉的感情,反西皮、反二黄适于表达深切悲痛的感情,四平调、吹腔适于表达轻松愉快的感情,南梆子适于表达柔婉之情。

"样板戏"由主题所决定,感情基调定位于表现英雄人物慷慨激昂的情绪和强烈充沛的无产阶级爱憎感情,所以所有唱腔都选取了西皮和二黄调作为声腔板式的基本类型。由于题材都是反映你死我活、刀光剑影的革命战争和阶级斗争,势不两立的人际关系必然按照对立的概念分出正义和非正义、敌和我两大阵营,分出胜与败、生与死、强与弱两种戏曲情景,所以传统京剧音乐中表现沉痛悲壮感情的反调也被选进了"样板戏"的板式结构里。而表达轻松愉快的感情、柔婉之情的四平调、南梆子因不符合主题规定的严肃情景,被清除出了京剧唱腔的领域。

十出"样板戏",十个故事,几百个人物,十人同腔、百人同调简直是不可想像的事情。政治权势再怎样把人物感情限定在强烈的爱和强烈的憎两种情感范畴内,两种感情也会下分出形形色色的下位类型。毕竟,作为演之于台上的戏曲,它应该首先是艺术品,能得到观众的承认,它才会有可能实施它的政治教化功能。所以为了满足表达人物感情的多样化、表现方式的复杂化的需求,"样板戏"的声腔体系只好在允许的范围内,在西皮和二黄板式的基础上,发展出一些新的板式类型,如:

1. 在"西皮"声腔方面发展出了"西皮宽板"、"西皮排板"、"西皮吟板"、"西皮一板二眼"、"西皮回龙"、"紧拉慢唱西皮导板"、"西皮慢原板"、"西皮滚板"等。

2. 在"反西皮"声腔方面改革,发展出了"反西皮原板"、"反西皮流水板"、"反西皮快板"等。

3. 在"二黄"声腔方面改革,发展出了"二黄二六板"、"二黄流水板"、"二黄快板"、"紧拉慢唱二黄导板"、"二黄快原板"、"二黄慢原板"、"二黄垛板"等。

4. "反二黄"声腔方面,改革出了"反二黄二六板"、"反二黄快板"、"反二黄吟板"、"反二黄快原板"和"反二黄中三眼"等。

这些新的板式,也被戏曲界认定为一种创新。[1]

---

[1] 参看张泽伦《京剧音乐的里程碑——论"样板戏"的音乐创作成就》,《人民音乐》,1998年第11期。

第四节 "样板戏"音乐的伴奏体系

"样板戏"音乐的特点不仅仅表现在传统音乐体制基础之上的传承与更新,还表现为音乐富于现代创新意识。

"样板戏"音乐的现代性主要是指"样板戏"音乐吸收现代音乐要素,特别是吸收西洋音乐要素后所形成的与传统戏曲音乐相区别的现代音乐特征。音乐体制的这种改革,为立体地塑造典型人物的形象,揭示人物的丰富的内心世界,烘托戏剧气氛,有力地推动戏剧冲突等都起到了十分重要的作用。

张泽伦认为:"样板戏"的音乐创作对传统京剧音乐是个重大的突破和发展,音乐表现有如下几个方面的特点:

1. 丰满瑰伟的和声

京剧不用和声,更谈不上和声体系。"样板戏"的曲作者们为了扩大京剧音乐的表现力,更准确地塑造音乐形象,多侧面地刻画人物,立体地描写环境,生动地渲染气氛,在京剧音乐领域里探索功能性和声和色彩性和声语言的运用,以求通过色彩鲜明的京剧旋律,获得风格上和审美上的民族性与时代性。如《红灯记》第八场李玉和的唱腔"雄心壮志冲云天"的主题音调就采用了功能性和声和色彩性和声减七和弦相结合.特别是高音上的变化大和弦,突出表现了李玉和大义凛然的正气和视死如归的精神。

2. 挥洒恢弘的复调音乐

"样板戏"为了多层次地表现乐曲内容,运用了复调的音乐技巧。即通过主旋律和副旋律的交叉、对比等手法,充分揭示了人物的内在思想感情。例如《智取威虎山》第五场"打虎上山"的激越、浩大、优美的前奏音乐及唱腔,就是通过复调手法来表现的。

3. 绚丽多姿的配器技术

丰富多彩的配器技术是近代作曲中的重要技法。"样板戏"中,在序曲、幕间曲、描写音乐、舞蹈音乐、唱腔音乐中,巧妙合理地搭配使用中西乐器中的管弦乐器、键盘乐器、锣鼓等,提高配器技术,增强了京剧音乐的艺术表现力,为民族乐器和西洋乐器的水乳交融地结合积累了成功的经验。比如《海港》第四场方海珍的唱段"细读了全会公报"的前奏、《杜鹃山》中的唱段"乱云飞"就是因为中西乐器的巧妙搭配,使之新人耳目、精彩动人。

4. 中西合璧的乐队

"样板戏"乐队突破了传统皮黄唱腔乐队的格局,在保持传统"三大件"(早期是京胡、月琴、小三弦,后来为京胡、京二胡、月琴)为主奏的基础上,大胆吸收了西洋的一些管弦乐器,创立了音域十分宽广、色彩甚为瑰丽的中西混合乐队编制。无论文场、武场,根据剧情和风格有所选择地组织乐队编制。比如《海港》、《龙江颂》选用了钢琴和竖琴,《红灯记》选用了大阮,《智取威虎山》选用了铝片琴等等。①

除了张泽伦所述的几点,还有许多方面也都表现了"样板戏"音乐的创新意识和现代手法的合理借鉴。如为了使人物的音乐形象鲜明突出,借鉴了西洋歌剧音乐的手法,为剧中主要人物设计主调音乐。《智取威虎山》中少剑波、杨子荣的主调音乐撷取自《中国人民解放军进行曲》和《三大纪律八项注意》,《奇袭白虎团》中严伟才的主调音乐取材自《中国人民志愿军进行曲》。还吸收高腔、歌剧音乐的手法,加入幕后人声伴唱。如《杜鹃山》柯湘的二黄成套唱腔"乱云飞"中就运用了幕后人声伴唱,使音乐增加了主与次、强与弱、浓与淡的色彩对比。另外,运用30年代创造的"多音联唱"的唱腔结构形式,让几个角色以不同曲调轮唱、对唱或齐唱,以烘托不同的人物形象,创造出热烈豪放的舞台气氛。如《龙江颂》第一场开幕时幕后的齐唱和尾声的轮唱等等。

---

① 参看张泽伦《京剧音乐的里程碑——论"样板戏"的音乐创作成就》,《人民音乐》,1998年第11期。

第四章 "样板戏"的语言体制

从戏曲的构成要素看,戏曲虽然是一门综合艺术,但其间音乐的艺术,尤其是语言的艺术却是占据着特殊重要地位的要素。在这个意义上可以说,戏曲是音乐的艺术,更是语言的艺术。从戏曲理论家、剧作家关注的对象看,戏曲语言元素也是从古到今都排列在重要位置上的元素。因为戏曲语言不但是推动剧情发展,形成戏剧冲突,塑造人物形象的必有要素,甚至还具备了舞台美术摹景拟态的部分功能。因为古代戏曲舞台没有布景,"一桌两椅"就象征了舞台美术中所有的道具。跟舞台表演、情节推进有关的时代因素、自然环境、人文环境都需用语言交代出来。尽管"样板戏"接受西方戏剧写实的表现手法,采用了一些布景和道具,但语言体制的研究仍然是探讨"样板戏"话语系统首要的、不可或缺的部分。

第一节 "样板戏"的声韵调体系

"样板戏"的声韵调体系完全采用了切近现实生活的普通话的语音体系。

传统京剧的字音读法须分五音、四呼,别阴阳、平仄,辨尖团、清浊,讲出字、收音,重"十三辙"和"上口字",而这些规律与普通话语音区别明显。①

表现在声调方面的区别主要为：普通话不区分尖团字，传统京剧讲求在同音的条件下尖团字不同发音的语义区分作用和不同的音响特质。一般声母 Z、C、S 与 i、u 或以 i、u 开头的韵母相拼的字为尖字，声母为 Z、C、S 与 i、u 或以 i、u 开头的韵母相拼的字为团字。前者如：济、笑、修、津、亲、心，后者如：记、孝、休、金、钦、欣。由于演唱时的语音和语气表达受音乐、节奏等规律的制约，需要高呼远送，与平时说话时的语调有所不同，故需分尖团。若不分尖团，碰上同音字时观众会难以明辨，既会影响语义的正确传递，又会影响音响的美质。

表现在韵辙方面的区别主要是传统京剧音韵所依据的十三辙在实际运用中有一些与普通话不同的特殊规律，比如：

1. 在传统京剧中大部分庚青辙的字不入中东辙，而入人辰辙，如："成"读如"臣"，"青"读如"亲"，"荆"读如"金"，"生"读如"身"，"领"读如"凛"。

2. 传统京剧中灰堆辙的字有些归入一七辙，如"飞"、"非"读为 fi，"微"读为 wi。

3. 有些乜斜辙的字，入怀来辙，如"街"、"界"、"谐"、"鞋"等字音韵母从 ie 变读为 ai。

4. 个别原来是入声的怀来辙的字，归到梭波辙，如"白"的韵 ai 变为 o，"摘"的韵 ai 变为 e。

5. 有些姑苏辙的字入一七辙，如："住"、"诸"、"书"、"如"、"人"的韵母从 u 变为 ü。

6. 有不少字在声母和韵母之间加介音 u，如"内"、"垒"、"累"、"雷"、"泪"等音 nei、lei 读为 nui、lui 等；"河"、"和"、"可"、"各"、"葛"、"隔"、"乐"等的音 he、ke、ge、le 读为 huo、kuo、guo、luo 等。

从声调方面看，传统京剧的声调基本上分为阴、阳、上、去四声，

---

① 以下关于声、韵、调的变化部分，参看吴同宾《京剧知识手册》，第 207~209 页。

但不排除入声。普通话声调中没有入声。京剧四声的具体读法也与普通话语音不同,综合了湖北、安徽、河南、北京等地的语音,有的音变还与唱腔旋律的需要相关,与上下文的衔接配置形成的音变有联系。

"样板戏"没有遵循传统京剧语音中的这些音变规律,而是完全按普通话声韵调的发音规则来运用语音。

第二节 飞扬不还的音韵

从"样板戏"音韵特征看,其音韵系统继承了传统戏曲音韵,特别是以《中原音韵》为代表的音韵中和美铿锵音律的结构特征。这是因为"样板戏"的曲词是韵文,艺术魅力主要表现于演唱之中。而曲词要成功地搬演于场上,成为"可歌之曲",音律和谐、铿锵悦耳当然是其首要的因素。也就是说,曲词在表现形式上要"入律"、"美听",有"声之和",具备语言格律的诸种形式美。也只有这样,曲词所蕴含的思想,所传达的感情,所描摹的意境才能体现得更加完美。但由于"样板戏"过于注重以这种和美铿锵音律来抒发英雄人物和壮志豪情,倾向于选用响韵、洪韵和平声,音韵的高低制约、单双交替、虚实变换、轻重相间、异同之别没有得到协调的调配,致使整出戏都畅响着黄钟大吕般的昂扬之声。刘勰在《文心雕龙·音律》中说:

> 凡声有飞沉,响有双叠。双声隔字而每舛,叠韵离句而必睽;沈则响发而断,飞则声扬不还。并辘轳交往,逆鳞相比。……是以声画妍蚩,寄在吟咏,滋味流于下句,气力穷于和韵。异音相从谓之和,同声相应谓之韵。①

其意为:所有字的声音都分平声飞音和仄声沉音两种,双声和叠韵是连用的,分开就不和谐;都选用沉声字,声音就像断了一样;都选

---

① 王运熙、周锋《文心雕龙译注》,第300~301页。

用飞声字,声音高扬不回转。语音应该像辘轳循环那样交替使用,像鳞片紧扣那样排列。因此,声韵的优劣,寄托于吟咏之中,作品的韵味体现在字句的安排上。不同平仄的字和双声叠韵安排好叫和谐,句尾韵相呼应叫叶韵。不言而喻,刘勰强调语音美综合表现为语音高低、单双、虚实、轻重、异同之间的和谐调配。"样板戏"曲词宾白多注重喧响昂扬之音,使得语音产生了一种飞扬不还的倾向性。

"填词首重音律",这是古人填写曲词时必定遵守的一条定律。为了仿效前人,启示后辈,北曲戏曲理论家推出了目为正统的标准音韵理论著作——周德清的《中原音韵》和朱权的《太和正音谱》,作为戏曲的音韵统一,北曲作家作曲,演员唱曲、正音、咬字归音的语音依据。南曲的戏曲创作没有专门的韵书作为理据,尽管朱权的《琼林雅韵》,沈乘麐的《韵学骊珠》对南曲创作的用韵有一定的影响,但在历史上始终没有形成权威地位。而且相当部分的曲作者也是以《中原音韵》作为音韵的参考标准的。之后,明魏良辅的《曲律》、沈宠绥的《度曲须知》、范善臻的《中州全韵》,清王骥德的《曲律》等曲论,又都从不同的方面细化、完善了曲词的音韵规律,形成了以《中原音韵》为核心的中国戏曲音韵理论体系。

自沈约始,人们认识到了诗词的平仄相间,能产生铿锵的语音效果,周德清的《中原音韵》平分阴阳,又帮助人们从理论上提升了音韵阴阳谐和也是语音产生悦耳美听的自然规律。《中原音韵》还把入声字归到平上去三声中,"入声派入平上去三声者,以广其押韵,为作词而设耳"。还认为:入派三声,平分阴阳是"作词之膏肓、用字之骨髓"。① 并且把声韵系统构建为与今天的普通话类同的有阴、阳、上、去四声的系统。这些种种努力扩大了曲韵押韵的范围,建构了戏曲音韵的系统。《中原音韵》把音韵分为19部,这是《广韵》206部以来最简化的韵部。清代地方戏的13道辙,主要源于《中原音韵》的19韵部。京剧所依归的中州韵实际上也是中原音韵的代称。

简言之,《中原音韵》为传统戏曲音韵的完善和系统化做出了杰

---

① 周维培《论〈中原音韵〉》,第52、45页。

出贡献,也为京剧音韵系统的建立奠定了基础。尽管京剧采用的韵部更简化,押韵范围更宽,而且怀来辙、萧豪辙等韵中的一些入声字也没有全部分派到平上去三声中,仍然是按入声字来念的,但这种情况应视为语音共性与个性差异的反映。因为《中原音韵》反映的是从古而今语音规律的共性,包括了诗韵、词韵和戏曲音韵规律。京剧音韵只根据戏曲的特性从《中原音韵》中撷取为我所用的东西,当然会表现出与共性相区别的个性。而且京剧音韵所依凭的核心理论:平分阴阳、声分四声、入派三声、字分尖团也基本上源自《中原音韵》。

从音韵的直接继承关系看,曲韵与诗韵、词韵有着天然的渊源关系,但曲韵之难又甚于诗韵、词韵。清黄周星的《制曲枝语》中对诗、词、曲的音韵规律作了一番比较、说明:

> 诗降而词,词降而曲,名为愈趋愈下,实则愈趋愈难。何也?诗律宽而词律严,若曲,则倍严矣。按格填词,通身束缚,盖无一字不由凑泊,无一语不由扭捏而能成者。故愚谓曲之难有三:叶律一也,合调二也,字句天然三也。尝为这语曰:"三仄更须分上去,两平还要辨阴阳。"诗与词曾有是乎?①

语音要素分而言之即声、韵、调。黄周星所言曲词的"字句天然"是对戏曲音律、词法和句法方面自然天成的一种整体风格的追求,所言"叶律"、"合调"是音律在声、韵、调方面的基本表现。黄周星所论音韵聚焦于调平仄、协音韵,下面我们即从这两方面来讨论"样板戏"的曲韵。

(一) 叶律

南北曲规定曲词都要按照一定的曲谱来填写,曲词的每一韵句句末都要押韵。北曲押韵的依据是周德清的《中原音韵》中提出的"作词十法",南曲的押韵限制是王骥德的《曲律》中提出的"曲禁四十条"。合者,则韵响律协,合辙押韵;违者,则不守音律,曲词缺少音乐

---

① 黄周星《制曲枝语》,《中国古典戏曲论著集成》(七),第119页。

美。

"样板戏"曲词基本上遵循了传统音韵的用韵规则,符合普通话的音韵系统。不用古音、方音作韵脚。选韵比较集中在言前辙、江阳辙、中东辙这些宽韵、热韵上。发花、怀来辙、由求辙、遥条辙、灰堆辙、一七辙有一定的比例。姑苏辙、梭波辙、乜斜辙等韵字极少的窄韵、冷韵基本上不用。像一七辙由于音色较低沉、暗淡,十部"样板戏"只有六段唱腔用一七辙,其中三段是给日本鬼子鸠山、龟田演唱的。

古代戏曲理论家一方面强调要"恪守词韵",不许随便通押,不能"重韵"、"借韵"、"犯韵",一方面也认识到语音是在不断变化的,方音的影响也是不可忽视的,所以认为曲韵的规定也可以根据语音已经发生的变化,随时地的不同而进行调整。李渔的《闲情偶寄》于这两方面都贡献了自己的一得之见,其一为:要严格区分"开口"和"闭口"音,如"寒山"与"桓欢","真文"与"侵寻"韵就不得相混;其二为:"鱼"、"模"发音相去甚远,"鱼模当分"。"廉咸"、"监纤"两个韵部的语音仅存于少数方言,作为险韵,"廉监宜避"。

如何选取曲韵,使韵能充分显示语言的音乐美?魏良辅的《曲律》主张遵循"词高意古,音韵精绝"的中州韵。中州韵又称十三道辙,实质上就是《中原音韵》的代称。王骥德的《曲律》极推崇周德清的《中原音韵》,并且分析归纳了19韵部的音响特征:

> ……至各韵为声,亦各不同。如东钟之洪,江阳、皆来、萧豪之响,歌戈、家麻之和,韵之最美听者。寒山、桓欢、先天之雅,庚青之清,尤侯之幽,次之。齐微之弱,鱼模之混,真文之缓,车遮之用杂入声,又次之。支思之萎而不振,听之令人不爽。至侵寻、监咸、廉纤,开之则非其字,闭之则不宜口吻,勿多用可也。①

从理论上说,不管是什么韵部的韵,只要与曲词表达的思想感情

---

① 王骥德《曲律》,第 199 页。

达到了高度融合就能产生一种和谐美,但不难看出,王骥德的审美倾向是非常明显的,他认为最美听的音韵是能产生"洪、响、和"音韵效果的韵部,有些韵部的效果虽各有其特点,但因其"弱、混、缓、用",表意并不是最理想。而有些韵部更因其"萎而不振"、"令人不爽"、"不宜口吻",只能择而用之或少用了。

"样板戏"的选韵主观上是为了使韵扣合表现革命理想主义、英雄主义的主题,客观上却印证了王骥德的音韵审美理想。其用韵情况与王骥德所列的音韵优劣等级有同有异。

相同点:

1. 语音高亢明朗、开阔响亮的江阳"响"韵成为共同首选的韵。

2. 乜斜、一七、姑苏等韵部韵字少,音色暗,又难以切合情景,都是曲作者少用甚至不用的韵。

不同点:

1. 王骥德列在首位的中东"洪"韵在"样板戏"中仅列第四位,而摆在第二等级的言前"雅"韵,在"样板戏"中成为位居第一的大韵,占了1/3强的比例。这是因为言前辙适宜抒发深厚、刚烈、绵长的思想感情,正好切合了剧作表现强烈的无产阶级感情的需要,所以被大量使用在"样板戏"里。

2. 王骥德摆在第一序列的怀来辙、遥条辙的"响"韵在"样板戏"中被降为第二等级的韵。因为怀来、遥条经常表达沉静、悲切、优柔的思想感情,与"样板戏"要表现的急风暴雨似的气势、雷霆万钧的力度的斗争生活不相适应,所以较少被选用在剧作里。

3. 梭波辙、发花辙的"和"韵,人辰辙的"清"韵,发花辙的轻松、活泼,因为不合"样板戏"阶级斗争的主题,被摆在了次要的地位。梭波甚而是处于零选择的尴尬地位。等而次之的冷韵、窄韵乜斜、姑苏两韵也是空韵。

4. 由求辙因音色之幽、灰堆辙因音色之柔、一七辙因音色之沉,位于王骥德的"又次之"等级。由于它们都是闭口音,发音开口度少,共鸣不强,音色不分明,不适合表现英雄人物的昂扬斗志和奋发精神,故在"样板戏"中也只占了最小的用韵比例。

我们统计了十部"样板戏"的用韵情况,十部戏的排列顺序是:《智取威虎山》、《红灯记》、《沙家浜》、《海港》、《龙江颂》、《红色娘子军》、《奇袭白虎团》、《平原作战》、《杜鹃山》、《磐石湾》。先看统计表:

十三辙	《智》	《红》	《沙》	《海》	《龙》	《红》	《奇》	《平》	《杜》	《磐》	百分比
言前	11	13	7	11	13	15	17	8	11	11	34.9%
江阳	11	7	16	13	9	8	12	15	10	4	31.3%
人辰	6	2	3		4	3	4	2	5	4	9.9%
中东	2	4	3	2		1	3	3	3	6	7.8%
遥条	1	2		5		2			3		3.8%
怀来			1	1	6	2		1			3.3%
发花		3	3			1		2	1		3%
灰堆					4	2		2			2.4%
一七		2				1	1	1	1		1.8%
由求		2			1			1	2		1.8%
梭波											0%
姑苏											0%
乜斜											0%
总数	31	35	33	32	39	34	35	35	36	25	

从统计表可以看出,"样板戏"为了烘托它的革命主题,表现它的雄浑豪放的风格特征,用了过大的比例集中于"言前辙"、"江阳辙",而"中东、人辰"辙则属于稍稍考虑了一下的范围,至于其他的韵辙,如王骥德推崇的"发花、梭波"等"和"韵,"油求"之"幽"韵在剧中简直不成比例。从音色上看,音韵风格单一,雄壮、洪放之声突出明显,而柔美、优雅之声则显得低沉压抑,韵律一边倒,没有形成一个丰富多彩、和谐优美的统一体,因此很难真正表现出千锤百炼、博大精深的

京剧音律之美。

固然,传统戏曲用韵为了创作选字的便利和腔调响亮、圆润、优美,也有着一种集中选韵的倾向性。考察民间戏曲作品和曲艺作品可以看到,"江阳、言前、中东、人辰、发花"总是押韵比较集中的大类,特别是大段的连字韵,更是离不开"言前、人辰"这两个大类。可是韵辙的分布相对匀称合理,变化多彩,总是根据剧情,根据人物形象的特征用韵。也就是说,曲作者要为人物设计唱腔,应该根据人物要表达的思想感情来选择音律风格切合的宫调。当刚健则刚健,当婉转则婉转,当典雅则典雅,不能笼而统之都是一种高昂阳刚的洪韵、响韵。

"样板戏"特别热衷于用洪韵、响韵,忽略或者说是有意识回避优柔、委婉的韵。以表现"洪"音的江阳辙为例,江阳辙包括收音为 ang、iang、uang 韵的字,韵字多,音色明亮高亢,是曲韵中的热门韵,宽韵。适于抒发豪爽、雄浑、壮烈的格调气氛。传统京剧中花脸就经常使用江阳辙。十出"样板戏"中,江阳辙是第二大辙,剧作不论是表现战争生活还是社会主义建设,英雄人物不论角色大小、不论是男是女,是老是少,不论悲情、喜情、豪情、柔情,唱词押韵都倾向于用此辙口,人物形象不论正面反面,唱段不论重要次要也都可选此辙。而且借鉴传统戏曲用连字韵的手法,使得同一个韵回环往复,和谐共鸣,舒蹙有致,也使唱词增加了音响声韵之美。如:

《智取威虎山》中第二号男英雄人物参谋长的主要唱段"朔风吹",抒发了在国内大好形势下要完成剿匪任务,其威武之师志在必得的雄才胆略和阔大激情。

用韵:江阳辙 ang、iang、uang

韵字:荡、光、象、伤、向、当、望、方、样、光

《红灯记》中第三号女英雄人物,旦角行当的李奶奶的重要唱段"十七年",表现一种英勇悲壮的革命豪情。

用韵:江阳辙 ang、uang、an

韵字:往、张、返、房、上、强、钢

《龙江颂》中年轻的团支部书记,相当于旦角的阿莲的唱段"九龙

江上摆战场",激情洋溢、活力四射,江阳辙高亢洪亮的韵响恰切地表现了阿莲喜悦的心情和昂扬的斗志。

用韵:江阳辙 ang、iang、uang

韵字:场、长、往、昂、上、阳、将、芒

《智取威虎山》中正面英雄人物,相当于传统戏曲中花脸的次要角色李勇奇的次要唱段"火光冲天人喧嚷",宣泄了李勇奇难抑的痛苦、悲愤、冲动的激情。

用韵:江阳辙 ang

韵字:嚷、娘、抢、场

《沙家浜》中的反派人物胡传魁的唱段"想当初"也选用江阳辙,这是为了更真切地描摹出胡传魁地痞流氓似的狂妄、莽撞、愚蠢的蛮横之情。

用韵:江阳辙 ang、iang、uang

韵字:张、枪、向、藏、样、场、忘、偿

通过比较,我们发现"样板戏"的用韵与王骥德的审美等级既是以十三辙的热辙、冷辙,宽韵、窄韵之分作为理据,是戏曲创作中曲作者总结出来且可遵循的规律,也与韵辙自身的表现力不无关系。一个根本的原因就是热辙发音时开口度大,口腔共鸣强,音色响亮且传之久远,容易产生艺术感染力,适用面较广,所以选用频繁;冷辙多为闭口音,发音时开口度小,口腔共鸣弱,音色不明亮,适用面较窄,所以较少被选用。但是不容忽视的是"样板戏"先行的主题和当时的"三突出"的创作方法决定了十部剧作的情感基调,而剧作的情感基调又决定了与一定的情感类型相适应的韵部的选取。所以"样板戏"中韵部的音韵,有着集中明显的倾向性,倾向于选用表洪韵、响韵的韵,也导致整部剧作的音响单一贫乏,总是呈一种走高的趋势,缺乏一些戏曲必有的、丰富的审美品性。

综上所述,我们确乎可以做一解释:"样板戏"虽然是"文革"时长时期地集中国内一流的艺术家来锤炼的精品,也曾火暴过"文革"舞台10年,也感动过一大批观众,抛开其政治因素不论,为什么还会有人不断诟病它们张扬、乏味、呆滞、缺乏艺术魅力?基于上面音韵方面的分析,我们认为其重要的原因之一就是因为"样板戏"的用韵超出了人们心中积淀的传统戏曲用韵的常规,过度强化了铿锵有力、雄浑豪放之声,忽略了音律的和谐多样美,以至于与当今一大批观众审美观念错位,终归难以被普遍接受,落入一种尴尬的境地。

(二) 合调

戏曲固有的音乐性决定曲词特别讲究平上去入四声和声之清浊的搭配。因为富于抑扬顿挫、轻重缓急节奏的曲词能使语音要素的个体得到统一,差别得到协调,从而整合成音美、形美、意美的语言结构整体。

对此,程砚秋通过演唱实践总结得极其精要,他认为唱的抑扬顿挫与韵味也有很大关系,没有轻重,没有抑扬顿挫,平铺直叙一直响到底,就不容易打动观众。古代戏曲理论家对此也见解深刻,他们直接把格律诗誉称为"声诗",把戏曲称为"剧诗"等就是明证。他们制定了严格的用声定制,总结了"声分平、仄,字别阴阳"、"慎用上声"、"少填入韵"、"阴字宜搭上声,阳字宜搭去声"等曲词的定律。王骥德《曲律·论声调第十五》还从韵律审美的角度提出了一些标准:"夫曲之不美听者,以不识声调故也。盖曲之调,犹诗之调,诗惟初、盛之唐,其音响宏丽圆转,称大雅之声。……故凡曲调:欲其清,不欲其浊;欲其圆,不欲其滞;欲其响,不欲其沈;欲其俊,不欲其痴;欲其雅,不欲其粗;欲其和,不欲其杀;欲其流利轻滑而易歌,不欲其乖剌艰涩而难吐。"①尽管这是难以实现的美学理想,但历代的戏曲作者还是朝着这个方向作了极大的努力。以分平仄、别阴阳的创作实践为例。

1. 分平仄

"声分平、仄"就是使平仄交错有致,起伏跌宕。若四声蹩脚,就很难制曲配调,求得声调铿锵,韵律协和。曲牌体的平仄四声调配规定很严格,某句的平仄,某一字四声,在曲牌中已注明。如只有四句词的《醉高歌》就要求四句唱词押"平、上、去、上"韵,二、四句韵脚前的音节要求用去声,句式为二、三、六、七、六字句,曲谱为:

---

① 王骥德《曲律》,第120页。

⊖一,｜一一,｜｜一一去上,⊖一｜｜一一去,｜｜一一去上。

《寄生草》的句式是三、三、七、七、七、七、七字句,曲谱为:

一一｜,｜｜一。⊖一①｜一一去,一①｜一一去,⊖一①｜一一去,⊖一①｜｜一一,⊖一①｜一一去。

曲词的格律参照了诗词的格律,因为曲本来就是诗词之变体。但由于曲是演唱于台上,又比诗词具有了更高的音乐性。

词的声律大致有以下组合方式:

一字句:平声

二字句:仄平 平仄

三字句:平平仄 仄仄平 平仄仄 仄平平

四字句:平平仄仄 仄仄平平

五字句:仄仄平平仄 平平仄仄平 平平平仄仄 仄仄仄平平

六字句:平平仄仄平平 仄仄平平仄仄

七字句:平平仄仄平平仄 仄仄平平仄仄平

八字句:切分为"3+5",与三字句、五字句同

九字句:切分为"4+5"、"6+3"或"3+6",与相应句式音律同。

曲牌体的曲词是较严格遵守音韵格律的,曲牌体一般以三、四、五、六字句为主,板腔体的曲词一般以七、十字句为主。十字句一般切分为"3+3+4"、"3+7",或"3+4+3"的格式。无论曲牌体还是板腔体,都以押韵作为构成曲词音乐美的重要手段。尽管如此,由于押韵字一般出现在句尾,上句句尾为仄声,下句句尾为平声。相对而言,押韵字处于句末,又只占一个字的位置,覆盖面较小,所以对曲词的音乐美感所起的烘托作用还不是最大。而按照四声的不同性质和平仄声音的长短对立进行调配,才最大限度显现了汉语独特的音律美。

"样板戏"以板腔体的音乐结构形式为主,绝大部分唱词遵循板腔体的结构形式,唱词多以七字、十字为一句,每两句唱词为一个完整的相互呼应的乐句,也称上下句,上句押仄声,下句押平声。平仄在一句之内是两两相间,在两句和两联之间是两两相对。如《龙江

颂》阿莲的一段唱词有八句：句尾字一三五七押仄声韵，二四六八押平声韵，对应得非常好。

九龙江上摆战场，（仄）
相互支援情意长。（平）
抬头望，十里长堤人来往，（仄）
斗地换天志气昂。（平）
我立志学英雄，重担挑肩上，（仄）
脚跟站田头，心向红太阳。（平）
争做时代的新闯将，（仄）
争做时代的新闯将，
让青春焕发出革命光芒。（平）

再举一些形成一个乐句单元的例子：

完成任务心舒展，（仄）检查现场到江边。（平）

爹爹给我无价宝，（仄）光辉照儿永向前。（平）

真金最喜烈火炼，（仄）战士从来不怕难。（平）

八千里风暴吹不倒，（仄）九千个雷霆也难轰。（平）

枪林弹雨军民隔不断，（仄）妇救会员拥军要争先。（平）

在出句句尾与对句句尾的平仄对应这一点上"样板戏"还是遵守音韵的格律的。古诗中很少有押韵全押阴平韵或阳平韵的。"样板戏"也注意了尽量不全押同一调值的平声韵。

但在句内的平仄相间，间的平仄对应上，"样板戏"就比较粗糙了，有较多的唱词不合平仄格律，表现出极为明显的以形式来迁就内

容的倾向性。《智取威虎山》中杨子荣有一段常为人称道的唱词,但仔细琢磨,在平仄调配方面还是有诸多违律之处:

曲　词	平仄结构	标准式
今日痛饮庆功酒,	平仄仄仄仄平仄	平平仄仄平平仄
壮志未酬誓不休。	仄仄平平仄仄平	仄仄平平仄仄平
来日方长显身手,	平仄平平仄平仄	仄仄平平平仄仄
甘洒热血写春秋。	平仄仄仄仄平平	平平仄仄仄平平

显而易见,阴影部分是合律之处,其余的部分都对应得不工整。音韵当扬不扬,当抑不抑,应该是这段唱词最大的毛病。四句唱词28个字,就有17个仄声字,而且第一句与第四句都不合律,四个仄声连用。由于仄声比例过大,字调的下抑、沉郁与音乐要表现的豪壮奔放气势也产生了矛盾。除掉两个可仄的仄声,也还有两处不入韵。而且,"壮志未酬誓不休"中的"未"应该是平声却为仄声,按"仄仄平平仄仄平"的声律,第三个音节不能用仄声。句子成了孤平,犯了近体诗的大忌。这是作曲者不想且不愿产生而实际存在的不理想的音响效应。

再看杨子荣的另一段唱词《胸有朝阳》,有一词句原为"迎来春天换人间",格律为"平平平平仄平平",显然也不合七字句"平平仄仄仄平平"的格律,特别是全句只有一个仄声,开头又是四个平声相连,音调显得平伏直板,毫无生气。正如前述刘勰对声音的抑扬规律的独到见解:"凡声有飞沉","沉则响发而断,飞则声扬不还"。①"迎来春天换人间"正是以六比一的句内平仄比例使得声飞扬不还,违背了音律节奏的自然和谐规律。后来经毛泽东提议,将平声的"天"换成仄声的"色"后,全句,应该说是全曲才因一字而生辉。平仄的合理搭配,抑扬有致的音律交迭,才使音色光彩焕然,有了高扬跌宕的参差美、意趣美。

---

① 王运熙、周锋《文心雕龙译注》,第300页。

2. 别阴阳

如果说,平、上、去、入四声形成平仄的二元对立是汉语音律的一种对立统一形式,那么,"平分阴阳"则为曲词字调二元相对的另一种对立统一形式。对阴阳的界说,王骥德《曲律》解释道:"凡揭起字皆曰阳,抑下字皆曰阴。"他还强调阴阳声调对立能产生语音的抑扬之别。周德清《中原音韵》认为阴平阳平在北方话的实际口语中有区别,列出"用阴字法"和"用阳字法"两种用字法,并在对一些曲词恰当运用阴平阳平调值的评价中表明:协调阴阳是为了与相应的音节搭配,使句内句外的音律更加和谐。曲牌《点绛唇》的首句韵脚规定必用阴字,就是为了协调曲韵。比如唱"天下玄黄","黄"属阳调,非阴调,演唱时就会改字调而就腔,把"黄"变为"荒",唱成倒字。若首句唱"宇宙洪荒",就协韵了,因为"荒"属阴,合律协调。

曲牌体的格律非常严格,一支曲牌有多少句,每句多少字,每个字的字音是什么,是平是仄,是阴是阳,押什么韵,都有规定。加之阴阳调配得当,错落有致,能产生起伏跌宕的音乐美。周德清十分重视他的"平分阴阳"这一发现,他说:这"乃作词之膏肓,用字之骨髓。皆不传之妙"。板腔体的音律不像曲牌体那样严格,平分阴阳也没有作为一种必有条件来要求。音律上不甚严谨的"样板戏"自然就更不讲究了。

但综合考虑音韵当中讲求声分平仄、阴平阳平合理调配,使音韵起伏有致、和谐优美还是非常必要的。不犯王骥德《曲律》所言的"曲禁",比如:上去字须间用,不得两上两去;不论平、上、去、入,不得叠用四字;不得阴阳错用,还有韵句末切忌三平声连用等等,也是应该重视的。"样板戏"的曲词多从内容出发,以形式来服从内容,固曲词中声律犯禁之处颇多。请看《红灯记》中李玉和的一著名唱段:

1) 临行喝妈一碗酒,　　　— — — — — ｜ ｜,
2) 浑身是胆雄赳赳。　　　— — ｜ ｜ — ｜ ｜。
3) 鸠山设宴(和我)交朋友,　— — ｜ ｜ — ｜ ｜,
4) 千杯万盏会应酬。　　　— — ｜ ｜ ｜ ｜ —。

5) 时令不好风雪（来得）骤， — ｜ ｜ ｜ — ｜ ｜ ，
6) 妈（要）把冷暖（时刻）记心头。— ｜ ｜ ｜ — — — 。

　　唱词遵守曲律之处有二。一是单句出仄声，偶句对平声，对仗工整。二是3)、4)、5)句的三字脚对仗工整。但不合律处触目可及：

◆ 首句就犯了曲律五个平声连用的禁忌，幸好第五字"一"的声调原调是平声，语流中因为音变转为去声，演员演唱时实际音值是四个平声相连，否则声调还会更平直。

◆ 第二句犯了韵句三平脚的毛病，而三字脚的声律入韵句一般是"｜ ｜ —"、"｜ — —"，不入韵句一般是"— ｜ ｜"、"— — ｜"。句子没能利用平仄抑扬音差调配韵脚音律，使曲词不曲，变成"飞则声扬不还"的直词了。

◆ 除了4)至5)句的三字脚，六个句子的句内平仄相间和句间的平仄对应都不合平仄律。

◆第4)句违反了声律四仄声连用的禁忌。

　　令人疑惑的是，既然唱词在声律方面有如此多的不合律处，为什么不妨碍它成为朗朗上口、流传甚广的唱段呢？其实道理很简单。从语音内部看，唱词音步整齐，结构匀称，以一种和谐的节奏掩盖了声律结构的不对称。从曲词的外部看，曲词从案头到舞台表演，是音乐、板式、锣鼓、音韵、词汇、语法、修辞还有演员的二度创作综合表现出来的艺术再现，声律只是其中的一个方面。不协调一般也不会造成不能演唱的结果，而只会因不"美听"影响它的艺术感染力。

　　传统戏曲中短腔才押连字韵。一般是一韵到底，只有长律因同辙的字不敷选用时才允许换韵，而且是以句法分段的形式换韵。《平原作战》中龟田有一段唱词只有四句，板式没有变，辙口却突然变了。

龟田（唱）[西皮散板]
　　　赵勇刚进城关掏我肝脏，（ang 江阳辙）
　　　搅得我晕头转向如陷泥塘！（ang 江阳辙）
龟田　几天来，我到马庄，他到张庄……

龟田（接唱）
　　　　看起来皇军的战术需变化，（ua 发花辙）
　　　　用心机巧安排方能消灭他！（a 发花辙）

　　尽管唱词之间夹了一段独白，让时间间隔稍微淡化了一点观众听了前面韵律后对后面韵响的一种心理期待和认知惯性，但由于"ang"是鼻辅音收尾的音，"ua"、"a"是元音收尾的音，音域差别较大，又都是响韵，所以辙口的转换还是产生了突兀感，破坏了韵律的自然流畅特征。

　　本来韵脚是对上下句中下句末字的要求，上句末字并不要求押韵，如果上上下下都是韵句，插进一个音色差别很大的翘韵，就会使人产生了生硬、格涩的感受。如：

赵勇刚［原板］……
　　　要踏着烈士的血迹前进
　　［快板］
　　把敌杀！　　　　　　（a 发花辙）
　　一人倒下万人起，　　（i 一七辙）
　　旧屋烧毁建新家。　　（ia 发花辙）
　　军民协力持久战，　　（an 言前辙）
　　敢当地陷与天塌。　　（a 发花辙）
　　仇恨火山定爆炸，　　（a 发花辙）
　　以血还血，以牙还牙！（ia 发花辙）
　　　　　　　　　　　　（《平原作战》）

　　本来下句的韵脚"杀、家、塌、牙"都押"发花辙"，光看韵句的韵脚也挺和顺的，但是由于在韵句中间插进二、四句的"一七辙"、"言前辙"韵脚，在和顺的音韵中形成了翘韵。就像在行云流水般的和谐音乐中忽然出现的一声噪音，破坏了同韵或邻近韵相押所形成的谐和美感。尽管按照词律，邻韵可以通押，比如一七辙和灰堆辙可以通押,中东辙与人辰辙也可以通押,但"一七辙"、"言前辙"与发花辙都不能通押。综而观之,"样板戏"中这种情况并非个别现象,这显然是受"三突出"创作方法的制约,要让英雄人物的唱段表现坚强、革命、斗志昂扬、意气风发、不畏强暴等意象,不得不牺牲音韵的"归韵收音"的形式规律来迁就内容,不是"按腔行字",而是以意制词,以意害辞。戏曲创作一向有"宁声叶而辞不工,无宁辞工而声不叶"①。这样做的结果不但不能达到"字正腔圆"的演唱效果,还留下了"样板戏"文本难以忽略的败笔。

70年代有一篇评论批评传统京剧唱声不唱情,唱流派不唱人物:"在旦腔中,他们就特别乐于在句末和句中的拖腔上使用慢颤音,下滑音等等润腔方法;在生腔中,就特别乐于用慢颤音,慢滑音以及频繁的力度收放变化等等润腔方法;在吐字上总是不肯摆脱中州韵、湖广音的旧习惯。不难想像,用这种唱法'塑造'的音乐形象,就必然是充满着妩媚的闺秀气、儒雅的书卷味以及陈腐的宫廷味。"②可以想见,批评者所鄙弃的东西,实际上正是传统京剧的精华,也正是"样板戏"音韵所缺少的艺术品质。

昆曲追求曲词的精雕细刻,最后却走向了衰微,其中一个最重要的原因就是曲作者把昆曲定位于形式的唯美,抽掉了内容这个曲词赖以生存的核心灵魂。"样板戏"反其道而行之,唯内容的革命性为美,形式上的审美追求却放在次要的地位。在多元文化形式并存的今天,也时不时有人在大声为"样板戏"叫好,但"样板戏"却没有机会形成高潮。实际上,除了政治因素,"样板戏"在形式上的不精致也是制约它正常传播和审美的因素之一。这也可以作为解释为什么呐喊者的声音总是显得底气不足,而回应者也寥寥的原因。

---

① 何良俊《曲论》,《中国古典戏曲论著集成》(四),第12页。
② 人民文学出版社编辑部《革命样板戏论文集》,第91页。

第三节　雅丽不兴的词语

从观众学的角度出发,有评论家把戏曲看作是剧作家、演员、观众共同打造的综合艺术。这些评论家传承史上戏曲界"本色派"、"藻丽派"论争中"本色当行"的观点,特别强调戏曲语言的浅近、通俗。这当然是对的,也是符合戏曲语言的本质特征的。但艺术中的偏执一端,总是会给艺术的发展带来不利的因素。若戏曲语言只有浅近、通俗特色,而置典雅精深、文情繁富的语言于不顾,戏曲的艺术生命力想必也不会长久。尽管初衷是为观众,最终还是会被观众所抛弃。唯内容为美的"样板戏"在当代所遭遇的命运,正是戏曲工作者值得深思的问题和吸取的教训。

关于文章写作内容和形式的关系,圣人孔子曾明确表达为:"言以足志,文以足言","情欲信,辞欲巧"。① 颇有认同感的刘勰在《文心雕龙·征圣第二》中又进一步阐释道:"然则志足而言文,情信而辞巧,乃含章之玉牒,秉文之金科矣。"②两人的论述一脉相承,都提出了文章写作的基本要求,即要以内容充实、情感真挚、既雅且丽、华实兼备的圣人作品和言论为准则、为金科玉律。接着在《文心雕龙·体性第二十七》中,刘勰在讨论文章的体貌风格时,列出八种风格体式,列在首位的风格体即为典雅:"若总其归涂,则数穷八体:一曰典雅。""典雅者,熔式经诰,方轨儒门者也。"③刘勰认为典雅因取法儒经,故堪称典范。这就说明典雅源于经典,具有书卷味的儒雅特色。实则是再次强调了形成雅正风貌在写作中的重要地位。

按照今天的理解,雅正、儒雅、文雅、高雅、雅致、风雅、规范、优美、典重、精深、精审等审美概念的内涵应该大致同于典雅的内涵,应该与典雅属于同一语义场的概念。考察"样板戏"话语中关于典雅风貌的写作,不难看出,"样板戏"话语内容的表达、情感的示现确实是清明刚健、可为师范的。俞雷庆这样评论道:"'样板戏'是那样的铿

---

① ② ③　王运熙、周锋《文心雕龙译注》,第 10 页,第 10 页,第 253 页。

锵有力,""我们在'样板戏'里看到了精神,却看不到人了。把这样抽象的、贴着伟大崇高标签的精神转化为可视可听的动作、唱词、音乐、还有故事,是不容易的。这里面同样有创造的智慧,就比如戴着镣铐跳舞,能跳起来的是高手。"①可是结构形式带给人们的感受却大为不同了,虽不至于说真正的典雅话语是"样板戏"话语中的奢侈品,但从文本语言形式的读解中,我们确实不能经常地激活大脑中的典雅概念,甚至是与典雅同一语义场中的上述任何审美概念,换言之,我们经常不能强烈地感受到典雅或与典雅类同的审美愉悦。

戏曲语言分为曲词和念白两个部分。传统戏曲精品的曲词可谓是精思百炼,除了合辙押韵、音协律合,还特别讲究字词句优美、故做到了遍体光华、书香四溢、儒雅文气。"样板戏"的曲词虽然在《红灯记》、《智取威虎山》、《沙家浜》、《海港》、《杜鹃山》中大体上做到了文辞富于理趣、意趣,刚健之气充盈,文采富丽而鲜明,而要论及《红色娘子军》、《奇袭白虎团》、《磐石湾》的曲词,那是不难找出数量不菲的败笔的。

传统戏曲的念白部分历来不受重视,故念白又有"宾白",即处于宾位之白的称谓。念白部分通常采用散文句式,是口语形式的书面化。与韵文的曲词在衔接转换时经常有生硬、跳跃的痕迹。传统戏曲中虽也有部分宾白合仄押韵,但一般念白很难做到精辟、凝练,并具有韵律化的特征。"样板戏"话语利用了普通话口语和书面语巧妙地化解了戏曲的韵文与宾白的散体之间的矛盾,注意了韵散相间、曲白相生,使曲词与宾白衔接自如,不露痕迹,特别是《杜鹃山》、《磐石湾》中尝试通篇念白韵律化、节奏化、音乐化,使通篇念白增加了儒雅的韵致。如:

  1) 郑老万 想不到,看不透,打仗干活儿,行家里手!
    柯 湘 风里来,雨里走,终年劳累何所有,只剩得铁打的肩膀粗壮的手!(《杜鹃山》)

---

① 俞雷庆《尘封的记忆》,《艺术世界》,2000 年 11 月号。

2) 柯　　湘　刚才好像电闪雷鸣,怎么忽然风平浪静啦?(《杜鹃山》)

对白中的散句由于韵律和节奏的调停,变成了语义相互关联的规整句。韵词"手"、"走"、"有"、"手"、押"由求"辙;"鸣"、"静"押"中东"辙,和美悦耳,句子顿歇疾徐有致,语辞流畅清丽。韵、顿和清丽的语辞协同一起,增加了对白语言的文气和雅致气氛。

但总的说来,这样有雅致优美风格特征的话语在"样板戏"中只占有一定的比例,不足以构成"样板戏"的主流话语。

基于"样板戏"话语的此种情状,我们拟以词语运用为例来考察"样板戏"话语典雅的风貌。因为词语作为话语的基本构成材料,作为风格色彩的构成要素,最能恰切地反映出话语典雅的风格表征。

"样板戏"词语运用无论从质的认定还是量的统计看,都表现出雅丽不足、质朴少华的倾向。下面主要从三个方面进行考察。

一　古汉语书面语体词语及成语的选用

1) 战友们却为何动静杳然,抑不住激动情出外察看。(《智取威虎山》)

2) 漫道是密雾浓云锁芦荡,遮不住红太阳光芒万丈。(《沙家浜》)

3) 穿椰林踏泥径,静悄悄趋向前。(《红色娘子军》)

4) 天欲晓寻大娘核对周详。(《奇袭白虎团》)

5) 今天我要杀一儆百,以正乡风。(《红色娘子军》)

6) 风浪要征服,暗礁尤须防。(《龙江颂》)

7) 且把刑场变战场,畅谈革命斥贼党。(《杜鹃山》)

8) 只要咱们一息尚存,就不能忘恩负义、丧尽良心!(《杜鹃山》)

9) 杜妈妈待大哥恩重如山,可不能袖手旁观哪!(《杜鹃山》)

10) 我们要是按兵不动,怕死贪生,袖手旁观,不闻不问,于心何忍哪!(《杜鹃山》)

　　上述曲词、念白采用了书面语体的句式和部分文言文词语、成语。"为何"、"杳然"、"抑"、"泥径"、"趋向"、"漫道是"、"天欲晓"、"寻"、"周详"、"以正"、"尤须防"、"且"、"一息尚存"、"于心何忍"等词语带有书面语体色彩和古典诗词用语的特色。动词用单音的"锁"、"穿"、"踏"、"斥"而不用双音形式:"锁住"、"穿过"、"踏过"、"斥责",都表现了古汉语单音节词为主和书面语精致、凝练的特色。"杀一儆百、忘恩负义、恩重如山、袖手旁观、按兵不动、怕死贪生、不闻不问"是源于古典文献的成语。这些词语的运用尽管在"样板戏"文本中比例不大,但在一定程度上增加了曲词与宾白的书卷味和儒雅风致。
　　成语这种词语形式因其来源于古代历史故事、古代寓言或古代文献中现成的语句,因其结构的整体性和语义的凝固性,一直受到戏曲作家的青睐。"样板戏"中成语运用的频度也很高。如红军代表洪常青乔装华侨巨商打进南府时,为适应已变化的交际环境,洪常青采用了适合其华侨巨商身份的书面语体的话语,多处连用了书面意味浓重的成语和仿四字格成语的短语:

11) 洪常青　说什么民团剽悍,防卫森严,不过是虚张声势,外强中干!
　　南霸天　此话从何说起?

洪常青	请看,今日常青轻装简从,登门造访,已使诸公坐立不安,如临大敌!倘若真是来了红军,那还不一触即溃,土崩瓦解!
南霸天	唔!
洪常青	我公司自创立以来,上有远大之宏旨,下有坚韧之毅力,同人齐心,众志成城,名扬四海、声震八方!
南霸天	哦!
洪常青	此次开发海南橡胶园,有关当局,大力支持,各界父老,纷纷赞助!不料踏进南府,竟遭冷遇!主人见疑,宾客喧嚣,谈虎色变,草木皆兵!看来这椰林寨,地,不是安全可靠之地;人,并非合作共事之人!成大业,脚下自有路千条,我何必,非走南府这独木桥!

洪常青的念白有三个特点:

1. 以四字格为主,这是念白韵律化、节奏化的一种突出特征。数个四字格连接一起,构成排比,增强了语句的气势,使语言极富形象性和韵律感。

2. 选用了大量成语,其中多处并列使用同义的成语。如"虚张声势、外强中干","名扬四海,声震八方",强化了所表语义。

3. 应用了具有书面语体色彩的对偶句:"上有远大之宗旨,下有坚韧之毅力","地,不是安全可靠之地;人,并非合作共事之人!"出句对句中词语对仗工整,熔词炼句注重文白相宜,突出了词语雅丽和口语书面化的表现特征。

剧中成语的并列重叠使用,用墨如泼,极尽铺陈叙写之能事,一方面使语句呈现出赋的特色,另一方面,大量同义近义成语堆砌,削减了成语的表意功能,还在形式上表现得重复累赘。因为成语本来就是包容了硕大语义内容,却精炼表意的形式。堆砌使用没有精心选择的成语或组织的四字格结构,既显酸腐,又与简洁精致的风格特点抵牾。如上面的例8)例10)。再如下例,本来一个简单的意思,繁衍出了几个意义重复的短句。

　　12) 雷大哥与我们患难相依,有兄弟之谊;祸福与共,是骨肉之亲。(《杜鹃山》)

　　13) 他就是张网捕鱼,我也拼他个鱼死网破,打他个稀巴烂。(《杜鹃山》)

　　相对而言,连续使用成语且准确、精美、优雅,还数《红灯记·赴宴斗鸠山》一场中鸠山与李玉和对白中所用成语。鸠山引用了"人生如梦"、"对酒当歌,人生几何",展开攻心战术,李玉和用"长命百岁"来讽刺和回击。鸠山引用"苦海无边,回头是岸"来劝诱李玉和,李玉和用"道高一尺,魔高一丈"来表示自己不受诱惑,革命到底的决心。连用的成语都只有一个位置和特定语境下的一种语义,成语的整体运用显得异常精湛优美。

　　毋庸置疑,在鸠山和李玉和所用的数个成语中,"道高一尺,魔高一丈"在表意上尚有斟酌的余地。"赴宴斗鸠山"是京剧《红灯记》中的一场重头戏、感情戏,其中,李玉和与鸠山唇枪舌剑的心智较量,形成全剧最精彩的对白之一。对白中连串用典使话语的整体运用显得精湛优美,唯成语"道高一尺,魔高一丈"的缀用与语境显得不甚和谐,与剧情相抵牾,影响了语言的艺术感染力。

　　14) 鸠　山　呃……(尴尬一笑)老朋友,我是信佛教的人,佛经上有这样一句话,说是:"苦海无边,回头是岸。"
　　　　　李玉和　(反击)我不信佛。可是我也听说有这么一句话,叫做:"道高一尺,魔高一丈!"

　　成语"苦海无边,回头是岸"源自佛教语,其本义是:整个世界和全部人生都是茫茫苦海,只有通过修一切善事,才能到达彼岸,找到超越生死轮回的理想归宿。成语后来又发展出劝诫人们去恶向善和虽然罪大恶极,但只要能够彻悟,改邪归正,就有出路这两种引申义。

成语"道高一尺,魔高一丈"也源自佛教语。"道"指"道行"、"道力",指在佛教理论熏染下修成的慧果。丁福保编纂的《佛学大词典》释为:"道行,学道修行也。""魔"指"能夺命、障碍、扰乱、破坏等"魔障,即扰乱人心、妨害修行,使人心里失去清虚静寂的诸种杂念。成语的本义是告诫修行者要警惕外界的诱惑,克服重重困难,因正气难以修得,而邪气容易高过正气。后又发展出引申义,《汉语大词典》注释的引申义有两种:其一,"一事物兴起,又有一事物超越其上";其二,"一方的力量超过与之敌对的另一方。"

显然,剧作者有着非常高的语言造诣和文学修养,他先让鸠山运用佛教语"苦海无边,回头是岸"的引申义诋毁李玉和所进行的抗日斗争事业,想在气势上压倒对方,从而达到诱降的目的。然后又让李玉和用佛教语"道高一尺,魔高一丈"的本义来回击。表明了李玉和不受鸠山说教的诱惑,誓将正义事业进行到底的决心。剧作者连串用典是想揭示鸠山狡诈、阴险,话语处处藏机锋,句句设陷阱的性格特征,展示李玉和睿智、机警、正义凛然、忠诚革命事业的性格特征。观众如果能以"道高一尺,魔高一丈"的本义去缀合"苦海无边,回头是岸"的引申义,当然可以使话语脉络贯通,逻辑严密,意蕴典雅,产生独特的审美特征。遗憾的是由于佛教语的典雅深奥,只有少数观众才具备理解连串用典所蕴含的佛教语知识,才能连缀两个典之间的语义关系,从而获得对白真正意义上的审美理解。而大多数观众通常具备的是"正道邪魔"的常识,又大都是按照"一事物兴起,又有一事物超越其上"或"一方的力量超过与之敌对的另一方"的引申义去理解"道高一尺,魔高一丈"语义的,因此话语理解很难进入符合剧作者初衷,切合语境的审美境界,从而使缀合连用的两个典在语义上前呼后应,并行不悖。

我们认为"道高一尺,魔高一丈"与"苦海无边,回头是岸"连缀使用其弊有二:

其一,观众要在话语流程中正确无误地理解两个佛教语之间逻辑语义关系,就必须以"道高一尺,魔高一丈"的本义来缀合"苦海无边,回头是岸"的引申义。但这种语义关联与以口语化、通俗化为第一位要求的戏剧语言是有一定差距的。因为戏剧语言在舞台上是一种主要凭听觉来感知的线性艺术,它留给观众的思索时间是有限的。具备两个佛教语本义、引申义知识的观众,缀合这种语义尚需要一个时间差,可想而知,不全面具备其本义、引申义知识的观众,要准确理解其语义关联,跟上话语前接后续语义的线性流程,其难度是相当大的。再则,戏剧是演给广大人民群众看的,接受对象也要求戏剧语言口语化、通俗化。清代戏曲理论家李渔见解精确:"戏文做与读书人与不读书人同看,又与不读书之妇人小儿同看,故贵浅不贵深。"①显然,连用的两个典之间语义关联过于深奥,影响了语言表达的得体性,理解的可接受性和舞台艺术的时效性。

其二,人们通常具备的是"正道邪魔"的常识,所以,人们对"道高一尺,魔高一丈"的领悟通常是其引申义,即:"魔"代表的力量超过"道"所代表的力量。倘若用"道高一尺,魔高一丈"的引申义来应答"苦海无边,回头是岸"的引申义,鸠山与李玉和情绪极端对立的话语氛围就会发生错位,话语就会显得不切合语境,不符合剧情。依照这种理解,从语调上看,李玉和慷慨陈词、怒斥鸠山,但话语内容却显得信心不足,有示弱之嫌。从语用上看,对白的逻辑关联也显得不甚紧密,会话缺乏合作关系。李玉和是有备而赴宴,话语以防为主,以"斗"对威逼利诱;鸠山的话语步步紧逼,是以劝诱为战术,攻心为核心。几个回合的交锋下来,前几轮会话李玉和都是义正词严、针锋相对。但到了这轮会话,鸠山心怀恶意地劝诱李玉和"弃恶从善",变节投降,李玉和却顾此而言他,应答出与鸠山的话题背离、甚而甘拜下风的话语,从而使语义出现断裂,会话缺乏合作关系。

为了弥补这一缺憾,在"样板戏"定稿后不能更改的前提下,1972年《革命样板戏剧本汇编》第一集在脚注中注释到:"'道高一尺,魔高

---

① 李渔《李渔全集·闲情偶寄》,第24页。

第四章 "样板戏"的语言体制　　　　　　　107

一丈',成语。在这里,'道'象征反动统治阶级,'魔'指无产阶级和革命人民向反动派进行斗争的革命造反精神。李玉和借这成语反击鸠山,说明日寇虽一时猖獗,但真正强大的力量却是革命人民。日寇必败,中国必胜。"①不难看出,解释的牵强附会、任意发挥,背离了原作者的初衷,曲解了佛教语的语义。

不言而喻,无论以"道高一尺,魔高一丈"的本义还是引申义去缀合"苦海无边,回头是岸"的引申义,都使"道高一尺,魔高一丈"的缀用,成为剧中用典的一处败笔。

相对而言,选用成语"放下屠刀,立地成佛"较"道高一尺,魔高一丈"更切合语境,符合剧情。理由是:"文革"前1965年的演出本也是选用"放下屠刀,立地成佛"这个成语。而且"放下屠刀,立地成佛"也是佛教语,作为"苦海无边,回头是岸"的应答句,两者有语言风格上的一致性。语义上,也是劝说人改恶从善,可与"苦海无边,回头是岸"的语义互动共生,相辅相成。若李玉和运用"放下屠刀,立地成佛"来还击鸠山,可以以牙还牙,针锋相对,指控是以鸠山为代表的军国主义在中国作恶,滥杀无辜,正是他们应该向中国人民忏悔,弃恶向善。运用这个成语,还可以表现出异常明显的讥讽意味。佛教认为:杀生属于应受地狱报应的最大恶业之一。鸠山如果能彻悟杀戮中国人民的罪行,就有活路,但是侵略成性的鸠山是不会放下屠刀的,所以永远成不了正果,只能下地狱。

二　连绵词语的选用

连绵词是古汉语遗留下来的最富典雅意趣和书面语特色的词语。传统京剧善于利用连绵词成双成对的反映汉民族偶合心理的结构形式和双声、叠韵的音乐性来加强戏曲语言儒雅的情志和音色的美。比如:

1) 警觉我的是颤巍巍竹影走龙蛇,虚飘飘庄周梦蝴蝶。

---

①　《革命样板戏剧本汇编》第一集,第107页。

(《西厢记》)

2) 森森排剑戟,密密列干戈。(《董西厢》)

3) 莫不是步摇得宝髻玲珑,莫不是裙拖得环佩叮咚。(《西厢记》)

4) 掠湿湘裙翡翠纱,抵多少苍苔露冷凌波袜。(《倩女离魂》)

5) 秋千板上擎,翡翠盘中立。(《娇红记》)

6) 打叠起嗟呀,毕罢了牵挂,收拾了忧愁,准备着撑达。(《西厢记》)

7) 梨花春淡荡,柳雾晓凄迷。(《娇红记》)

8) 众儿郎壮志未酬疆场饮恨。(《杨门女将》)

"样板戏"中很少运用古汉语遗留下来的连绵词,只有为数不多的"犹豫、马虎、翩跹、倔强、慷慨、彷徨、焦急、幡然、辜负、灿烂、嘱咐、叮咛、屹立、抖擞、从容、蹂躏",其余都是新兴的双声叠韵词。如:
双声:

  雪原　招展　火海　阶级　壮志　身手　整装　力量　得当　大胆　组织　政治　航海　发奋　辉煌　转战

叠韵:

  面前　昂扬　严寒　响亮　眼前　光芒　性情　闯荡　鼓

舞 归队 风声 惦念 病情 清醒 轻信 地契 童工 工农 前线 焦躁

这些新兴的双声叠韵词数量也不大,在词语综合运用的层面上减损了"样板戏"话语文雅典重的艺术魅力。

三 重叠词、叠音词的选用

如果要强调一种感情、描绘一种物态、模拟一种声音、渲染一种气氛,显然结构成分的重叠是一种最为便当,效果又最为显著的表现方式。传统京剧中就经常采用结构成分重叠、同音词重叠作为表达充沛情意、绵密思致、雅丽风格的重要手段。其重叠方式往往多种多样,有直接重叠为词的;有重叠后作为构词后缀的;有重叠为名词、动词、形容词的生动形式的。而且复现的频率还很高,有时在一段唱词里就可能同现十余个重叠形式,形成传统戏曲选词用语的一个显著的特色。以无名氏所作元曲《货郎担》中的重叠形式为例:

1)我只见黑黯黯天涯云布,更那堪湿淋淋倾盆骤雨,早是那窄窄狭狭,沟沟堑堑路崎岖。知奔向何方所。犹喜的潇潇洒洒,断断续续、出出律律,忽忽噜噜阴云开处,我只见霍霍闪闪电光星烂,怎禁那萧萧瑟瑟风,点点滴滴雨,送的来高高下下,凹凹凸凸,一搭模糊,早做了扑扑簌簌,湿湿漉漉疏林人物。倒与他妆就了一幅昏昏惨惨潇湘水墨图。

ABB 重叠词:

　　黑黯黯　湿淋淋

AABB 式重叠词:

　　窄窄狭狭　沟沟堑堑　潇潇洒洒　断断续续　出出律律

忽忽噜噜　霍霍闪闪　萧萧瑟瑟　点点滴滴　高高下下　凹凹凸凸　扑扑簌簌　湿湿漉漉　昏昏惨惨

ABB式和AABB式16个状态形容词的交互、连续出现,使得唱词文采斐然、笔触生动。作者利用重叠词拟声绘景、摹态传神的独特功能,把张三姑逃难途中的雨景描绘得如在眼前,好像一幅惟妙惟肖的水墨图,营造出人物行走在风雨交加的路上所具有的困顿、艰辛的氛围,恰切地传达出此情此景中人物感情的凄凉悲苦。

AA式、ABB式、AABB式都是传统京剧中重叠式选用的主要形式,AA式

如关汉卿《包待制智斩鲁斋郎》:

2)不见浮云世态纷纷变,秋草人情日日疏,空教我泪洒遍湘江竹。

ABB式在曲词中经常以连用形式出现,使用频率非常高,如刘东生的《娇红记》:

3)疏剌剌微风摇外竹。忒楞楞宿鸟串池边树。则见它,乱纷纷落花瓣随风絮,昏惨惨遮笼着天上月。朴腾腾惊散了水中鱼。这的是你娇滴滴闭月羞花处。

再如王实甫的《西厢记》:

4)绿依依墙高柳半遮,静悄悄门掩清秋夜,疏剌剌林梢落叶风,昏惨惨云际穿窗月。

AABB式实际上是AB式动词、形容词或语素的重叠形式。如关汉卿《窦娥冤》中的"啼啼哭哭、烦烦恼恼"就是动词"啼哭"、"烦恼"重叠的生动形式。

第四章 "样板戏"的语言体制　　　　　　　111

5）婆婆也，再也不要啼啼哭哭，烦烦恼恼，怨气冲天。这都是我做窦娥的没时没运，不明不暗，负屈衔冤。

有的 AABB 式在现代汉语中已经改变了词形，或只用原形，或只重叠为 ABB 式。如王实甫《西厢记》：

6）见安排著车儿、马儿，不由得熬熬煎煎的气。有甚么心情将花儿、靥儿，打扮得娇娇滴滴的媚。准备著被儿、枕儿，则昏昏沉沉的睡。从今后衫儿、袖儿，都湿做重重叠叠的泪。兀地不闷杀人也么哥，兀地不闷杀人也么哥！久已后书儿、信儿，索与我恓恓惶惶地寄。

"熬熬煎煎"现多说成双音节词"煎熬"，"娇娇滴滴"现一般说成"娇滴滴"，"恓恓惶惶"说成"恓惶"，而且变成了低频词。

传统京剧中还有按 ABBC 式重叠和 AAA 式同形重叠的形式，都是为了表达生动效果独特而灵活运用重叠形成的变式，如下列带点的结构式：

7）全不想这姻亲是旧盟，则待教祆庙火刮刮匝吖焰生，将水面上鸳鸯忒楞楞腾分开交颈，疏剌剌沙鞴雕鞍撒了锁鞚，廝琅琅汤偷香处喝号提铃，支楞楞争弦断了不续碧玉筝，吉丁丁珰精砖上摔破菱花镜，扑通通冬井底坠银瓶。(《倩女离魂》)

AAA 重叠式是词的重叠，有代词重叠，有动词重叠，也有形容词、副词重叠，元曲中甚为多见：

8）他他他，天也有昼夜阴晴；是是是，人也有吉凶祸福；来来来，我也有成败枯荣。(《包待制智勘后庭花》)

9）他他他，忒狠毒，敢敢敢，昧己瞒心将我图。你你你，恶狠狠公隶监束,我我我,软揣揣罪人的苦楚。痛痛痛,嫩皮肤上棍棒数,谁谁谁,铁锁在项上拴住。可可可,干支刺送的我活地狱,屈屈屈,这烦恼待向谁行诉!(《潇湘夜雨》)

10)休休休,劝君莫把机谋使,现现现,东岳新添一个速报司。你你你,负心人信有之,咱咱咱,薄命妾自不是。快快快,就今日逐离此,行行行,可怜见只独自。细细细,心儿里暗忖思,苦苦苦,业身躯怎动止?管管管,少不的在路上停尸。(《潇湘夜雨》)

"样板戏"对语音重叠的造势作用和铿锵音响的美感效应重视不够,重叠式的选用很少,类型单一,没有 AAA 式、ABBC 式,而且基本上是一种形式单用。不像传统京剧中会在一段唱词中多种形式共用,一种形式复用。整个词语体系中通过词语构形拟态来传情达意的表现手法显得异常单调。

"样板戏"中好像有类似 AAA 的结构形式,实际上结构不同质。如:

11)这这这日寇凶暴又奸险。(《红灯记》)

12)你,你,你……你忘了本。(《海港》)

13)好,坐坐坐,听我跟你说!(《沙家浜》)

14)来来来,老朋友,先干上一杯。(《红灯记》)

15)你只知一个劲儿丢、丢、丢,却不管社员愁、愁、愁。(《龙江颂》)

只有 11)与传统京剧中的 AAA 式表层结构比较接近,其实 11)

第四章 "样板戏"的语言体制　　　　　　　　　113

与12)中的"你,你,你……你"一样,是因情绪激动而形成的句法结构成分的反复,表一时语塞,语气相当急促、语调跌宕起伏。是与AAA式完全不同的结构形式。13)与14)无论句法结构还是语义语用都与传统京剧中的AAA式有区别。AAA式是词的三连叠,语气平稳。是提前到句子前面要强调的语义信息重点,有充当独立的句法成分的,有做句子的有机组成成分的。"来来来"、"坐坐坐"是词的重复,不是构词构形的重叠,也不是跟前后句子有关系的句法结构成分,有招呼、应答的意味,是句子中特殊的独立语。15)中的"丢、丢、丢,愁、愁、愁"是句子的直接成分——谓语,反复是为了强调语义,表明说话人急躁且愤怒的思想感情。

十部"样板戏"只有很少的重叠式,AA式的稍多一些,有丰富的表义作用和表情作用的ABB式、AABB式也应用得不多。

AA式：
1) 叠音词：
奶奶　太太　悄悄　偷偷　往往　刚刚　霍霍　偏偏　历历累累　重重　遥遥　腾腾　纷纷　统统　赫赫　巍巍　滔滔　惶惶息息　滚滚　迢迢　熊熊　茫茫　斑斑　团团　苍苍　沉沉　堂堂　耿耿　区区　活活

2) 重叠词：
妈妈　爹爹　舅舅　年年　月月　天天　人人　个个　步步代代　阵阵　粒粒　针针　条条　处处　字字　句句　声声　家家　层层　顿顿　帮帮　谢谢　评评　缝缝　看看　尝尝　坐坐　说说　听听　谈谈　送送　闪闪　热热　好好　狠狠　快快　多多密密　轻轻　大大　小小　紧紧　早早　双双

ABB式：
雄赳赳　气昂昂　文绉绉　兴冲冲　湿淋淋　黑压压　昏沉沉静悄悄　急切切　慢腾腾　乱糟糟　乱纷纷　直瞪瞪　一阵阵一层层　一笔笔　一点点　一件件

AABB式：
点点滴滴　规规矩矩　老老实实　辛辛苦苦　装装卸卸　搬搬

运运　桩桩件件　郁郁葱葱　浩浩荡荡　吞吞吐吐　严严实实　急急忙忙　祖祖孙孙　祖祖辈辈　出出进进　坑坑洼洼　冒冒失失　仔仔细细　步步颤颤　男男女女　老老少少　服服帖帖　时时刻刻　层层密密　日日夜夜　谈谈打打　打打谈谈　口口声声

ABAB式：

清醒清醒　叙谈叙谈　准备准备　休息休息　盘算盘算　一件一件

重叠式结构全部集中起来，好像还不少，但实际上在十部戏几十万字的曲词和宾白中，这129个重叠式散在其中是东鳞西爪、痕迹不显、波澜不惊。更重要的是传统京剧中是高频率运用、连续运用重叠式结构，使语言呈现出一种强势效应，显得文笔周详而绵密，文情显得繁富而优美，造就了一种充沛、丰赡、显耀的气势和雅致情思。"样板戏"话语中上述重叠式绝大多数只出现一次，只有少数如："好好、狠狠、快快、统统"出现过几次。而且主要是单用，只有少数几处是三个或两个连用的，如："阶级斗争必须年年讲、月月讲、天天讲。""一阵阵的风雨啊，一层层的沉痛教训。"显然，词语重叠式的造势作用在"样板戏"中没有得到充分利用，窥一斑而见全豹，从重叠形象手段的缺质少量，我们不难推知"样板戏"话语没有很好利用艺术手段的修辞效应，致使语言的情致表达显得单薄而缺少生气。

第四节　板正不奇的语法

孔尚任曾言：戏曲文学"凡诗赋、词曲、四六、小说家，无体不备"①。这是从戏曲文学文体、语体的层面上来概说的。戏曲尽管是一门综合了多种文学艺术的一种形式，具体到戏曲语言的每一个部门，也是特色各显的。比如曲词就与诗赋、曲词、四六的语文体式比较接近，宾白则与小说、散文的语文体式比较接近了。再具体到音韵、词汇、语法、修辞、篇章部门，它们对各类文学体式营养的吸纳和

---

① 《桃花扇·小引》，秦学人等编《中国古典编剧理论资料汇辑》，第310页。

融会,也是各有其章法和表现特征的。就戏曲语法而言,曲词的语法与宾白的语法也不同。

曲词的语法接近诗词歌赋,宾白的语法接近小说。

曲词的句型、句式、句类具有书面语体的色彩;宾白的句型、句式、句类具有口语语体色彩。

曲词以主谓俱全的,或成分省略的简单句居多,非主谓句比例小;宾白中主谓俱全的简单句经常承前蒙后省略掉主语,非主谓句的比例很大。

曲词中单句多,复句少,复句间的逻辑语义关系主要是并列、顺承、转折、因果等,分句的连接主要依靠语序,一般较少运用关联词语,特别是成对的关联词语;宾白中也是单句多复句少,但复句的种种下位类型都有,分句间关联一般不用关联词语,能单用的就不成对地使用,可用可不用的就不用。

曲词受句数字数的规约,句式多为整句、紧句、常式句;宾白的结构较为自由,多为散句、松句、变式句。不一而足。

"样板戏"的曲词宾白基本上遵循了上述语法规律。

作为一种艺术,戏曲要以高超精熟的审美品格吸引观众,永葆艺术生命力,戏剧语言的新奇是必备的条件之一。李渔把有独创性、鲜活的语言称为"尖新"之语,把板腐、陈旧的语言称为"老实"之语,他说:戏剧语言"以'尖新'出之,则令人眉扬目展,有如闻所未闻;以'老实'出之,则令人意懒心灰,有如听所不必听。白有'尖新'之文,文有'尖新'之句,句有'尖新'之字,则列之案头,不观则已,观则欲罢不能;奏之场上,不听则已,听则求归不得,尤物足以移人。'尖新'二字,即文中之尤物也"①。李渔通过比方和对比,阐释了"尖新"与"老实"之语截然不同的审美效应,还具体说明了这"尖新"之语是由"尖新"之"文、句、字"承载的。

下面我们就从语法的角度考察一下"样板戏"话语中的"尖新"之语。

---

① 《中国古典戏曲论著集成》(七),第59页。

语法包括词法和句法两个部门。词法主要包括各类词的用法。名词、动词、形容词是曲词和宾白的主干词、核心词,其他的实词:代词、副词、叹词、拟声词,虚词:介词、连词、助词、语气词虽也各有特点,但在"样板戏"中,名词、动词、形容词用得最有特点,故只讨论这三大核心词。名词放在第六章讨论。语法主要讨论句型和句式。

一　词语的锤炼

(一) 动词的锤炼

动词是句子结构中的核心词、骨干词,传统京剧精品中是非常注意动词的锤炼选用的。基本上是按王骥德所要求的:"古谓百炼成字,千炼成句……要极新,又要极熟;要极奇,又要极稳"的标准去锤炼动词的,①是一种尖新之语。

关汉卿《拜月亭》里描绘王瑞兰少女的羞涩心理时,准确地选用了六个动词:"每常我听得绰的说个女婿,我早豁地离了座位,悄地低了咽颈,緼地红了面皮。""听、说"两个连动关系的动词支撑起了条件复句的前分句,"豁、离、低、红"四个动词准确地描述王瑞兰迅速离去的一连串动作神情,"低、红"是兼有动词形容词句法功能的词,在叙述动作的同时,又描摹出与迅速离去动作相伴而生的羞怯状态、情态。活脱脱地刻画出一个待字闺中、清纯娇媚的女孩子十分羞涩又可爱的形象。

不仅描写人物的动词精到传神,传统京剧精品描绘景物的动词也令人击节称叹。京剧《白蛇传·游湖》白素贞上场时有一段非常优雅的唱词:

1)[南梆子导板]离却了峨嵋到江南,[南梆子原板]人世间竟有这美丽的湖山。这一旁保俶塔倒映在波光里面,那一旁好楼台紧傍着三潭;苏堤上杨柳丝把船儿轻挽,颤风中桃李花似怯春寒。

---

① 王骥德《曲律》,第 124 页。

"离却……到"简洁凝练地交代了白素贞的来历。"有"本是表客观存在、无感情色彩的动词,但受副词"竟"修饰后,就恰切地表现出白素贞见到西湖美景后的那种强烈惊喜和爱慕的感情。"这一旁……倒映在","那一旁……紧傍着"叙述出眼光由高而低,由近及远的观赏踪迹,描绘出塔、水、楼台相互辉映,融为一体的优美景致。目光收回,关注身边的人间胜景,借景抒情,那轻挽船儿的柳丝,料峭春寒中颤动的桃李花是那么优柔,恰如心中积淀已久、渴望拥有人间正常感情生活的一腔柔情爱意,又带有初来乍到少女怯生的惯常心境。也为后面与许公子在断桥相会,产生爱意埋下伏笔。

传统京剧中动词的选用既有这优婉柔美的笔触,也有表现那铮铮铁骨、豪气冲天的描写。在最充分体现了巾帼不让须眉精神实质的《杨门女将》中,一身凛然正气的佘太君唱到:

2) 且莫看军情急刻不容缓,也不能忍辱求和委曲求全,怎能让国破家亡民遭涂炭,怎能够拱手相让献边关……我们应当立即出征去应战,寸土不让斗敌顽。只要朝中一声唤,这挂帅出征杀敌报国我佘太君一身承担。

前四句用六个四字的动词性短语形成一种凌厉的语势,批判了投降主义,强调了不能怎么样,后四句连动短语"出征去应战",还有动词性联合短语"挂帅出征杀敌报国"表明了应该怎么样。动词和动词性短语的连用、排用,形成了一种浩荡雄放的气势,突出了百岁老帅耄耋之年仍勇担重任,以报效国家的勇武浩大胸襟。

关汉卿的《关大王独赴单刀会》中的动词也用得气势雄阔、富于阳刚之美:

3) 大江东去浪千叠,引着这数十人,驾着这小舟一叶,又不比九重龙凤阙,可正是千丈虎狼穴,大丈夫心烈,我觑这单刀会似赛村社。

4)水涌山叠,年少周郎何处也?不觉的灰飞烟灭!可怜黄盖转伤嗟,破曹的樯橹一时绝,鏖兵的江水犹然热,好叫我情惨切!二十年流不尽的英雄血!

三国时东吴鲁肃宴请关羽,企图挟制关羽,索取荆州。关羽威风凛然,独自过江赴宴,以忠心义胆战胜对手,获胜归来。这两段唱词就是关羽赴宴时,来到大江中流,触景而生发的感慨。动词看似寻常,却气势如虹,铿锵有力、凝练优美,对过去赤壁鏖战的描写与眼前涌动的江水情景交融,尽写了关羽的情感、意志和胸中丘壑。雄阔的景,豪壮的情,使唱词因此成为千古绝唱,为历代诗词曲作家喜爱模仿,毛泽东的诗词中也有着明显的意象借用和词语化用的痕迹。如《沁园春·长沙》:

5)独立寒秋,湘江北去,橘子洲头。看万山红遍,层林尽染;漫江碧透,百舸争流。鹰击长空,鱼翔浅底,万类霜天竞自由。怅寥廓,问苍茫大地,谁主沉浮?

携来百侣曾游。忆往昔峥嵘岁月稠。恰同学少年,风华正茂;书生意气,挥斥方遒。指点江山,激扬文字,粪土当年万户侯。曾记否,到中流击水,浪遏飞舟?

戏曲中单刀赴宴的关羽和毛泽东诗中的自己都站立在滔滔江水边,都借眼前的雄姿阔景抒发胸中澎湃激越的豪情,都通过臧否历史人物表达击水人生的宏大抱负和远见卓识,而且都通过一系列动作意味很强的动词上下呼应,层层推进,把句法形式与语义内容贯通为一个整体。

"样板戏"追求人物所处的外部环境的大场面、宏大气势,追求人物内心激烈的矛盾冲突,昂扬斗志,格外强调曲词的动作性。动词的锤炼确当、精警,也是一种尖新之语。

6)杨子荣 穿林海跨雪原气冲霄汉!抒豪情寄壮志面对

群山。愿红旗五湖四海齐招展,哪怕是火海刀山也扑向前。

音乐声起,"穿、跨、气冲、抒、寄、面对"一系列快节奏出现的动态,茫茫林海雪原、巍巍群山表现的阔大空间感,都着力塑造出杨子荣飞马高歌、雄壮英武、气冲霄汉的英雄形象。在原演出本中,杨子荣的精神境界不是高扬的,而是低沉的,蜷伏在一个阴暗狭窄的山洞里,眼中的景是"茫茫林海形影单","白骨累累、血迹斑斑绝人烟",这样的消沉、压抑的胸怀,何谈宏伟的中国革命理想与世界革命理想?改稿为杨子荣重新设计为了五湖四海红旗齐招展,就是刀山火海也敢于"扑"向前的唱词,从而完成了胸怀无限宽广、顶天立地的人物形象塑造。

《智取威虎山》中,参谋长与杨子荣的唱词在意境上、辞采上有着异曲同工之妙,但读来却有着不同的感受。

7)杨子荣　共产党员时刻听从党召唤,专拣重担挑在肩。一心要砸碎千年的铁锁链,为人民开出(那)万代幸福泉。明知征途有艰险,越是艰险越向前。任凭风云多变幻,革命的智慧能胜天。立下愚公移山志,能破万重困难关。一颗红心似火焰,化作利剑斩凶顽!

8)参谋长　朔风吹林涛吼峡谷震荡,望飞雪漫天舞,巍巍丛山披银装,好一派北国风光。山河壮丽,万千气象,怎容虎去狼来再受创伤!

杨子荣的唱词全部为动词句,字字铿锵,句句落地有声,始终回旋着铮铮钢声。表现出一种刚健强劲的气势和高远通达的情志。参谋长的唱词尽管动词"吹、吼、震荡、望"也有强烈的动作性,也造出了一种宏大辽阔的气势,四个动词组成的"怎容虎去狼来再受创伤"也是气魄伟岸的铮铮誓言,但总不如杨子荣的唱词硬朗、有气势。撇开杨子荣的唱词是"二黄导板——回龙——原板"参谋长的唱词是"二黄导板——回龙——慢板"的板式区别不论,究其原因,是动词与主语形成的施受关系起了重要的区别作用。"穿、跨、气冲、抒、寄、面对"这一系列动作动词的主语是蒙后省略的施事杨子荣。"听从、拣、挑、要砸碎、开出、知、向前、胜、立下、移山、破、似、化着、斩"的施事主语是共产党员杨子荣。由动词充当的谓语与受事宾语完全围绕施事主语来结构,主语和谓语之间是施事和动作的关系。施事从始至终直接充当主位主语,成为舞台表演的核心,唱词因此表现出了强烈的动作性和一以贯通的强盛气势。参谋长的唱词中参谋长不是动词的直接施事者,只有最后一句中的"怎容虎去狼来"有一种直接的施受关系,其余动词的主语是自然景物,不是参谋长自己。主语与谓语之间有施动关系,也有话题与说明的关系。参谋长不是施动者而是客观的描述者,道出眼前景是想托出唱词的中心论题:"山河壮丽,万千气象,怎容虎去狼来再受创伤",所以唱腔尽管因有壮伟的景物描写显得气势磅礴,宏伟壮阔,但从动词运用的风格特征看,表现的是一种厚重深沉、博大明丽的语言风格,显然不如杨子荣的唱腔刚健有力、流畅高亢。

柯湘是党派往杜鹃山担任农民自卫军的党代表,不幸被敌人俘获,被押往刑场问斩。而以雷刚为首的自卫军"三起三落"正"群雁无首难成行,黑夜沉沉盼天亮",所以一听说杜鹃山来了两个共产党,一个牺牲,一个明天一早开刀问斩,就决定"抢一个共产党引路向前"。"抢"这个动词用得何其生动传神,传达了丰富的信息:共产党在劳动人民心目中的光辉伟岸形象;自卫军的鲁莽自发,缺乏正确理论的指导;还有对及早找到引路人的迫切愿望。就是在这样的背景下柯湘第一次出场亮相。

9)柯湘　无产者等闲看惊涛骇浪。洒热血,求解放,生命不息斗志旺,胸臆间浩气昂扬。

唱词切合语境密集地运用有强烈动作性的动词"看、洒、求、息、昂扬",表现出人物铁骨铮铮的英雄本色和共产党员无所畏惧、一往无前的气概,尤其是动词性短语"等闲看惊涛骇浪",更是酣畅淋漓地抒发了柯湘视死如归,"不管风吹浪打,胜似闲庭信步"的浩荡之气,豪壮之情。

尽管"样板戏"在动词的使用上有着诸多难以一一尽陈的精粹,综而观之,仍然有着许多明显的缺陷,是李渔所言的"老实"之语。比如能愿动词的滥用。

能愿动词的滥用应该是大跃进以来一直延续到"文革"的文艺创作思维方式的一种具体反映,也应该是毛泽东"人定胜天"思想倾向中"唯意志论"在语言运用中的具体体现。这种倾向我们已经在"'文革'语体的思维特征"一节中用语言逻辑术语把这种思维特征表述为:把不可能变成可能,把可能变成必然。"样板戏"中郭建光的一段话颇具代表性:"同志们,只要我们大家动脑筋想办法,天大的困难也能够克服!毛主席教导我们:'往往有这种情形,有利的情况和主动的恢复,产生于"再坚持一下"的努力之中'。"不难看出,这段话语反映出来的思维特征注重了主观与客观之间的统一性,但没有考虑其客观存在的矛盾性。毛泽东有一段话说得更为明确:"在共产党的领导下,只要有了人,什么人间奇迹也可以造出来。"于是,受这种思想影响的"样板戏"话语把表可能意愿的动词用到了极致。

10)杨子荣　要报仇,要伸冤,要报仇,要伸冤,血债要用血来偿!(《智取威虎山》)

11)铁　梅　说明了真情话,铁梅呀你不要哭,莫悲伤,要挺得住,你要坚强。(《红灯记》)

12)阿坚伯　你放心吧,再大的风浪我们也能顶得住。(《龙江颂》)

13)方海珍　他们能山头踩出平坦路,他们能海底捞出绣

花针。坚决听党的话顽强插进,听党的话顽强挺进,这一仗一定要全胜收兵!(《海港》)

下面仅以《沙家浜》唱词中的能愿动词罗列数例。能愿动词前面有否定副词的不计算在内。

14) 路也走不动,山也不能爬,怎能上战场把敌杀!

15) 要你们一日三餐九碗饭,一觉睡到日西斜。

16) 逃难的众邻居都回乡井,我也该打双桨迎接亲人。

17) 似这样救命之恩终身不忘,俺胡某讲义气终当报偿。

18) 我待要旁敲侧击将她访。

19) 竟敢在鬼子面前耍花枪。……焉能够舍己救人不慌张。

20) 也是司令的洪福广,方能遇难又呈祥!

21) 乡亲们若是来抵抗,定要流血把命伤。

22) 要沉着,莫慌张,风声鹤唳,引诱敌人来打枪!

23) 村镇上乡亲们要遭祸殃。战士们要杀敌人,冒险出荡……要防止焦躁的情绪蔓延滋长,要鼓励战士,察全局,观敌情,坚守待命,紧握手中枪。……要沉着冷静,坚持在芦荡。

24) 要学那泰山顶上一青松……俺十八个伤病员,要成为

第四章 "样板戏"的语言体制

十八棵青松！

25）我岂能遇危难一筹莫展。

26）四龙自幼识水性，敢在滔天浪里行。

27）同志们定能转移红石村。

28）沙家浜即将要重见光明。……这一笔血债要记清。

29）岂能够出谋划策巧安排？

30）要消灭日寇、汉奸匪帮。……管叫他全线溃乱迷方向。

31）两翼不能来支援……定能够将群丑一鼓聚歼！

32）毛主席！有您的教导，有群众的智慧，我定能战胜顽敌渡难关。

毋庸讳言，26处助动词大多数还是用得切情切景的，有几个如"方能、待要、竟敢、岂能"等也是用得非常精当、有意味的，也是作为必有成分出现在句子当中的。但问题是，其一，助动词集中选用的是几个表强烈主观意愿的"要、能、能够、敢"，还经常在前面加上表示必然的副词加以强调。而主观意愿不甚强烈的"可、可以、可能、会、想、愿意、情愿、乐意、肯、得"则一个也没有选用。也就是说，在《沙家浜》中，在一种坚强意志的作用下，上述事态都只有一种必然性，没有不可能性和可能性。即使有，不可能也必定转化为可能，然后再转化为必然。正如杨子荣所言的，"天下事难不倒共产党员"。其二，"要"和"能"的频繁复现，语义表现单一，没有层次性，句法板正不奇。例23）中郭建光的唱段一连唱出五个"要"字句，试想这单调、说教的唱词该有多么乏味,人物形象该是多么苍白无力。其实,人的意愿是丰富多样,意愿的表达也是有着由弱到强的不同层次的,而且表意愿义的语义场中也是具有多个同义词、近义词可供选择的,句式表达也是丰富多样的。"样板戏"这样来选用助动词,不仅使词语系统显得单调平板,还直接影响了人物形象塑造的深度和感染力。

(二) 形容词的锤炼

传统京剧中,形容词的运用尤显精致优美。是典型的"尖新"之语。除了在重叠部分讨论的生动形式 AA 式、ABB 式、AABB 式、ABAB 式外,形容词的原形也用得精妙绝伦。白朴所写的唐明皇在《梧桐雨》中欣赏秋景时的唱词,一直为人赞美,其中动词的运用虽然是支撑起唱词的骨架,显示出一种力感,也具赏心悦目之美,但其唱词最夺人心魄的魅力却来自形容词的妙语天成,如:

1) 天淡云闲,列长空数行征雁;御园中夏景初残,柳添黄,荷减翠,红莲脱瓣;坐近幽阑。喷清香玉簪花绽。

形容词"淡、闲"动词"列、征",通过天高云淡、北雁南飞秋景的描述,衬托出人物闲适、恬淡的心境。而"残、添、减、脱"本来都是表述凋零的秋景,是寻常用一个"残"字即可述之景,但白朴巧妙调动了几个动词与有色彩的形容词"初、黄、翠"和名词"红莲"搭配,构成同义形式,就创造了表义的新天地。秋景虽不如春景姹紫嫣红,夏景色彩迷离,但绿柳丝中的淡黄,翠绿荷叶上显现的淡绿,碧水上浮动的红莲花瓣,倒另成一番雅致迷人的风景。坐近阑干,还能闻到玉簪花的清香四溢。不言而喻,写景、感景是为了映射人物心境。人物观景不伤感,眼中秋景不凋零,说明唐明皇此时情感温柔舒畅,一门心思消遣、享乐,全然不知安禄山举兵在即,危难即将降临。

不仅写景,写人的形容词也被运用得荡气回肠、动人心扉。《西厢记》中莺莺送别张生的唱词是一个被文学、语言、戏曲艺术等多种角度的研究都选取来作分析,历久弥新的范例:

2) 恨相见得迟，怨归去得疾。柳丝长玉骢难系。恨不能倩疏林挂住余晖。马儿屯屯地行，车儿快快地随。却告了相思回避，破题儿又早别离。听得道一声"去也"，松了金钏；遥望见十里长亭，减了玉肌。此恨谁知！

形容词"迟"和"疾"这一性质的对立，"屯屯地"和"快快地"这一状态的对立被作者的巧手统一于离愁别恨这个主题。因为相爱才会怨恨"相见得迟"，却"归去得疾"；才会让不忍心分离的张生的马儿屯屯地行，莺莺的车儿快快地随；才会痛感刚刚结束了相思之痛，又开始了离别之恨；才希冀长长的柳丝把前行的马儿拴住，美丽的树梢把快要落山的太阳留住，让即将分离的恋人有更多的时间逗留。可是十里长亭已经遥遥在即，离别的愁绪霎时就使离人削减了如玉的肌肤。这些细腻入微又感人至深的心理描写，不是一般的言语可以道出的。而王实甫的高明之处是适情切景地选用了貌似寻常却灵动多姿的形容词，使形容词在名词、动词的配合下，增强了它超乎寻常艺术力的向度和感染人的力度。

形容词的主要句法功能是作定语、状语和谓语。在"样板戏"唱词中，形容词也主要是作定语、状语和谓语，但有相当比例板正不奇的"老实"语。一则"样板戏"中形容词用得远远不如诗词歌赋和小说中的形容词那么充沛灵动，相形之下，"样板戏"中的形容词则显得功能不显、光辉不再。二则"样板戏"的形容词也不如动词锤炼得精致优美，三则形容词选用数量不大，功效极不明显。所以形容词所能表现的人物形象的塑造，情态物态的描摹，丰厚显耀的风格作用都显得疲软乏力、暗淡不足，使人难以产生新奇优美的审美认同感应。

"样板戏"中形容词的运用从音节上看，有单音节形容词、双音节形容词和多音节形容词。多音节形容词多为 ABB，AABB 式生动形式，传统京剧中常用的 ACAB 式、ABCD 式极为少见。多以单音节、双音节的形式为主，下面举几个用得恰切的例子：

定语：

旧社会水深火热向谁告。
您就是我的亲爹。
这斑斑血泪史我没忘掉。
我巍然国土三千里。
四海为家,穷苦的生活几十年。

状语:
果树下,勤瞭望。
我决不轻饶。
任凭它假谈真打施伎俩。
你把它好好保留在身边。
昏沉沉只觉得天旋地转。

谓语:
进退出没都灵便。
严寒霜雪郁郁葱葱。
指明了抗战的前途红火亮堂、天高地宽。
更显得枝如铁,干如铜,蓬勃旺盛,倔强峥嵘。
风声紧雨意浓天低云暗。

"样板戏"强调突出革命的斗志和无产阶级感情,主要描写艰苦卓绝的斗争和爱憎分明的阶级感情,不屑一顾精雕细刻的景物描写、人物的心理描写,更鄙视男女之间卿卿我我的描写,所以在形容词的运用上较为单一、平实、笼统、粗糙。表现为:原形多,生动形式少;性质形容词多,状态形容词少;感情色彩词语呈两极分化,褒贬两极多,中性少。

性质形容词中有许多是单音的反义词、对义词,如:

苦—甜 红—白(黑) 新—旧 粗—细 浓—淡 大—小 快—慢 难—易 松—紧 轻—重 好—坏 真—假 明—暗 远—近 穷—富 洋—土

在性质形容词中,"红、苦、难、明、好"是"样板戏"中的高频词。在这些词的运用中出现了一些倾向性,颜色词的运用颇具代表性,下面仅以颜色词为例进行分析。

颜色词语义场中有色差等级系列各各不同的百余个颜色词,他们是由赤橙黄绿青蓝紫上位词及其它们的下位词组成的。比如"白"有下位词:雪白、月白、乳白、青白、银白、葱白、灰白、花白、本白;"黄"有下位词:金黄、桂黄、杏黄、鹅黄、蜡黄、米黄、土黄等等。传统戏曲中经常利用这些颜色词来给曲词挂色、寄情,使得自然界景都千姿百态、姹紫嫣红,社会中人都情感充沛、文雅风致。即使是鲁莽大汉黑旋风李逵,传统戏曲在《李逵负荆》中也乘他放假踏青赏玩之机,还他人物情感多样化的本来面目,让他惜花怜草,把情感也柔上一回。

3)可正是清明时候,却言"风雨替花愁"。和风渐起,暮雨初收。俺则见这碧粼粼春水波纹绉,有往来社燕,远近沙鸥。

4)俺这里雾锁着青山秀,烟罩定绿扬洲。……他道是"轻薄桃花逐水流"。……恰便是粉衬的这胭脂透。

曲词用几个色彩词配同具有描绘作用的形容词把李逵眼中的奇山丽水、风雨花鸟的美感特征描摹得细腻动人,让李逵用事实向人们证明了感悟美,享受美的权力属于每一个人。

用色彩词还可以表达人们形形色色、错综复杂的思想感情。在色彩词的长期使用中,人们通过联想,自然而然地给予了色彩词不同的表情功能。如给予红色以革命、流血、火焰、热情、豪爽等功能;绿色有和平、宁静、清新、自然等功能;黄色象征舒畅、温柔、高贵;蓝色表达冷静、深沉、怪僻等。诗人闻一多在《色彩》一诗中也有类同的表述:"红给了我热情,黄教给我忠义,蓝教我以高洁,粉红赐我以希望,灰白赠我以悲哀。"[①]根据色彩词不同的移情作用,曲作者应该根据

---

① 转引自吴晓《意象符号与情感空间——诗学新解》,第57页。

表达需要选择运用不同情感色彩的词语。古代曲词中的典范正是这样来实践的。

  5）恨西风,一霎无端,碎绿摧红。(《牡丹亭》)

  6）黄埃散漫悲风飒,碧云黯淡斜阳下;一程程水绿山青,一步步剑邻巴峡。(《梧桐雨》)

  7）碧玉阶前莲步移,水晶帘下看端倪。(《嫦娥奔月》)

  8）菩提树詹匐花千枝掩映,白鹦鹉与仙鸟在灵岩神巘上下飞翔。绿柳枝洒甘露在三千界上,好似我散天花就纷落十方。(《天女散花》)

  9）情知他怎收那膘满的紫骅骝。往常时翠轿香兜,兀自倦朱帘揭绣,上下都要成就。(《汉宫秋》)

"样板戏"中似乎为了表现其曲词的革命性,颜色词集中为表现革命、进步性质的"红色"。尽管颜色词"红"有"丹、朱、赤、红通通"等诸多同义形式和代称形式,还有诸多下位词:桃红、橙红、橘红、血红、肉红、西洋红、妃红、银红、嫣红、水红、粉红、淡红、火红、枣红,可是"样板戏"独独钟情于一个象征革命、正义、红色的"红"。而"红色、红旗、红星、红军、红日、红心、红霞、红缨、红花、红云、大红、火红、赤色"都是曲词中高频复现的词。

  10）红云乡里红花放!英雄树下战歌扬。红缨飞舞河山壮,丹心辉映日月长。(《红色娘子军》)

  11）一颗红星头上戴,革命红旗挂两边,红旗指处乌云散,解放区人民斗倒地主把身翻。(《智取威虎山》)

10)中只有四句的唱词,就出现了三个"红"字,一个"红"的同义表达式"丹",11)中四个句子出现三个"红"字。"红"单独使用为词,或以"红"作为构词语素。

"红"的高频复现,反映了"文革"时期文艺创作的一种"左"倾的主导意识,映射了"文革"中林彪搞个人崇拜掀起的"红海洋"运动,语言中"红"字泛滥的同化影响。凡属于小资产阶级情调的绘景抒情的词语,则一律排斥。因无产阶级文艺创作的目的只是塑造具有革命坚决性、彻底性的无产阶级英雄人物,所以要再现客观物体的形貌色泽,给客观事物敷色挂彩,也只能在拔高的主题和明确的"时代精神"、"中心思想"的指导下来运用词语。可以想见,色彩的描绘是极其空乏和概念化的。色彩词的表意虽然极其明晰,却是单调的,倾向于选用"红旗"、"朝霞"、"蓝天"、"金光大道"等高度概括和象征的词语。而借助色彩表达人物思想的内在的、深层感情,使色彩的描述努力服从于自我心灵表述需要的色彩词往往成了被冷落的对象。即使选用,也集中在代表着革命,象征着正义、光明、进步、热情、活力等被过度夸张渲染的语词,尤其是反映了中华民族文化认同的色彩词"红"。表现自然社会现象的颜色词极其少见。我们在"样板戏"中仅找到几种颜色词,而且都为单频词或低频词。

参谋长　望飞雪漫天舞,巍巍丛山披银装。

赵勇刚　紫花布缝军装针针情长。

赵勇刚　月色微黄,映照着红高粱。

洪常青　红云乡丽日蓝天江山如画。

杜妈妈　青藤靠着山崖长,羊群走路看头羊。

雷　刚　从今后你就是我的白发亲娘。

李勇奇　我不该青红不分皂白不辨。

吴清华　从此锁进黑地狱，每日浑身血淋淋。

　　前五个例子中的色彩词："银、紫、黄、蓝、青、白"的色彩表现都只是利用词本来的概念意义为事物、人物描色状彩，后两个例子中的色彩词"青红、皂白、黑"运用的是词的象征意义。"青红"、"皂白"象征善恶、是非，"黑"象征罪恶、黑暗、残酷等意义。七个例子运用的都是意义概括的上位词，在曲词的其他地方我们也找不到意蕴丰富、形式多样的下位词。当然，根据一定的语境，有时候是必须选用意义概括、抽象、模糊的上位词才能适情切景。但恰当地运用下位颜色词，可以使词语传递的概念意义更为丰富多彩，反映的某种特征更为具体明确，表情更为细腻传神，描绘的意象更有层次感、纵深感与距离感。由于客观物体的自然色泽是林林总总，难以言表的，光源对物体的作用也是千变万化的，这一切构成了色彩客观语义的无限丰富性。而人们对色彩斑斓的客观世界和寄形于自然色泽的情感世界的观察、感知、描述，也往往通过对色彩词的激情描摹，或赞美贬斥表现出来。所以色彩描绘成了文艺作品表情达意的重要手段之一。黑格尔也肯定道："颜色感应该是艺术家所特有的一种品质，是他们特有的掌握色调和就色调构思的一种能力，所以也是再现的想像力和创造力的基本因素。"①这种能力表现为通过色彩的搭配与组合，对比与映衬，描摹复现一些意象的自然色彩，唤醒人们曾经历过，储存在大脑中的审美愉悦，使人们获得审美视觉的色彩美感效应。比如《西厢记》中的景物描写，"不近喧哗，嫩绿池塘藏睡鸭；自然幽雅，淡黄杨柳带栖鸦"。"嫩绿"的水说明池水清浅，"淡黄"的柳表明季节正值初春。曲词正是通过富于意蕴和质感的色彩语义，调动了人们对"嫩绿"、"淡黄"色泽的美好记忆，给曲词带来了一抹明亮清丽的色彩，极具体、形象、生动地描摹出静谧优雅却春意融融的景致，赋予了事物

---

①　黑格尔《美学》第三卷（上），第282页。

色彩以生命力。

由于在对艺术作品的解读中,人们有一种天生的通融、旁解、联想、补救的能力。当信息不足以帮助人们去积极审美的时候,人们会调动自己知识库中的有关信息,或者利用提供的相关信息,主动自觉地进行补充,帮助完成审美解读。所以即使在"样板戏"曲词色彩信息量明显不足时,也会从其他对人物、景物的描写中,去联想一些色调和形象,以此增加对色彩的审美感受。如下面带点词语可以提示括号中联想的色彩和形象:

  方海珍 细读了全会公报激情无限,望窗外雨后彩虹飞架蓝天。江山如画宏图展,怎容妖魔舞翩跹!(七色;能入画的各种颜色)

  阿庆嫂 枪声报警芦苇荡。(绿色)

  郭建光 月照征途风送爽……穿过了山和水沉睡的村庄。(银白色;青色;绿色)

  崔大娘 雨过天晴山色新,满天朝霞迎亲人。(雨洗涤过的深深浅浅的各种颜色;五彩缤纷的颜色)

  高志扬 看东方,晴空万里,霞光千道,江两岸分外辉煌。(橘红色;蓝色、白色;五彩缤纷的颜色;红通通、光闪闪、金灿灿)

  韩小强 电影票勾起我航海理想,我要去"乘风破浪"远涉重洋!(蓝色)

  赵勇刚 那里是不见荷花和杨柳。(粉红色;绿色;淡黄色)

  洪常青 洒热血迎黎明我无限欢畅。(橘红色)

洪常青　军号声唤醒了沉睡的椰海。（绿色）
　　　　　　　　·　·

雷　刚　草木经霜盼春暖，却未料春风已临杜鹃山。（白
　　　　·　·　　　　　　　　　　·　·
色；绿色）

柯　湘　乱云飞松涛吼群山奔涌。（黑色、铅灰色、白色；绿
　　　　·　·　·　·　　·　·
色）

遗憾的是，就是这样的描写，"样板戏"中也是少之又少、东鳞西爪。通常是开头以一两句描绘景物的曲词稍微点缀一下，接着马上就直奔主题，一点都不浪费笔墨和作者的才情。例如：

小　英　青纱帐举红缨一望无际，下山来修地道敢把山移。

曲词刚用颜色词"青"与"红"对比，开了一个绘景写意的头，后续句应该是展开的部分，因为观众此刻也还不知道"小英"想借景寄托什么感情，曲词却笔锋一转，转到了"修地道"这个具体的事上去。一句 10 个字的长度还没有充分利用，就又急急忙忙挤出 4 个字的位置来立誓言"敢把山移"。修地道是修地底下之通道，与移山有何关联？"敢把山移"显然是表决心的空洞套语。这样拙劣的语言，从何谈起感人肺腑、动人心魄，又缘何获取艺术感染力？可以想见，"样板戏"绘色摹景描写手段的运用方面是如此粗略、草率、呆滞，怎么不导致通篇充斥着极其理性、充满说教意味、干巴巴的词语。所以很难想像能在"样板戏"中找到一大段浓墨重彩、文笔优美、细腻生动单纯写景抒情的文字。它的写景仅仅是为了抒发革命的感情所做的些许点缀、衬托，而且是实打实的具象的摹写。至于用色彩词描写一些观念和情感的结构比如："蓝色的音乐、金色的情感、麦黄色的希望"；还有五种感官交互体验的组合："火红的音响、绿色的芬芳、橘黄色的甜蜜"之类表达，更属不可想像。

再看"样板戏"中状态形容词的选用。

"样板戏"中状态形容词有上述讨论的"昏沉沉"类 ABB 式和"郁郁葱葱"类 AABB 式形容词,但属于偶一见之的低频词。不像传统戏曲,是在同一出戏的曲词中多次使用,同一支曲中反复使用。而这类形式是最能生动形象表达词的各种色彩意义和语用意义,增强词语的艺术表现力的。传统戏曲话语也正是倚仗、累积、充分利用这类词语所蕴含的美感元素,来成就它的完善、优美特质的。如 ABB 式形容词红通通、绿油油、黄灿灿、白生生、灰蒙蒙等就既有褒扬的感情色彩意义又有强调颜色的性状程度的形象意义。而黑压压、黑乎乎、黑森森、黑惨惨、黑咕隆咚、黑不龇咧等生动形式也既含贬斥意义也包含强调性状的语用意义。

至于单音重叠生成的 AA 式状态形容词,"样板戏"中极为少见,只有"小小的、好好地、快快地、紧紧地"等数个。"冰凉、雪白、煞白、笔直、墨黑、碧绿、喷香、金黄、天蓝、血红、乌黑、梆硬"等状态词,"样板戏"中更是很少见到它们的踪影。传统京剧中常用的"胡里胡涂"类的 ACAB 式,"老实巴交"类的 ABCD 式状态形容词,"样板戏"中没有它们的生存余地。其实,这些词语气韵十分生动,由民族文化长期积淀形成的间接可视性和可感性也很强。适当运用并配合人物神情语态,是会大大丰富曲词的艺术表现力的。

再从感情色彩的角度来考察形容词,我们发现含褒义和贬义的形容词占了形容词总数相当大的比例,而且褒义的形容词又多于贬义的。不言而喻,这是由"样板戏"要充分表现无产阶级强烈的爱憎感情的主旨所决定的。

褒义:

火红	红亮	挺然	巍然	刚强	光明	宝贵	穷苦	坚决心定
艰苦	和气	精心	无限	奋勇	勇敢	英勇	崭新	耐
冷静	灵活	主动	团结	自豪	堂堂	慷慨	从容	镇

贬义:

毒辣　凶暴　莽撞　凶残　狡猾　徒劳　阴险　横行霸道

胆小　手软　胆小如鼠　猖狂　犹豫　险恶阴狠

满目都是单一色彩,单一感情色彩的词,怎不令人感到枯燥乏味。戏曲属于文艺语体,不是政论语体和科技语体,生动形象应该是其首要的特征。窥一斑而见全豹,从动词形容词的选用可以看出,"样板戏"没有注重词语的锤炼,也没有注重同义形式、下位词语的选取。"样板戏"选用形容词的褊狭,只能说明"样板戏"的创作根本就没有把形式的精美作为第一要义,只能说明"样板戏"的创作从始至终,从主旨至细节,从篇章到词语都是不折不扣地贯彻了政治第一,艺术第二的标准,也说明"样板戏"的语言运用是粗糙、笼统、单一、浅表的,表达的内容也是空洞抽象、苍白无力的。

二　句子的选择

对句子的绝对长度作分析,要区分曲词和宾白。宾白一般是一气呵成,受生理条件的限制,是绝对的短句,从一字句到十个字左右的句子。受演员、观众两位一体表演体制的限制,宾白也是绝对的短句,因为句子一长,势必结构关系会复杂,结构层次会增多,而现场表达与理解是直接的,语音稍纵即逝的特点没有提供给观众以充裕的时间和空间来理解长句的复杂结构和复杂关系,这种种条件决定了宾白只能采用短句。而曲词由于是由音乐伴奏着演唱的,音乐又是有着徐疾的节奏,并且可以分成几个单元的,所以曲词句子的长度是一种相对的长度。可以短到一个字,也可以长到二十多个字的。"样板戏"中最长的句子有分别为十八个字和十九个字的。

　　1)打倒（那）（帝国主义、洋奴买办、封建把头）（狗）强盗。《海港》)
　　2)望东方已见（那）（光芒四射喷薄欲出）的（一轮）朝阳。《红色娘子军》)

两个长句之所以长,都是因为中心语前面有了三个层次的复杂结构作定语。

曲牌体中的句子以三、四、五、六字句为主。板腔体中的句子以七、十字句为主。不管是几字句,只要超过三个字,都可以划出自然的音步,变成:二一、二二一;二五、三四或三三四等。以此来缩短长句,使绝对长句变成相对长句。

由于板腔体的曲词是以七、十字句为主的,长句的线性长度和语义容量使得每一个句子都具备了把曲词表达得严密周详、委婉细腻的条件。表现在结构形式上,是每一个句子也都具备由一个复杂的单句或简单的复句充任的可能。复杂的单句往往是结构层次比较复杂,结构成分多。一般有下列三种情形:修饰成分多,联合成分多,复指成分复杂。传统京剧和"样板戏"中都如此。比如:

主谓短语作谓语:
    争来的江山<u>他们赵家坐</u>。
主谓短语作补语:
    一句话恼得<u>我火燃双鬓</u>。
联合短语作补语:
    才落得<u>老老少少、冷冷清清、孤寡一门</u>。
联合短语作谓语:
    肖银宗又用奸计<u>倡和罢战</u>。
联合短语作宾语:
    咱的命苦不亚如那<u>黄连黄芩与黄柏</u>。
同位成分作主语:
    <u>奴的官人你</u>丧良心(哪)将恩变仇。
连动句:
    奉命令离汴京来把盟践。
兼语句:
    我也曾劝郎君高飞远扬。
兼语、连动混用句:
    派使臣送和书到了金銮。

被字句：
　　被辽兵层层包围处处被困。

"样板戏"继承了传统戏曲的句法传统，简单句和复杂句也都有，复杂单句也表现为修饰成分多，联合成分多，复指成分复杂。比如：

主谓短语作谓语：
　　抗日堡垒战旗红。
主谓短语作宾语：
　　那里是崭新日月照河山！
联合短语作谓语：
　　我为你闯刀山踏火海壮志如钢！
联合短语作宾语：
　　湖面上怎不见帆过船航？
复句形式作宾语：
　　我看到革命的红旗高举起，抗日的烽火已燎原。
同位成分作主语：
　　打不死的吴清华我还活在人间！
连动句：
　　睁开眼看看这革命洪流滔天浪！
　　冲开这刺刀丛极目远望。
　　乡亲们手捧馒头热泪滚。
兼语句：
　　似战鼓催征人快马加鞭。
　　我叫你尝尝仇恨的子弹。
兼语连动并用句：
　　含热泪送亲人奔赴前线。
　　毛主席派三军来救江村。
　　定是有人来指派。
被字句：

第四章 "样板戏"的语言体制

  遭毒打遍体伤痕血未干。

  在日常话语中,"把"字句是一个高频度使用但很有特点的句子。"把"字句中"把"字结构修饰的动词比较特殊,不能是孤零零的一个单音动词,要求动词结构形式要么是动词自身重叠,要么是动词后面加补语。但是在传统戏曲曲词中,这条句法规律被打破了,只要是协调音韵的需要,"把"字句中的动词也能合法地单用。

把字句:
  老太君为国要把忠尽。

  "样板戏"继承了传统戏曲的句法传统和音韵传统,也让"把"字句中的动词单用。如:

把字句:
  一个个伸出拇指把您夸!

  传统戏曲曲词句型还有一个特点是,有时候在貌似单句的一个句子中包孕了一个简单复句。这个简单复句有时包含了两个或三个短分句:

连贯复句:
  我听她言来|泪满腮。
假设复句:
  要乘凉|必须是先把树栽。
转折复句:
  北风虽冷|心头热,生活虽苦|心头甜。

  "样板戏"中也有这样的复句。而且复句的各种基本类型都有,例如:

并列复句：
> 旌旗卷|战歌壮|标语满墙。

假设复句：
> 有私念|近在咫尺人隔远。

假设复句：
> 打不尽豺狼|决不下战场。

条件复句：
> 读宝书|耳边如闻党召唤。

转折复句：
> 你四次抓回|我五次逃。

联合复句：
> 你不出乡里|年纪迈。

并列复句：
> 又怀疑|又感激|真假难辨……

递进复句：
> 日、蒋、汪暗勾结|早有来往。

目的从句：
> 为让她多休息|我守在门前。

紧缩句：
> 说出来|我就去批评他！

有的复句还有两个层次：

> ①赠馒头||②送寒衣|③暖人身心。　　（①并列②因果③）

当然，也有很难确定其语义关系类型和结构层次的：

> 砍柴草餐风宿露五天整。

叙述的三件事顺序说来,由于中间省略隐含了许多相关成分,所以不能断定几个成分是依何语义关系组合起来的,是单句还是复句?其实这也是曲词的特点之一,要符合曲牌体或板腔体声腔、音韵、文字的要求,要符合表达经济的原则,以尽量少的篇幅承载尽可能多的语义内容,曲词的成分会被精简,结构关系会复杂化,语序也会变更。曲词高手能游刃有余、不露痕迹地处理好这些变化,一般的艺人则会捉襟见肘,顾此失彼,留下一些有失水准的瑕疵。传统戏曲和"样板戏"中都不乏其例:

3) 叫灵芝你莫要怒气满面,见那人已经够十分可怜。

4) 受病的越来越更多。

这两个句子都有语法错误。"够"和"十分"都是程度副词,句法不通,语义重复。"越"和"更"也是程度副词,错误类同。

5) 谯楼上打罢了初更尽。

6) 再求老爷格了外的施恩至。

7) 我儿刀劈王伦命归阴。

曲词中这类杂糅句比例不小。如5)句是"打罢了初更"和"初更尽"两个句子糅在一起,使得句子成为不合法句。6)是动宾结构"施恩"与主谓结构"恩至"套叠在一起形成的病句。7)中的"王伦"既是"刀劈"的宾语,又是"命归阴"的主语,但不是兼语,只能分析为杂糅的成分。

8) 别夫君撒娇儿两地离分。

9) 青天的老爷听从头。

10) 为父王纳子媳人伦倒颠。

11) 那我们二人哪比目鱼散各奔西东。

12) 我只得想份计策让他的命活。

13) 休把似残花败柳冤仇结。

这一类句子都是为了押韵而转换了句末的词语的语序。分离——离分,从头听——听从头,颠倒——倒颠,东西——西东,活命——命活,结冤仇——冤仇结。

上面这些句子我们还能从语言规律的角度找出它们的不规范处,而下面结构中排列在一起的成分确实让人无从分析它们是依什么结构关系和结构层次组合起来的。

14) 真让人这个实难出口老爷必明。

在传统京剧中,这种不符合结构规律的唱词不少。这也许与我国艺术传统重视音乐有关。京剧唱功在京剧中占据着重要地位,音调韵味是唱词中的第一要素。王元化对此现象的见解精辟:"我尝言,京剧中最引起争论的是它那俚俗的词句,有的唱词甚至文理不通,但必须注意,京剧唱词大都是老艺人根据表演经验的积累,以音调韵味为标去寻找适当的字眼来调整,只要对运腔使调有用,词句是文是俚,通或不通则在其次,因为京剧讲究的是'挂味儿'。可以说京剧虽在遣词用语上显得十分粗糙,但在韵调韵味上是极为精致的,目前尚无出其右者。"①

---

① 王元化《中国京剧之我见》,《戏剧艺术》,1992年第4期。

"样板戏"中不合理不合法的句式都有：

15) 听奶奶讲革命英勇悲壮。

"讲"与"革命"缺乏构成动宾关系的句法条件。"革命"与"英勇悲壮"也不能构成主谓结构。"英勇悲壮"的主语显然不是"奶奶"，谓语缺少主语。即使"革命"作定语修饰中心语"故事、经历、事迹"等，与句子前面成分能形成谐调关系，也存在与"英勇悲壮"句子杂糅的问题。

16) 决不屈膝，决不当驯羊。

这是一个苟简的句子，作者可能既想要表达"决不当驯服的绵羊"的意思，又想使句子精炼，导致词语不可理喻。

17) 天大手也捧不下这指路的恩情无边！

18) 此情此景令人心疼实难忍。

19) 他誓死继先烈红灯再亮。

17) 句是一个让步复句与主谓句杂糅的句式。形成杂糅的原因是为押"言前"辙的韵脚。18) 中的"此情此景"是一个话题主语，是动词"令"的陈述对象。"人"是一个兼语，是"心疼"和"实难忍"的施事主语。但是，"心疼"和"实难忍"之间没有连动、动宾、补充等任何一种结构关系，兼语结构与主谓结构硬拼凑在一起，实际上形成了一个杂糅句。19) 也是一个杂糅的句子，是"他誓死继先烈红灯"和"红灯再亮"两个主谓句糅合在一起造成的病句。

至于句末"仇冤、强勉、挂牵、牢监、回返、鱼舱满、壁垒森严、马翻人仰、舞爪张牙"等倒序词的运用，都是曲词为了押韵临时调换了词语的顺序。在曲词作为声腔、板式、语音、文字综合艺术的语境中,这类词语语序的临时置换已经获取了存在的合法性。

综而言之,"样板戏"话语中动词运用强烈的动作性,以一定比例的"尖新"之语,成就了语言中的戏剧性。而形容词的运用是不尽如人意的,许多应该由形容词来抒情拟态的地方已经被空话、大话、套话占据,因此大大减损了"样板戏"创作初衷期许的光辉。至于句型句式的运用,恰如我们在小标题中预示的信息:板正不奇。不管是运用得规范不规范、得体不得体,只要传统戏曲里有的,它都有了。它循句法之规,蹈戏曲常用句子之矩,就是没有尖新之句。没有表达的亮点特色,语法的风格自然是板正不奇。

第五节 雕镂未足体的修辞

王骥德在《曲律·论句法第十七》提出了曲词句子运用应该遵循的一些标准:"宜婉曲,不宜直致;宜藻艳,不宜枯瘁;宜溜亮,不宜艰涩;宜轻俊,不宜重滞;宜新采,不宜陈腐;宜摆脱,不宜堆垛;宜温雅,不宜激烈;宜细腻,不宜粗率;宜芳润,不宜噍杀;又总之,宜自然,不宜生造。"[①]实质上,这些标准不仅提出了一些句法修辞的要求,而且在此基础上提出形成曲词风格特征的要求。传统京剧精品很好地利用了结构中协调音响、搭配词语色彩、变化句式、选用修辞方式等手段,在表情达意、塑造人物形象、形成语言风格特征方面达到了相当高的水平。而"样板戏"恰好忽略了这些手段所能达到的表达效果的利用,特别是对形成语言风格效用最直接、最明显的修辞格的利用。因此,在恰当地、精细入微地表达人物的思想感情方面显出明显的不足,以致造成"样板戏"的语言面貌虽有着刻意修饰的痕迹,却淡淡的,并不引人注目。其修辞效应似零金碎玉,虽时有金玉之声响起,却未蔚为新声、蔚为大气。就像工匠曾打算精心雕镂的一个作品,因创新意识模糊、功力亦不济,虽尽力打造达到了一定的量和质,

---

① 王骥德《曲律》,第 123 页。

但始终没有达到高标准、高品位,成为尽善尽美的精品。下面的分析,即想从修辞的视角入手,对比传统京剧话语,挖掘出"样板戏"话语中有着审美价值的零金碎玉,再找出减损这些零金碎玉的光辉,影响话语整体修辞效应的瑕疵。

传统戏曲对修辞格的选用之急切、之密集、之精致,类型之全,使戏曲大有无格不成曲的态势。

修辞格是人们为了提高话语的表达效果创造性地运用语言,又经受语言约定俗成、优胜劣汰规律制约,得到民族文化心理的认可,被固定下来的修辞格式。修辞格在戏曲领域的形成及发展丰富,充分体现了剧作者和观众双方卓越的认知功能、表达功能和审美功能。

作为语言科学的研究对象,修辞格一直被要求理想化、模式化。历史上的修辞学家们也对修辞格进行过类型化的工作。唐钺的《修辞格》分26格,陈望道的《修辞学发凡》立38格,谭永祥的《修辞新格》又增30格,唐松波的《汉语修辞格大辞典》曾列156格之多,仅学界比较认同的类别也有好几十格。为便于分析,我们先把辞格分为单一辞格和复合辞格两大类,然后再讨论与"样板戏"语言风格特征形成密切相关,而且在传统戏曲、"样板戏"中都使用得比较集中突出的修辞格,不涉及所有的类型。

单一辞格指在一个话语片断中,主要以一种修辞方式所形成的修辞格式。复合辞格指在一个话语片断中,由两种以上有组合关系或化合关系的修辞方式所形成的修辞格式。

在典范的传统戏曲中,单一辞格的使用精致优美。

对偶:

泪添九曲黄河溢,恨压三峰华岳低。(《西厢记》)

关山途路远,鱼雁信音绝。(《鲁斋郎》)

对偶是汉语修辞中最具形式美、音乐美、格律美的表现形式。上述例子中的上下两联音节相等,语义对称,平仄押韵完全合律,属于工对句。是"左提右契,精味兼载","丽辞与深采并流,偶意共逸韵俱发"①的好例。

排比:

> 不觉得日西沉,不觉得天将暮,不觉得身趔趄,不觉得醉模糊。(《包龙图智勘后庭花》)

例子的四个句子音节相等,句法结构相同,语气一致,通过大容量语义的积聚反复摹态拟状,把杂役李顺似醒非醒的醉态刻画得细致入微。

客观事物是复杂多样的,单一辞格的单一修辞功能往往不能满足交际的各种需求。为了准确、生动地表现客观事物的形态、特征,充分地叙事,说理,淋漓酣畅地抒情,兼容多种修辞方式,具备丰富的修辞功能的复合辞格被大量运用到了戏曲话语里。

顶真兼反复:

> 返咸阳,过宫墙;过宫墙,绕回廊;绕回廊,近椒房;近椒房,月黄昏;月黄昏,夜生凉;夜生凉,泣寒螀;泣寒螀,绿纱窗;绿纱窗,不思量。
>
> 呀!不思量,除是铁心肠,铁心肠,也愁泪滴千行,美人图今夜挂昭阳,我那里供养,便是我高烧银烛照红妆。(《汉宫秋》)

马致远的《汉宫秋》几百年来一直是戏曲中传诵最广的名篇之一,而曲词以其节奏的鲜明、韵律的和谐、结构的精粹,构成了历来为人称道的顶真格。顶真格使邻接的句子头尾蝉联,上递下接,形成一种流畅贯通、缠绵不绝的情趣。这则顶真格则用18个句子构成了9个顶真格。18个句子上下相连,一气呵成,把汉元帝思念王昭君时绵长的复情叠绪描写得精致传神。

---

① 王运熙、周锋《文心雕龙译注》,第315页、第312页。

第四章 "样板戏"的语言体制　　145

结构中有意识重复的句子和词语,不仅形成了顶真辞格,还兼具了反复辞格。如果从句式的整齐匀称、韵律的合辙押韵看,这则辞格完全符合排比的格式要求,所以也可以视为顶真兼排比的复合辞格。

排比兼比喻:

　　我则见紫袍银带公人列,晚天凉风冷芦花谢,我心中喜悦。昏惨惨晚霞收,冷飕飕江风起,急飑飑云帆扯。承管待,承管待,多承谢、多承谢。唤艄公慢者,缆解开岸边龙,船分开波中浪,棹搅碎江中月。正欢娱有甚进退,且谈笑不分明夜。说与你两件事先生记者:百忙里趁不了老兄心,急切里倒不了俺汉家节。(《单刀会》)

这段曲词密集地运用了四种修辞手法,修辞手法之间有组合关系,也有化合关系。其前后的顺序是:排比＋反复＋排比兼比喻＋对偶＋对偶。排比庞大的语义内容和宏伟的气势;反复的节奏感和强烈的感情色彩;把岸边停泊的船比喻为雄姿勃勃游弋着的"龙",增添了描述语言的形象性;对偶的结构对称、语音铿锵,烘托出庄重肃穆的环境气氛,刻画出单刀赴宴的关羽英姿勃发、胆略过人、遇危难仍谈笑风生的风采和胸襟。

博喻兼排比:

　　夫一死好比做霜雪被日晒坏,妾好比斗大的明珠就在土里埋;夫好比浮萍草归入沧海,妾好比将开的芙蓉就遭那个风吹雨败。(《桃花庵》)

四个结构相当的句子一字排开,四个比喻相连构成了表意丰澹的博喻兼排比;"夫"比作"霜雪、浮萍"与"妾"比作"斗大的明珠、将开的芙蓉",其不同价值、不同状况的对比描写,形成了对比辞格,表达了对"夫"的羸弱、无能的怜悯,对自己年青貌美却命运多舛的自珍和惋惜;四个结构大致相当的句式又构成了排比,为将郁积心中已久的愁苦一吐为尽的心理提供了结构上的准备。

"样板戏"的修辞格运用与传统戏曲有同也有异,受时代语言风格的制导,还有其独特的特点体系。传统戏曲中单一辞格、复合辞格的选取均十分普遍,在一段曲词中还经常有多种辞格并用、套用形成的复合辞格。而"样板戏"中多是单一辞格的选用,很少运用复合辞格。像《红灯记》中铁梅综合运用多种修辞格来表意抒情的曲词是不多见的。

在宪兵队监狱里,当李玉和深情地唱道:"我只有红灯一盏随身带,你把它好好保留在身边"时,铁梅激情洋溢地唱道:

> 爹爹给我无价宝,光辉照儿永向前。爹爹的品德传给我,儿脚跟站稳如磐石坚;爹爹的智慧传给我,儿心明眼亮永不受欺瞒;爹爹的胆量传给我,儿敢与豺狼虎豹来周旋。家传的红灯有一盏,爹爹呀!你的财宝车儿载,船儿装,千车也载不尽,万船也装不完,铁梅我,定要把它好好保留在身边。

唱词的主要辞格是象征、排比与反复,再兼用了夸张和比喻。复合辞格中数个长句的排比,核心词语的反复,大胆奇特的夸张,切当的比喻,还有贯穿全曲的象征:红灯——革命传统,种种综合手法的运用,确实把铁梅的至情义理表达得淋漓尽致。遗憾的是,"样板戏"中像这样的精湛之笔为数极少。

"样板戏"中不仅复合辞格的数量较少,单一辞格的类型也集中在常见的几种修辞格范围内。下面择其要者作一简要分析。

(一) 比喻

比喻是修辞中最传统也是最基本的修辞手法,也是"样板戏"曲词选用最多的修辞手段。比喻的恰当使用,能反映出作品丰富的想像、奇特的构思、开阔的意境,能形成作品不同的色彩、风貌、格调和气氛,能使抽象事物具象化、陌生的事物熟悉化、深奥的哲理浅显化。传统戏曲在这点上是做得很好的,像《西厢记》中张生的唱词:"兰麝香仍在,佩环声已远。东风摇曳垂杨柳,游丝牵惹桃花片,珠帘掩映芙蓉面。你道是河中开府相公家,我道是南海水月观音现。"以芙蓉、水月观音比喻莺莺姣好、高贵脱俗之美,又以东风拂柳、游丝牵花比喻张生惊于莺莺美貌,心中爱慕情愫悄然萌动。像这样惟妙惟肖的外貌描写,婉曲细腻的比喻笔法的运用,在"样板戏"中简直是不可想像的。"样板戏"中比喻虽然用得极其频繁,可是解读文本却较少给人留下极深刻的印象。其主要原因是装载可以表现鲜明生动、美轮美奂内容的比喻结构形式用得极其板正。总是本体、喻词、喻体一字儿排开,句式表现很少变化,修饰语、并列成分极少。读解时,如果是明喻、暗喻,一眼即能抽象出"XX 像 XX"、"XX 是 XX"比喻表达式。而且语义表达非常直接、简练,本来最能体现比喻丰富想像力、艺术表现力的喻体意象也很单一、寻常。极少有让人耳目一新、过目不忘的新奇比喻。下面数例是我们精选出来、表达相对新巧的用例:

明喻:

1) 我爹爹像松柏意志坚强。(《红灯记》)

2) 下班好似马脱缰。(《海港》)

3) 往事历历如潮翻滚。(《海港》)

4) 狱警传似狼嗥我迈步出监。(《红灯记》)

5) 十七年教养的恩深如海洋。(《红灯记》)

暗喻:

6) 这才是水中捞月一场空!(《红灯记》)

7) 用大兵团进剿,等于拳头打跳蚤。(《智取威虎山》)

8）栾平他醉成泥一滩。(《智取威虎山》)

9）天当被,地当炕。(《平原作战》)

10）说什么封锁线安哨布岗,我看他只不过是纸壁蒿墙。(《沙家浜》)

11）他是一棵永不枯朽的青松,屹立在杜鹃山上!(《杜鹃山》)

一般来说,在比喻这种修辞方式中,用作类比的喻体多而且表达又切意,可以多层次、多角度反映事物的全貌,细腻充分地抒发人物感情。博喻是最能体现这种修辞意图的修辞方式之一,在传统戏曲的曲词中,博喻也是被广泛运用的辞格之一。而"样板戏"中比喻尽管是其修辞方式中的超级大类,却缺少取譬引类、气势如虹、意蕴丰富的博喻。进一步分析,"样板戏"中就是一般比喻表达式中喻体的选取也是司空见惯、缺乏独创新意。特别是借喻中的喻体,选择意象相对集中到颂扬革命、贬斥敌对势力的语义域里。词语多带有强烈的褒贬意义,而且以贬义的居多。喻体所表语义要么有色彩、高、大、长、强、硬、亮方面的语义特征,选取的意象如"太阳、朝阳、高山、青松、松柏、火种、大海、红旗、烈火、风雷"等;要么是喻体所表语义有黑暗、恶、毒、狠、奸、羸弱、仇恨等方面的语义特征,选取意象如:"乌云、昏天黑地、虎豹豺狼、野狗、恶魔、强盗、劣种、狐狸、贼、流氓、奴才、纸老虎"等。不言而喻,这类喻体的选用倾向,是由"样板戏"颂扬革命战争和社会主义建设,赞美无产阶级英雄人物的主题决定的,是由人物对党、对人民、对军队、对国家鲜明强烈的爱和对黑暗势力、对侵略者强烈的恨这种感情基调决定的。试看下面例子:

借喻:

12）将火种播向这万里山乡!(《杜鹃山》)

13) 秋收暴动风雷动。(《杜鹃山》)

14) 明灯照亮我心头。(《杜鹃山》)

15) 疾风知劲草,烈火见真金。(《杜鹃山》)

16) 沙家浜即将要重见光明。(《沙家浜》)

17) 照耀着我们的是永远不落的红太阳!(《红色娘子军》)

18) 好像是引来万泉河水层层浪,冲刷掉我胸中点点灰尘。(《红色娘子军》)

19) 仇恨火山定爆炸。(《平原作战》)

20) 誓将它地狱摧垮。(《红色娘子军》)

21) 纸老虎要当真虎打。(《奇袭白虎团》)

22) 虽然是只身把龙潭虎穴闯,为人民战恶魔我志壮力强。(《智取威虎山》)

23) 这几天魔窟里嘈杂吵嚷。(《红色娘子军》)

24) 贪生怕死可怜虫。(《红灯记》)

通常,在比喻下位类型选用中,明喻、暗喻的比例一般都要大于借喻。"样板戏"中则不然,触目的比喻形式多是借喻。探讨其内在原因,陈望道关于感情和形式关系的论述可以很好地说明这个问题:"大概感情激昂时,譬喻总是采用形式简短的譬喻。譬喻这一面的观念高强时,譬喻总是采用譬喻越占主位的隐喻或借喻。"①"样板戏"中借喻的连连出现,可能确实与借喻中主体不出现,借喻形式简短,便于表达激昂感情有关。此外,"样板戏"话语的感情基调是激越宏放的,在比喻的构成联想中,由于感情基调的制导作用,由本体和喻体的高度类同性引起的再现表象总是会特别强烈,一旦达到陈望道所言的"观念高强"时,主体不出现的借喻的大量产生也就具有了一种必然性。

(二) 夸张

夸张是在事实的基础上,故意将事物扩大或缩小,目的是为了强调人物的某种情感个性,突出事物的某种状态特征,渲染某种环境气氛。由于夸张是把记忆中的表象进行加工,形成一个新形象的心理过程,所以夸张往往是在现实的基础上进行想像,伴随着奇特、浪漫的特征,并且产生独特效应的审美过程。当曲作者的想像与观众受语言刺激产生的想像达到高度融合时,夸张就会产生一种艺术的真实,并且取得相应的艺术效应。刘勰把夸饰以斑点所起的修辞效应描写为:"至如气貌山海,体势宫殿,嵯峨揭业,熠耀焜煌之状,光彩炜炜而欲然,声貌发发其将动矣。莫不因夸以成状,沿饰而得奇也。"②反之,当曲作者的想像与观众的想像大相径庭,超出观众接受心理的限度时,夸张的应用就只能说是失实且令人生厌的。

由于夸张修辞格所表现的张扬的情志,超乎寻常的审美感受非常适合表现"样板戏"剧中英雄人物昂扬斗志和奋发精神,也能恰当地表现"样板戏"话语豪放雄迈的语言风格特征,所以,夸张经常被用于表现英雄人物的豪言壮语中。

1) 眼睛一眨已六载。(《海港》)

2) 装卸工,左手高举粮万担,右手托起千吨钢。(《海港》)

---

① 陈望道《修辞学发凡》,第80页。
② 王运熙、周锋《文心雕龙译注》,第333页。

3) 一石激起千层浪,我心中好似这奔腾的黄浦江。(《海港》)

　　4) 哪怕是针落海底,我也要倒海翻江。(《海港》)

　　5) 共产党人,为什么比钢铁还要硬?(《红灯记》)

　　6) 儿受刑不怕浑身的筋骨断,儿坐牢不怕把牢底来坐穿。(《红灯记》)

　　7) 提起敌寇心肺炸,强忍仇恨咬碎牙。(《红灯记》)

　　8) 万丈怒火燃烧起,要把昏天黑地来烧塌!(《红灯记》)

　　例子中的夸张是在客观事实基础上的言过其实,是可以接受而且能产生审美愉悦的艺术夸大。而有些夸张,却颇有些虚张声势,言不符实,套话连篇之势,令人难以卒读。

　　9) 中国人死都不怕还怕困难么?(《龙江颂》)

　　10) 刀山火海何所惧,愿为革命献青春!(《奇袭白虎团》)

　　11) 革命者不惜血洒平原上,要换取解放红旗遍城乡,视死如归豪气壮……(《平原作战》)

　　12) 且喜亲人已脱险……粉身碎骨也心甘。(《沙家浜》)

　　13) 为人民求解放粉身碎骨也心甘!(《奇袭白虎团》)

　　14) 如果这样下山,能够解救亲人,我就是赴汤蹈火,死也

甘心!(《杜鹃山》)

15) 贼在咫尺不能歼,万丈怒火冲云天。(《奇袭白虎团》)

16) 毛泽东思想把我的心照亮,浑身是胆斗志昂。(《奇袭白虎团》)

且不论这些话语是多么空洞、虚假、乏味,像无实质内容的口号似的高调,且都是"文革文学"创作中现成的、高频出现的空话、套语、假话,只要稍稍关注一下话语中表现出来的对"鲜血"、"青春"、"死"等词的随意选用,就可发现,这些词的语义是被曲解的,是不符合人之常情常理的。生命对任何人都只有一次,珍爱生命,惧怕痛苦是人的本性,是人正常且普遍存在的生理表现和思想感情。但从社会伦理的角度,人们往往推崇舍生取义的献身精神,鄙视贪生忘义之人。崇高就是人们为真理为正义献身时,从常情常理的难为而为时显现的。我们认为,这种观念实际上是社会心理对人的生理的一次彻底的颠覆。如果从人的本性出发,在生死攸关之时,人们做出任何选择都是合情的,尽管不一定是合理的,是符合国家民族利益的。"样板戏"话语描述王连举贪生怕死是符合人之常情的,而变节投降进而祸害忠良却又是违背道德伦理、为人所不齿的行为了。但是"样板戏"没有处理好英雄人物对待生与死的关系。很多时候让英雄人物张口就表示要"赴汤蹈火",抛头颅洒热血,不在乎"粉身碎骨"并且牺牲生命,以此显示一种革命的彻底性和崇高精神。夸张就是这种表达的首选辞格之一。其实,生命的价值在于人对生的挚爱和对死的恐惧,所以当一个人为了正义,带着对生的无限眷念、义无反顾地去挑战艰险、迎接死亡时,才更显出了他此种壮举的伟大,才更衬托出了他生命的珍贵。如若视流血牺牲为儿戏,再大的牺牲,也不能真正打动观众,赢得观众的景仰和崇敬。因此脱离人之常理常情,滥发慷慨张扬虚假之情的夸张也应该列为"样板戏"话语的败笔之一,列为假大空话语的典型范例。

(三）对偶

在汉语修辞格中，对偶与比喻一样是曲词选用最普遍、最为观众赏识的修辞方式之一。王骥德把对偶的修辞效应总结为："凡曲遇有对偶处，得对方见整齐，方见富丽。"并指出"当对不对，谓之草率；不当对而对，谓之矫强。"①刘勰的对偶观富于哲理性，他在更深的层面上阐释道：宇宙间万事万物的肢体都是成双成对的，所以对偶的产生也是必然的，亦即"造化赋形，支体必双，神理为用，事不孤立。夫心生文辞，运裁百虑，高下相须，自然成对"②。在"丽辞"篇中用一篇的篇幅讨论的形式就是对偶，并说："若气无奇类，文乏异采，碌碌丽辞，则睡人耳目。"③广而言之，对偶在民族文化中也有着特殊的地位，是对立统一规律中辩证思维在民族文化中的形象反映。自古而今，汉族人都崇尚平衡与对称，喜爱成双成对。体现汉民族这种审美观的古代建筑讲平衡对称，以平衡对称为特征的建筑又到处留下了楹联的痕迹。昆明大观楼180字的长联至今仍雄称史上第一；古代儿童的启蒙教育，对偶形式也是其教学内容的重要载体；文化史上朝廷的应试会考，文人的交朋会友，百姓的婚丧嫁娶无不涉及咏诗作对。至于艺术形式的诗、词、曲中，对偶更是其重要的构成要素。

本来，以板腔体为主的声腔体系已经为对偶作好了句法准备。一是板腔体的句式以七、十字句为主，分上下句，两两相对；二是七字句与古诗中的七律七绝在结构形式上有着传承关系；三是在以板腔体为声腔体系的传统戏曲，如京剧、滇剧、沪剧、吉剧等的曲词里，对偶也是高频出现的句法结构形式和修辞方式。"样板戏"也是以板腔体为声腔体系的京剧，种种体式和传承条件都奠定了对偶形式形成最理想的句法基础。遗憾的是，"样板戏"却没有很好地利用传统戏曲语言中对偶形式这笔宝贵财富，没有很好地利用对偶来加强修辞的艺术效应。音响和谐、结构齐整、语义对称的工对句极为少见。在创作上显现出不恪守曲律、不注意对仗工整的粗疏和随意性。下面

---

① 王骥德《曲律》，第129页。
②③ 王运熙、周锋《文心雕龙译注》，第315页，319页。

所举例子还算是大体合仄押韵的对偶句。

1) 一花独放红一点,百花吐艳春满园。(《龙江颂》)

2) 万里征途放眼望,四海风云心内藏。(《红色娘子军》)

3) 披星戴月下太行,流水疾风赴战场。(《平原作战》)

4) 明知惊涛骇浪险,偏向风波江上行。(《海港》)

5) 有私念近在咫尺人隔远,立公字遥距天涯心相连。(《龙江颂》)

6) 山河破碎,儿的心肝碎,人民受难,儿的怒火燃!(《红灯记》)

宽对的对偶句还比较普遍,如:

7) 风浪要征服,暗礁尤须防。(《龙江颂》)

8) 明知征途有艰险,越是艰险越向前。(《智取威虎山》)

9) 趁夜晚出奇兵突破防线,猛穿插巧迂回分割围歼。(《奇袭白虎团》)

10) 满怀忠诚献革命,不做顽铁做真金。(《红色娘子军》)

11) 端起龙江化春雨,洒遍灾区解旱围。(《龙江颂》)

12) 读宝书耳边如闻党召唤,似战鼓催征人快马加鞭。

(《龙江颂》)

尽管与传统京剧比,"样板戏"中对偶的比例不是很大,工对句不是很多,但对偶形式的修辞功能效应是显著的,一方面可使唱词念白合辙押韵,诗情浓郁,另一方面,也可更好地渲染气氛,营造意境,以表达人物激情澎湃的张扬情绪。所以"样板戏"不会忽略对偶形式的运用。而且与整体的创作倾向性相吻合,形式服从于内容表达的需要,内容的革命性始终是摆在第一位的审美标准。

(四) 排比、反复

排比、反复所具有的富文义、壮语势、增情趣、美旋律的修辞作用从古至今都为戏曲作者所看重。但是匪夷所思的是,在未详加统计分析前,我们以为在戏曲整体格调都较为张扬的"样板戏"中排比和反复一定会用得铺天盖地,而语言事实却是:排比与反复的美感特征同于其他辞格,没有得到应有的重视。

三字、四字的短结构、短句的排比、反复是"样板戏"中排比、反复辞格中最常见的类型,如:

1) 跳悬崖,追穷寇,斗激流,闯险滩,仇恨烈火燃胸间。(《磐石湾》)

2) 揭谎言,明真相,驱迷雾,迎曙光,将火种播向这万里山乡!(《杜鹃山》)

3) 她在那刑场上面对强敌,神色不变,慷慨陈词,大义凛然。她是一个好党员!(《杜鹃山》)

4) 党号召码头工人自力更生、奋发图强、立足海港,为国争光!(《海港》)

5) 哪怕它美蒋勾结、假谈真打、明枪暗箭、百般花样,怎禁我正义在手、仇恨在胸、以一当十,誓把(那)反动派一扫光!
(《智取威虎山》)

这类数个三字垛、四字垛构成的排比、反复辞格,是"样板戏"对板腔体七、十字句句式的突破,也是排比辞格运用得可以与传统京剧媲美的一点亮色。而且在快节奏的现代社会,这类言简意赅的排比,在形式上有辨识之便,在语用上有醒目之效,在语义上可以通过精警形式来获取丰富、集中、有效的信息。

长句的排比、反复就非常之少了。

6)江岸人山人海,码头灯火辉煌,天空五彩缤纷,江心巨轮成行。(《海港》)

7)害了你自己,害了自卫军,也害了白发苍苍的老母亲!(《杜鹃山》)

8)血泪迸发仇难咽,阶级姐妹遭迫害,如刀扎我心间。压迫深反抗重,压迫深反抗重,一滴水映出了大海狂澜!(《红色娘子军》)

9)要看到世界上,多少奴隶未解放,多少穷人遭饥荒,多少姐妹受迫害,多少兄弟扛起枪。多少姐妹受迫害,多少兄弟扛起枪。埋葬帝修反,人类得解放。埋葬帝修反,人类得解放。让革命的红旗插遍四方,插遍四方,插遍四方,高高飘扬!(《龙江颂》)

短句的排比、反复是通过精当的表达,蕴涵丰富的内容来增加话语的思想内涵和感情色彩,营造意境美。长句的排比、反复可使语言对事理的阐发透彻有力,情感表达充分。同义的排比、反复相互补充,对义反义的排比、反复则形成鲜明对比。从形式上显示出一种勃勃生机,从内容上充分显示出语言的精练丰富性,语用上产生引人入胜、震撼人心的艺术感染力。可是,通过排比、反复所可利用修辞效应,"样板戏"中都表现得差强人意。

(五) 借代

1) 只要你说出她的名和姓,刁德一我保你从此不缺米和柴!(《沙家浜》)

2) 敌人口令变化无常。必须要抓"舌头"了解情况。(《奇袭白虎团》)

3) 解放前,星条舰,花旗轮横行江上。(《海港》)

4) 要为我工农打天下,天下不红你莫回还!(《红色娘子军》)

以"米和柴"、"舌头"代"生活保障"、"俘虏",是以部分代整体的借代格。以"星条舰"、"花旗轮"代美国侵略者和英国侵略者的船只,是以标志代替本体的借代格。以"红"代指"解放"是以特征代本体。

(六) 拈连

1) 强忍仇恨咬碎牙。……咬住仇,咬住恨,嚼碎仇恨强嚥下,仇恨入心要发芽。(《红灯记》)

2) 休看我,戴铁镣,裹铁链,锁住我双脚和双手,锁不住我雄心壮志冲云天!(《红灯记》)

3) 黄浦江啊!你千年流,万年淌,淌不尽我们仇满怀来恨满腔!(《海港》)

拈连是几件事物连着说时,把原来适合于表现甲事物的词顺势拈来运用到其他几件事物上去。1)中把具体的"咬碎牙"结构中的"咬"拈来与抽象的"仇、恨"组合,把"碎牙"中的"碎"拈来与抽象的"仇恨"组合,极其真切生动地表达了铁梅被国恨家仇所激起的冲天怒气和满腔愤慨。2)中用"锁住我双脚和双手"反拈"锁不住我雄心壮志冲云天",突出表现了李玉和不为身陷囹圄的恶劣环境所困的高昂斗志。3)中的江水"淌"拈为仇恨"淌",形象表达了高志扬对屈辱历史的强烈悲愤。

(七)其他修辞格

也能营造一种语势,抒发思想感情和高远境界,表现文思优美、文字精粹的辞格还有比拟、双关、回环、映衬、反语、移就、顶真、拆字等,而作为综合艺术形式的戏曲,"样板戏"对这些辞格的运用却大失艺术水准。这既是当时浮躁、空泛、虚假时代风尚在戏曲中的折射,又真实反映出戏曲创作者的禁忌:在政治标准第一的高压形势下,没有谁敢大胆强调语言艺术的魅力。下面所举零星出现在话语中的例子,应该是"样板戏"中难得的零金碎玉。

比拟:

1)任枪声围四面,红云岭傲然不可犯。(《红色娘子军》)

2)喝令九龙东流水,快向后山展翅飞。(《龙江颂》)

例1)利用了比拟的使事物人格化的修辞功能,赋予了无生物"红云岭"以生命,让它们也附着了红军战士决胜于敌的"傲然"属性。例2)是拟物修辞格,是把甲事物的属性赋予乙事物,即通过赋予"水"所没有的展翅飞翔的属性,展示了江水英援助旱区热切的期望和大公无私的博大胸襟。

双关:

1)倘若你能回家转,投亲友,度饥寒,"还清账目"我无挂

牵。(《红灯记》)

  2) 伙　计　您的"买卖"好吗？
    赵勇刚　刚成交了一批"货"，下一步，还要看看"行情"
    啊。(《平原作战》)

两个例子中的双关语表面上是在说家庭事务和生意，其实是利用交际双方已有的共同知识，表达了特殊语境中的深层意义：1)中是"要把密电码送到柏山游击队"；2)是"刚刚烧了鬼子的炮楼，运走了粮食，消灭了一批鬼子。下一步还要看形势怎么发展作决定"。

映衬：

  你整天自留地上来奔走，她日夜大田插秧热汗流。(《龙江颂》)

两相对比，以常富的自私自利来衬托江水英的大公无私。

回环：

回环也叫回文，是把两个词语相同而排列顺序不同的语言片断紧紧结合在一起的修辞格。回文是指一段话语正着念倒着念都能成句，回环倒着念不一定能成句。如：

  乡亲们关怀我们情深百倍，百倍深情爱护这五星军徽。(《红色娘子军》)

例子利用"情深百倍"与"百倍深情"结构语序回环往复的巧妙配合，表达了军队和人民之间浓浓的鱼水深情。

无论回环还是回文都需要作者具有高超巧妙精熟的语言文字能力。下面的这个例子，是传统戏曲中回环与回文糅合在一起的精品：

  恨多情过一春，春一过情多恨。冈无心我负人，人负我心无

冈。真成假,假成真。恩生怨,怨生恩。人几有清闲论?论清闲有几人?辛勤!贫不富时交运。勤辛,运交时富不贫。(《女贞观》)

这段曲词妙就妙在形成回环的 6 对句子正反念意思都一样,结构都成句,而且全曲 12 个句子顺读倒读都成文,逻辑语义关系也没有忤逆,只是顺读是从具体感情进而论及人生命运,倒读是从人生命运推及具体感情。

移就:

1)您的血海深仇一定要报,龙江甜水一定及时流到后山!(《龙江颂》)

2)老贼!我叫你尝尝仇恨的子弹!(《红色娘子军》)

两个移就的例子都利用了移就把适合于甲事物的词移过来修饰乙事物的特性,1)把龙江村人对旱区人民的热切关爱和深浓情谊转化为味觉的甜,移到从龙江流到旱区稻田的"水"上,使无味的水变成了甜水。2)中的"子弹"本来是没有感情色彩的,运用移就的手法,"子弹"成了吴清华喷发强烈仇恨的载体,"仇恨的子弹"也负载了吴清华对南霸天的深仇大恨。

仿拟:

1)誓把那南霸天、北霸天、一切反动派统统埋葬!(《红色娘子军》)

2)真是金水银水甘露水,比不上龙江送来的风格水呀!(《龙江颂》)

3)鸠　山　密电码!

李玉和　哈……什么电马电驴的,我就会扳道岔,从来没玩过那个玩意儿!(《红灯记》)

几个例子都是因表达的特殊需要,以前面使用的常规格式为模仿对象,临时新创一种格式。1)是模仿现有人名"南霸天"仿照出"北霸天"格式,实际上是以形象生动的手法泛指一切反动派。2)中是以"金水银水甘露水"的现成格式新创出"风格水"的说法,蕴含无比珍贵之意。3)中机警地选用仿拟的手法,把鸠山急欲得到的"密电码"仿造说成"电马电驴",以表面的对此一无所知,保护了自己。

析字:

  心字头上一把刀——你就忍了吧!(《杜鹃山》)

析字修辞格分为化形、谐音、衍义三种。上例用"忍"字组字部件各自的意义推衍出"忍"的语义,属于衍义方式的析字格。

反语:

  李玉和　(鄙视地吹灭火柴)是啊,听听歌曲,喝喝美酒,真是神仙过的日子。鸠山先生,但愿你天天如此,"长命百岁"!(《红灯记》)

"样板戏"中人与人的关系是处于两大阵营中的敌我关系和同一阵营中的同志关系。当根本利益发生冲突时,敌我双方的话语是锋芒毕露的,即使因特殊的语境不便直接表达出憎恨、厌恶、怀疑、讽刺等感情,也会通过反语等修辞方式曲折达意。上例就是李玉和在革命身份尚未暴露无遗之时,要与鸠山虚与周旋,又想表达对鸠山反感和对其攻心战术的抵御,于是采用了反语,表达他内心诅咒以鸠山为代表的反动派早日灭亡的蕴意。

在尚未深入研究传统京剧的语言形式之前,作为一个普通的京剧观众和"样板戏"文本的接受者,受"先入为主"的影响,我们总认为

"样板戏"话语作为一种现代京剧的表现形式,还是相当优美的。主要是听得懂,唱得出,能理解,有不少曲词还流传甚广、经久不衰、韵味无穷。常言道:存在的应该就是合理的。"样板戏"起起落落几十年,不被历史所泯灭、所消亡,肯定有其存在的理由。而语言的艺术感染力应该也是其能在当代生存的理据之一。有比较才能有鉴别,当我们为了进行比较分析仔细地解读了传统京剧文本的经典之作后,当我们再来读解"样板戏"话语时,才真正理解了什么叫做戏曲的精致,什么叫做戏曲的完美!

　　"样板戏"话语虽然也存在美,但它不仅于音律方面,而且于句法、语义、修辞诸方面都只追求一种语言格调,一种豪壮雄放的语言格调,所以审美视野中只认可一种雄壮洪放有余,柔婉优美不足的格调美,一种偏颇、残缺、畸形的格调美,以至于形成了忽略结构形式,惟政治内容为美的语言审美趋向性。

第五章 "样板戏"话语诗化的语言特征

从诗经、楚辞、汉魏乐府，到唐诗、宋词、元曲，中国诗歌的传统悠久而深厚。戏曲作为诗的一种，是诗歌发展最后阶段的成果，古人们都视之为诗的流别和分支。沈宠绥云："顾曲肇自三百篇耳。《风》、《雅》变为五七言，诗体化为南词、北剧。"[①]王世贞在《曲藻》中也论述道："三百篇亡而后有骚、赋，骚、赋难入乐而后有古乐府，古乐府不入俗而后有唐绝句为乐府，绝句少婉转而后有词，词不快耳而后有北曲，北曲不谐南耳而后有南曲。"[②]王世贞的论述，精要阐述了各种文体衍变的轨迹，还阐述了社会需求决定文体衍变的规律和各种文体不同的风格特征。何之朗的《曲论》认为："夫诗变而为词，词变而为歌曲，则歌曲乃诗之流别。"[③]也谈到了诗、词、曲同质的特点和其间的渊源流变关系。这些观点都给我们认识戏剧语言的诗化特征提供了理据。戏曲源于诗，但又不是一般的诗，是具有戏剧性的诗，是诗与剧的结合，是曲与戏的统一，所以既叫"戏曲"，又叫"剧诗"。戏曲是诗的文体变体，是诗发展阶段性的成果，所以诗所具有的特征就是戏曲的特征。诗歌以抒情为基本特征，戏曲亦然，只不过戏剧将诗歌的诗情与戏剧性相结合，发展出戏剧诗体特有的饱含诗情的抒情特

---

① 沈宠绥《度曲须知》，《中国古典戏曲论著集成》（五），第197页。
②③ 引自陈衍《中国古代编剧理论初探》，第63页。

征,而这种特征又决定了戏曲语言的诗化特征。

从戏曲自身的特点看,戏曲是一种综合艺术,它集文学艺术之大成,包容了文学、音乐、绘画、舞蹈、杂技、曲艺、百戏等。在文学方面,它又综合吸收了几乎所有的文学体裁:诗、词、赋、骈、散文、小说,几乎达到了无体不备的程度。所以别林斯基在《诗歌的分类和分科》中对剧诗作了高度评价:"戏剧诗歌是诗歌发展的最高阶段,艺术的皇冠。"①黑格尔在《美学》中讨论"戏剧体诗"部分时也认为:"戏剧无论在内容上还是在形式上都形成最完美的整体,所以应该看作诗乃至一般艺术的最高层。"②

戏曲诗化的语言特征主要表现在戏曲具有诗歌的抒情美、意境美、词采美、音韵美、均齐美,而且以抒情美作为第一特征。

古代诗歌以抒情为己任、为能事。因为诗情的有无,于诗歌是生命攸关的大问题。有诗情,才有强烈真挚的感情,艺术形象才有生命力,才会产生感染人的艺术魅力。古代诗歌与诗情的关系是:诗之所至,情无不至,情之所至,诗以之至。情是古代诗歌的第一要素,第一生命。古代戏曲受古代诗歌抒情性和抒情方法的影响,曲辞、念白也都充溢着浓浓的诗情。

古代诗歌独特的抒情手法是借景抒情、借事抒情和托物比兴,③古代戏曲也借用了这三种手法来抒发感情。

第一节 借景抒情

只要对西方戏剧和中国现代戏曲稍作比较则可发现,我国传统戏曲文本中情景描写占有很大的比重。究其原因,首先是由古代戏曲的舞美体制决定的。古代戏曲舞台没有布景,而人物的一切活动又需在某种特写的情境中展开,于是戏曲话语在叙事的同时兼顾了

---

① 《别林斯基选集》第3卷,第36页。
② 《美学》第三卷下,朱光潜译,第240页。
③ 参看沈尧《戏曲与戏曲文学论稿》,第157页。

绘景布景的功能。其次，传统戏曲继承的是古代诗词以景托情的写作传统，写景不仅仅是交代人物活动的背景，更重要的是通过写景来抒发人物的感情。通常表现为在特定的戏剧情景中，运用诗的语言描写剧中人物对周围景物的感受，抒发人物的思想感情。借景抒情即托情于景，以景生情。在剧中出现的自然景物，都被寄寓人物的思想感情。景物成了人物情志、情绪的物化标志。人物登山则情满于山，观海则意满于海，情景交融，使语言充满了诗情画意。以《西厢记》中一段常引常新，被视为精典的唱词为例。

　　1）碧云天，黄花地，西风紧，北雁南飞，晓来谁染霜林醉？总是离人泪。

　　这段唱词借眼前景，道出了主人公张生、莺莺的离愁别绪。三个三字垛和一个四字句，从蓝天上的白云到地上的黄花，从空中劲猛的西风到避寒南飞的北雁，富含诗意的话语描绘出空旷阔大的秋景，衬托出离人心中怅然若失、空寂落寞的心境。紧接着的两个句子"晓来谁染霜林醉？总是离人泪。"借助一问一答的方式和"谁？总是"的语势把在前面述景时酝酿已久、郁积于胸的离别之苦尽情释放出来。一个"醉"字，意蕴丰厚，是全段唱词的点睛之笔。它蕴含了诸多审美意象：人醉酒；枫叶经霜变红；枫叶红与人醉酒有同质处；离人伤心过度流下血泪；枫叶是血泪染红；离人伤心似醉酒，不能自持。话语主体以"醉"点题，借眼前景绘胸中情，以景现情，以情观景，让景物都贯注了人物离愁的情绪。董解元的《董西厢》中这段词也写得异常优美："莫道男儿心如铁，君不见满山红叶，尽是离人眼中血！景萧萧、风渐渐、雨霏霏，对此景怎忍分离？"尽管描述同一意境，语词也都很优美，可王实甫将董解元的这段词化出后倾注了更多的感情，《王西厢》借含蓄文字，所发的委婉之情更符合传递莺莺在送别路上的烦乱心绪。比《董西厢》的借眼前景抒男儿豪情也更切情切景，也更细腻优美。再则，《董西厢》是以旁述口吻来抒情绘景，而且是先以评述口气表情，而后绘景。《王西厢》是先绘景，以景托情，然后以身在景中的话语主体口吻来抒情,感情自然比《董西厢》强烈、真挚、动人。

古代戏曲中有些看上去是纯粹写景的戏剧语言,实际上也是景中寓情,以景来托情的,如:

2)雪浪拍长空,天际秋云卷,竹索缆浮桥,水上苍龙偃。东西溃九州,南北串北川,归舟紧不紧如何见,欲便似弩箭乍离弦。(《西厢记》)

若是把衬字去掉,唱词就是一首有意境、词采优美,结构工整,韵律协调的五言诗。五六句是工对句。第二句为押韵而把"卷"置于句末,若放在"天际"后,一二句又是一个工对句,唱词没提一个"情"字,可"雪浪"、"长空"、"天际"、"苍龙"、"九州"、"百川"这些意象壮丽宏大的词,共同构筑了一个开阔的意境,衬托出张生学成满腹文章,上朝应考的踌躇志向和进取的心理。在对景物的真实描写中寄寓情思,收到了情景交融的表情效应。

"样板戏"中不乏这种借景抒情的语句。

3)听雷声,战鼓阵阵催人紧,看闪电,烈焰腾腾燃在心。海关钟响江流震,分分秒秒逼煞人,逼煞人。(《海港》)

混有玻璃纤维的散包小麦,与稻种错包,已装上驳船,运往非洲。要追回散包,维护国家的国际声誉,情况不明,时间又紧迫。唱词用"雷声"、"战鼓"、"闪电"、"烈焰"附带着强烈力感的名词和"阵阵"、"腾腾"这样的叠音词,对仗工整、合仄押韵的对偶句,描绘出动感、声响、热度、力量交织一起的意境,真切地托出了高志扬那心急如焚、焦虑万分,又自感责任重大的心境。这里的景物描写主要是为表情,人物把心境溶进了景物,景物则衬托出人物的心境。这种情与景的关系,李渔把它描述为:情为主,景为客,说景即是说情。景是人物抒发感情的对象,说景即是为了说情。尽管曲词所借之景有俗套的意味,即逢剧中人物情绪激昂之时,风雨雷电、高山大海就成了常选的寓情之景。但"雷声"、"闪电"、"海关钟声"、"江流"诸意象,是整合整句句式,对偶、叠音、反复等修辞手法表现出来的,诸多意象共同铸造了十分张扬、略有夸饰、也司空见惯的情境,但又确实切合高志扬此时此刻的心境,切合高志扬作为工人阶级的先进分子、党的基层领导干部在特定环境中的真实表现,符合李渔主张的:"议某事,切某事","写春夏尽是春夏,止分别于秋冬","同一月也,牛氏有牛氏之月,伯喈有伯喈之月。所言者月,所寓者心。牛氏所说之月可移一句于伯喈,伯喈所说之月可挪一字于牛氏乎?"①所以这段景语,应该说还是"样板戏"中以景托情的好例。

景乃情之媒,情乃诗之胚。《沙家浜》中,郭建光的一段唱词,正是以景做媒,感物生情,使得唱词情景交融,富蕴诗意:

4) 朝霞映在阳澄湖上,芦花放稻谷香岸柳成行。全凭着劳动人民一双手,画出了锦绣江南鱼米乡。祖国的好山河寸土不让,岂容日寇呈凶狂。(《沙家浜》)

动词"画"生动之极,精炼之极,形象之极,省却多少笔墨,却绘出意象丰赡、令人暇思不尽的江南风景。唱词通过对明丽的朝霞、碧绿的湖水、怒放的芦花、飘香的稻谷、垂柳成行美好意象的组接,借景抒情,使景随情生,抒发了对祖国大好河山的热爱之情。所以前四句描写阳澄湖上的景致,完全是为了后面表达"祖国的好山河寸土不让"的正义之理。这恰好印证了刘熙载所言的:"余谓诗或寓义于情而义更至,或寓情于景而情更深。"②

戏剧中的抒情是诗意四溢的抒情,也是戏剧化的抒情。《红色娘子军》中,吴清华在洪常青和连长的教育下,认识到了狭隘复仇思想的危害性,她的自我反省,心理冲突过程,在剧中化成了优美的诗句和戏剧的动作性。

---

① 李渔《闲情偶寄》,《中国古典戏曲论著集成》(七),第26、27页。
② 《刘熙载集》,第90页。

5) 一番话字字重千斤,
　　拨开迷雾照亮我的心。
　　好像是引来万泉河水层层浪,
　　冲刷掉我胸中点点灰尘。
　　霎时间如登上高峰峻岭,
　　看到了北国烽烟、南海怒涛、东方火炬、西山枪林!(《红色娘子军》)

运用博喻,层层推进,真切表现了吴清华心胸从迷茫到豁亮、从斑杂到纯净、从狭窄到宽阔的心理变化过程。景物的描写,不是为写景而写景,而是将景物融合进情节的发展,人物心理的变化里。"万泉河水"、"崇山峻岭"等景物,完全是为了寄托吴清华思想境界更上层楼后所表现出来的欣喜和昂扬情绪。这段景语也因意象俱足,情景皆出而成为情景交融、感人心者的优美景语。

第二节　借事抒情

借事抒情是运用诗的语言,通过描写特定戏剧情景中戏剧人物对特定事件的反应,抒发人物的思想感情。李渔直言:善咏物者,妙在即景生情。宋代张戒《岁寒堂诗话》卷上释之为:然诗者,志之所之也,情动于中而形于言,岂专意于咏物哉?

昆曲《十五贯·判斩》中,况钟的唱词正是借事抒情的典型范例。

1) 这支笔千斤重,一落下丧二命。嗳!既然知冤情在,就应该判断明。错杀人,怎算得为官清?

况钟坐堂,在提笔判斩过程中,高举重似千斤的笔,颤抖着在锣鼓声中三起三落,展示了他内心激烈的矛盾冲突:是循例监斩,糊里糊涂地验明正身,还是坚持真理,不愧对良知,为冤案平反?剧作让况钟处在特定的矛盾交织的戏剧情景中,通过提笔、落笔的反复,让况钟自述判斩时面对明哲保身还是不愧对良知这种抉择的艰难,把情与理的内心冲突直接诉诸观众,展示其意志本身及实现过程,戏剧的抒情性即行动性也在这种心理展示过程中得到了完成。况钟执法的正义感和宁可丢官获罪也要求实的品格也借此得到彰显和肯定。

像这种为写人而叙事、为写情而叙事的表现手法,在"样板戏"话语中也经常可以见到。作品常常通过营造一种有利于发挥抒情性的戏剧情景,让人物在规定情景中叙事抒情,推动情节发展,刻画人物感情。《红灯记·前赴后继》一场戏中的抒情话语,就是经得起分析的一例。

铁梅从刑场释放回家,再也看不到爹爹奶奶,只看见号志灯。她满腔悲愤冲出胸膛,化为一段感人至深的独白和唱词:

2) 奶奶,爹! 你们为什么死的,我都明白了。我要继承你们的遗志,我要做红灯的继承人! 密电码一定送到柏山,血海深仇一定要报! 鸠山哪,鸠山! 你抓,你放,虽由不得我;这要密电码,可就由不得你!
提起敌寇心肺炸!
强忍仇恨咬碎牙。
贼鸠山千方百计逼取密电码,
将我奶奶、爹爹来枪杀!
咬住仇,咬住恨,嚼碎仇恨强咽下,
仇恨入心要发芽!
不低头,不后退,
不许泪水腮边挂,
流入心田开火花。
万丈怒火燃烧起,
要把昏天黑地来烧塌!
铁梅我,有准备!
不怕抓,不怕放,不怕皮鞭打,不怕监牢押!
粉身碎骨不交密电码,

>   贼鸠山你等着吧——
>   这就是铁梅给你的好回答!

念白以叙事为主,唱词以抒情为主,调动多种修辞手段,通过多种抒情手法、突出了铁梅的强烈内心冲突、情感冲撞,一腔愤怒、悲情随话语飞进而出。而观众在这种极度痛苦、激越的内心世界的披露中,受到了深深的震动。抒情性与戏剧性得到了紧密结合,人物和观众的情感活动被推进到高峰,形成全剧的戏剧高潮之一。

李勇奇"三十年做牛马天日不见","挣扎在无底深渊"。"谁料想铁树开花、枯枝发芽竟在今天"。他"早也盼,晚也盼,盼穿双眼"的队伍来到面前,而他却错将亲人当仇敌。他的羞愧、激情和决心交织一起,话语怎会不如火山爆发般突起,春雷震响一般激越:"从此我跟定共产党把虎狼斩,不管是水里走,火里钻,粉身碎骨也心甘!纵有那千难与万险,扫平那威虎山,我一马当先!"唱词展示了李勇奇抒情性浓郁的内心冲突和戏剧性强烈的外部动作。而这种由思想起伏、感情跌宕转化为外部抒情话语的戏剧行动,使得戏剧的高潮突起,抒情性与戏剧性上升到水乳交融,浑然一体的境界。

铁梅的念白、唱词和李勇奇的唱词都通过内心冲突的着力渲染,外部戏剧动作的实现形成了他们的高潮戏,从而完成了对他们的性格的塑造。戏剧语言所能形成的这种效果正如老舍所言的演员亮相的效果。老舍说:"带有诗意的语言能够给听众以弦外之音,好像给舞台上留出一些空隙,耐人寻味。戏曲中的开打,若始终打得风雨不透,而没有美妙的亮相儿,便见不出武松或穆桂英的气概与风度。亮相时演员立定不动。这个静止给舞台上一些空隙,使听众更深刻地看到英雄形象。我想,话剧在一定的时候能够提出惊人的词句,也会发生亮相的效果,使听众深思默想,想到舞台以外的东西。"[1]我们从老舍的话语受到的启发是:用有诗意的语言组成人物的重点唱腔,在一个相对集中、相对充裕的时空中让人物充分地渲染气氛,展示内心

---

① 老舍《论剧作》,第 105 页。

冲突,抒发强烈感情,取到舞台亮相的效果,让观众能充分认识人物的性格特征,从而完成对人物的形象塑造。

以戏曲中,借事抒情经常是以示现这种艺术手段表现出来的。示现是把想像中过去、现在、将来的图景活灵活现地追述、描绘出来,让观众先对某一事物或某种场面获得身临其境的强烈感受,然后再抒发相应的感情。如:

3) 猛听得金鼓响化角声震,唤起我破天门壮志凌云。想当年桃花马上威风凛凛,敌血飞溅石榴裙。有生之日责当尽,寸土怎能够属于他人。番王小丑何足论,我一剑能挡百万的兵。我不挂帅谁挂帅,我不领兵谁领兵。叫侍儿快与我把戎装端整,抱帅印到校场指挥三军。(《穆桂英挂帅》)

通过追述方式描述过去大破天门阵的神勇威武和赫赫战功,抒发了穆桂英"我不挂帅谁挂帅,我不领兵谁领兵"的使命感和英武依旧的感情,还有重新挂帅后勇武、豪壮之气依旧的雄放气慨和必胜的信心。

"样板戏"也运用示现先展示某种情景,然后借景再抒发感情。由于示现修辞方式是能很好地体现"样板戏"革命现实主义和浪漫主义相结合的一种修辞方式,因此在"样板戏"中的使用频率非常高,可以说每一出戏都有这种追述描绘手段,有的剧还数次使用。上面例子中铁梅的独白就是运用现在的示现,即悬想方式表达的。李勇奇的唱词则是运用过去的示现,即追述方式表达的。

"样板戏"中悬想表达的示现非常突出地表现为一些句式的集中运用,给观众接受示现手法提供了可辨认的结构模式,如:

4) 恨不能生翅膀持猎枪飞上山岗,杀尽豺狼!(《智取威虎山》)

5) 我恨不能急令飞雪化春水,迎来春色换人间!(《智取威

虎山》）

6) 恨不得变雄鹰冲霄汉,乘风直上飞舞到关山,要使那几万万同胞脱苦难。(《红灯记》)

7) 恨不能生双翅飞进芦荡。(《沙家浜》)

8) 我恨不能——恨不能飞身跃上万仞岗。(《杜鹃山》)

"恨不能"是"不能"至少是目前还不能。不能还要希望可能性的存在,这就非常形象地表达出了人物的急切心情。

未来的示现是用预言的方式表达的。经常用"但愿得"、"但等那"、"愿"、"盼望"、"看到"等词语引领。如：

9) 我看到革命的红旗高举起,抗日的烽火已燎原。日寇,看你横行霸道能有几天！但等那风雨过,百花吐艳,新中国如朝阳光照人间。那时候全中国红旗插遍。(《红灯记》)

戴铁链裹铁镣、遍体鳞伤的李玉和面对险恶的环境和残暴的敌人,依然斗志昂扬,憧憬未来,对革命的胜利前景充满信心。唱词至此也把胸怀革命理想主义、英雄主义的人物形象塑造推至顶峰。这种修辞效果的实现,应该说与示现把革命胜利前景勾画得历历在目,充分展示李玉和的革命乐观主义有着密切的联系。

示现手法的大量选用,与"样板戏"的创作主题也密切相关。因为"样板戏"的创作主题中包含着"千万不要忘记过去"和歌颂革命的崇高理想和革命彻底性这样一些内容。"过去"包含着受剥削被压迫的苦难史,包含着浴血奋战、前仆后继的斗争史。当剧中人物要自我表现或被表现奋斗史、苦难经历、斗争经验、清白身份时,经常会运用追述方式,把处于过去完成时的事情描述出来。在革命战争中或社会主义建设时期,无论碰上什么艰难险阻,革命者都要坚定信念、勇敢斗争,不获全胜决不收兵! 正如毛泽东所言的:"我们的同志在困难的时候,要看到成绩,要看到光明,要提高我们的勇气。"①示现正是实践这些理念的最好表达方式之一。

第三节 托物比兴

托物比兴是戏曲文学抒情采用的又一种手法。它巧妙地运用比兴的手法,在特定的戏剧情景中,揭示人物的内心感情。戏曲中比兴手法的运用有时贯穿了整出戏,如《琵琶记》第20出,整出戏都贯穿着赵五娘自比糠,把丈夫比着米,一贱一贵的寓意。更多的比兴是以一件事物为发端,来吟眼前景抒胸中情。

比兴这种方法,是最适宜抒情的方法。运用比兴,能把客观世界的景与主观世界的情巧妙地联系起来,以景托情,达到情景交融。还能创造生动隽永的意境,为曲辞增添生气。所以李渔就说:"比兴之法,不可不用。"清代沈德潜根据诗歌"情到极深便说不出"的特点,陈述了用比兴的妙处:"事难显陈,理难言馨,每托物连类以形之。郁情欲舒,天机随触,每借物引怀以抒之。比兴互陈,反复唱叹,而中藏之欢愉惨戚,隐跃欲传,其言浅,其情深也。"②所以戏曲语言中大量运用了托物起兴。

传统戏曲《墙头马上》用比兴手法写了李千金的伤春情意。

　　1) 柳暗青烟密,花残红雨飞。这人人和柳浑相类,花心吹得人心碎,柳眉不传蛾眉系,为甚西园陡凭景狼藉,正是东君不管人憔悴!

先言柳树深绿更显花瓣凋零的残春景色,主要是引发以情观景的人的心境,感叹人也与景同:景凋零,人憔悴。

---

① 《毛泽东选集》第三卷,第1005页。
② 李熙宗、刘明今、袁震宇、霍四通《中国修辞学通史·明清卷》,第345页。

《红灯记》第二场中李奶奶的唱词也以比兴来寄情寓志。"打渔的人经得起狂风巨浪,打猎的人哪怕虎豹豺狼。看你昏天黑地能多久!革命的火焰一定要大放光芒。"李奶奶以打渔的人和打猎的人所具有的坚强、勇敢、无所畏惧作比,表达了她坚定革命的情志和坚信革命一定胜利的信心。

一个老奶奶要表达其革命情志,若像杨子荣、严伟才等人说"敢闯火海上刀山","粉身碎骨也心甘"是不切合其声口的。用比兴之法,借打渔人、打猎人所具有的坚强自比,反复吟叹,词采美,意蕴深,情意浓,语气又极其切合人物身份。

戏剧为李奶奶设计的这段唱词,还寄寓了对李玉和一家三代高尚品质的赞颂,为以后逐场展示的李玉和的坚强无畏、李奶奶的坚定不移、铁梅的机智勇敢埋下了一个感情的伏笔。它使得这三代人在剧中的任何性格发展和任何行动,都充满着必然性,都符合人物的感情逻辑和行为逻辑。

《杜鹃山》、《磐石湾》均为韵白剧,比兴手法有相当高的出现率。

  2)陆长海 打渔人最擅长把鱼诱引,好猎手勿须怕鸟不投林!
    ……
  0 8 变色龙生就的变色本领,
   陆长海 伏虎将自有那伏虎神通!(《磐石湾》)

《磐石湾》中的这则比兴与《红灯记》中的比兴在结构形式上不同,只有"比"的部分,寄情言志的"兴"却未出现,留待观众自己去细细品味。

两个人物要抒的情"我胸有成竹,我兵来将挡,水来土掩",是蕴含在"比"当中的。这种表达显然比直说情志要委婉含蓄,话语也更富于美感和书面意蕴。

  3)巧 莲 鸟还知道回窝呢,

　　　　　　可有的人哪！心里根本没有家！
　　陆长海　大雁飞千里，也惦着芦苇荡，
　　　　　　渔人走远洋，谁不把亲人想?!（《磐石湾》）

　　巧莲用鸟起兴，主要想讥讽陆长海有家不回。陆长海用大雁起兴，表明了对家的眷念深情。比兴手法的运用，使念白既具有抒情美、意境美，又有韵律美、结构美、词采美。

　　4）青藤靠着山崖长，
　　　　羊群走路看头羊。
　　　　得找个带头引路的，
　　　　再不能瞎碰乱闯啦！（《杜鹃山》）

　　杜妈妈以青藤生长特性和羊群行走特性作比，告诫雷刚干革命要有领头人这个道理。以事作譬，再言他物，升华了意境，也使得情采更丰富，诗意更浓郁。

　　5）雷　刚　久旱的禾苗逢甘露，点点记在心！
　　　　杜妈妈　千枝万叶一条根，都是受苦人！（《杜鹃山》）

　　比兴修辞方式用于曲文、念白，也增加了文字特有的凝练精致。按朱熹的说法比兴是先言他物，引起所咏之辞。雷刚先言久旱的禾苗逢甘露，是为了引起知恩图报的心情。杜妈妈先言千枝万叶一条根，是为了说明天下受苦人有共同的阶级基础，所以心心相印。一唱三叹，把感情表达得细致入微，韵致淳厚。
　　在戏曲诗化的语言特征中，"样板戏"话语除了继承最为主要的抒情性以外，还对京剧音韵系统和韵律化、节奏化、音乐化的特征有所继承有所创新。
　　京剧音韵是在安徽、湖北方言的基础上，通过昆曲承袭了"中州韵"的传统，采用了某些吴音的读法，直接接受北京音的影响，不断向

"京音"靠拢形成的。传统京剧以中州韵为主,语言以《中原音韵》为代表的北方语音系统为依据。而"样板戏"的音韵用普通话作为音韵基础,放弃了传统京剧所重视的尖团声的分别,创造出以普通话为基础的京剧音韵系统。应该说这是一个创新。而这种新的京剧音韵系统清晰动听、易学上口、声情并茂,确实为京剧获得广大观众,走向大众化方面做出成功的努力。

另外,"样板戏"不但继承了传统戏曲讲究韵协律调、和美动听的传统,还在《杜鹃山》、《磐石湾》两剧中尝试运用了新的韵白体制,使戏剧从抒情性的内容到韵律化、节奏化、音乐化的形式方面都成了名副其实的剧诗。

这种新的韵白体制在剧作中全部唱词、念白都采用类似词曲长短句的韵白体制。如:

上下句:
　　黑头鲨　你要活命,取下红巾!(in　人辰辙)
　　陆长海　哼!除非你;巨礁铲平,海水掏尽。(in,人辰辙)
(《磐石湾》)
对称句:
　　想当初,你活跃在练兵场,英姿飒爽,
　　(ang,江阳辙)可如今,却钻进了海螺壳,沉睡梦乡。(ang,江阳辙)(《磐石湾》)
长短句:
　　穿岩洞、探蹊径、歼匪特、救亲人,(我)心急如火志坚如钢。(ang,江阳辙)
　　凝目看,伸手难见指和掌,(ang,江阳辙)
　　侧耳听,不知阿团在何方。(ang,江阳辙)(《磐石湾》)
排比句:
　　党的嘱托记在心里,
　　个人仇恨咽在肚里,
　　天下大事看在眼里。(i—七辙)(《杜鹃山》)

第五章 "样板戏"话语诗化的语言特征

传统戏曲只重唱词韵叶律和,念白往往不被重视,《杜》剧和《磐》剧全部念白韵律协调,朗朗上口,开创了韵白剧的新生面。另外,念白合辙叶韵后,增加了语言的音乐性,配同对偶、排比、比兴这些诗词格式带来的形式美,大大丰富了念白诗化的特征。

戏曲中韵律化唱词与散文念白的自然衔接,一直是表演中的难题,唱完接念,念完起唱,往往显得突兀,有生硬拼接的痕迹。念白韵律化后,由韵的上下承接,解决了唱词、念白的贯通问题。如:

  6)陆长海 巧莲哪!(唱)切莫让小天地罩住眼光,要看到大海上浪悬风狂。艳阳天还须防寒流骤降,百花园也有那蛇蝎暗藏。常备不懈,咱们要铭记心上,怎能够抱了孩子丢了枪?
   巧 莲 好,我抱我的孩子,你扛你的枪;我钻我的海螺壳,你站你的岗。咱们井水河水两不犯,再也别来往。(《磐石湾》)

陆长海的唱词与巧莲的念白通过韵脚"ang"韵自然联结起来,曲白相生、浑然一体,毫无突兀的感觉。获取了一般有韵律的唱词与散文化的念白衔接难以达到的和谐效果,强化了戏曲话语诗化的语言特征。

第六章 "样板戏"话语既俗且雅的语言特征

毋庸置疑,戏曲在综合过程中既吸收融合文学体裁中书面文学艺术形式的营养,也吸收口语中的各种文学艺术形式的长处。戏曲发展的这一综合特点,给我们认识戏剧语言既俗且雅特征提供了理据。

戏曲产生之初,皆采自"村坊小曲,里巷歌谣",此后,民间小调一直是戏曲的一个重要来源。它们决定了戏曲语言的民间意味和口语特征。

戏曲产生于民间,因最初语言的粗鄙、平直,被视为不登大雅之堂的"末道"、"小技",后经文人加工,或文人参加编剧,才宫调协律、曲词工丽,发展成正式的书面语体。这应该是戏曲语言由俗而雅的一个自然发展过程。汉代的"相和歌"由"街陌讴谣之词"逐步发展而成。宋代的词曲艺术源于隋唐两朝流行的民间"曲子",都经历了由俗而雅的过程。从元杂剧到清传奇语言风格的演变看,也反映了戏曲语言源于民间,又由文人加工雅化的过程。

元杂剧起源于北方民间戏曲,受蒙古族粗犷剽悍性格和勇猛精神的影响,语言风格刚健质朴、活跃激荡。明代以后,元杂剧的作者由民间艺人、下层文人转为官僚贵族,戏剧文本也因之产生了贵族化、案头化的倾向。语言开始追求妍丽、柔糜。虽也有本色文采相兼的文本,但全为本色的文本销声匿迹。清代传奇由于发展了现实主义的创作方法,李渔等戏曲家在理论上提倡"贵显浅",创作上又积极实践本色的作品,洪昇等戏剧大家剧作的语言示范作用,才使清传奇的语言返璞归真,一扫骈四俪六之风,变得清丽流畅,雅俗相宜。

综上所述可知,由于戏曲源于诗歌成就了其"雅"的特征,因又源于民间,"俗"就成了其与生俱来的特征。受制于不同时代、不同创作倾向的影响,受制于创作者个人修养、兴趣、学识、爱好不同的影响,戏剧语言总是以雅或俗,或雅俗相兼的态势存在的。在某种意义上可以说,戏剧语言的历史,在相当程度上是雅、俗风格的变化史。

观照"样板戏"话语,可以看出其语言的主体特征是既俗且雅的,真正雅致和真正本色都是少数。这一方面是由戏曲自身的规律决定的,戏曲是视听艺术,语言本色、通俗易懂,观众才能接受,那些"字字俱费经营,字字俱欠明爽"的唱词,写得再美,也"止作文字观,不得作传奇观"①。但一味地俗,"一味显浅而不知分别,则将日流粗俗,求为文人之笔不可得也"②。失去艺术感染力,也会失去观众。所以,戏曲语言只能是一种既俗且雅的语言,因观众是戏剧创作的起点和归宿,而观众需要的也是既俗且雅的语言。

"样板戏"既俗且雅语言特征的形成,有毛泽东语体通俗易懂、明快畅达语言的示范作用,有毛泽东提出的文艺为工农兵而创作、为工农兵所利用主张的引导作用,有广大艺术家的竭其心智的热忱奉献。

从与原始文本的比较中也可看出,改定本中"样板戏"话语的雅化程度更进了一步。这是因为原始文本多为少数人的急就篇,而"样板戏"是集中了大批剧作家、艺术家精加工而成。如《沙家浜》的改定本是著名文学家汪曾祺的大手笔,《海港》多有诗人闻捷锤炼的语句,《平原作战》是诗人张永枚执笔。尽管是在"三突出"的框框律定下进行创作,尽管必须要以政治标准第一,艺术标准第二,文学家、诗人的素养、才情会自然而然地流露出来,渗透在戏曲话语的字词句里。

既俗且雅的语言又是以本色通俗为其主要特征的。本色通俗与戏曲源于民间、源于口语中的文学形式直接相关,也与戏曲采用口头表达形式相联系。清人黄图珌的论述也包含了这方面的信息。"宋

---

①② 李渔《李渔全集·闲情偶寄》,第21页。

尚以词，元尚以曲，春兰秋菊，各茂一时。其有所不同者：曲贵乎口头言语，化俗为雅。"①王骥德的《曲律》也谈到了曲比诗、词本色，更易曲尽情意的特点："诗不如词，词不如曲，故是渐近人情。夫诗之限于律与绝也，即不尽于意，欲为一字之益，不可得也。词之限于调也，即不尽于物，欲为一语之益，不可得也。若曲，则调可累用，字可衬增。诗以词不得以谐语方言入，而曲则惟吾意之欲至，口之欲宣，纵横出入，无之而无不可也。故吾谓：快人情者，要毋过于曲也。"②唐代时，人们的诗歌创作追求一种天然美，注重诗歌从内容到形式、从感情到语言的自然质朴美。李白的"清水出芙蓉，天然去雕饰"成为当时人们的共同的审美标准。清李渔在前人关于"本色"、"骈丽"讨论的基础上结合他的创作实践，提出了戏剧语言"贵显浅"的主张。与唐代的"重天然"旨趣的标准相同，却更注重了戏剧语言的特点和通俗性。他认为："诗文之词采贵典雅而贱粗俗，宜蕴藉而忌分明。词曲不然，话则本之街谈巷议，事则取其直说明言。凡读传奇而有令人费解；或初阅不见其佳，深思而后得其意之所在者；便非绝妙好词。"③李渔的创作，也身体力行，做到了浅显明爽。如《怜香伴》19出中周公梦的唱词："摇摇摆摆笑呵呵，优行生员路上过。读书做甚么，宗师奈我何，铁打的头巾跌不破"，就是句句皆是明白如话的口语，却又于平淡之中尽显其妙的浅显语。李渔在论述中不但指出了本色语是源自街谈巷议，还指出其使用的表达方法是直说明言。下面即以"直说明言"为观察角度，考察传统戏曲和"样板戏"中的本色语。

第一节　直说明言

　　传统戏曲中，许多成就较高、流传甚广的剧作在很大程度上受益于采用了直说明言的本色语。正如刘勰所认可的语言表达"显附者，

---

① 商韬《论元代杂剧》，第 217 页。
② 王骥德《曲律》，第 212 页。
③ 李渔《李渔全集·闲情偶寄》，第 44 页。

辞直义畅,切理厌心者也"①。因为文辞直率,意义畅达且切合于理,是语言最令人满意的品质。

比如李逵这个性格鲜明的人物,不管被搬演进哪一出戏,他的脚色总是净角,而不会是生角。尽管同在梁山的鲁智深的话语也有粗俗本色的一面,退隐江湖后的梁山好汉萧恩也有粗俗本色语,但李逵语言直说明言的特征,总是作为粗俗本色的典型,反复出现在古代戏曲里。正是他这种鲜明独特的本色语,使他成为传统戏曲史上一位个性鲜明的人物。在《李逵负荆》这出戏中,李逵语言的粗俗、率直、口语化特征展示得格外充分。李逵下山游玩,在酒店听店主王林说有两个自称宋江、鲁智深的人抢走了他的女儿满堂娇。李逵义愤填膺,跑回梁山大闹聚义厅。因为王林"道俺梁山泊,水不甜,人不义",他指责宋江"谁着你夺人爱女,逞己风流,被咱都知"。"休怪我林沙样势,平地上起孤堆。"而对宋江的辩解,他的粗鲁指责话语撞口而出:"哪怕你指天画地能瞒鬼,步线行针徒哄谁。又不是不精细,又不是不伶俐。下山寨,到那里,李山儿,共质对,认的真,觑的实,割你头,塞你嘴。"这些自言是"按不住莽撞心头气"、"怒气如雷"的话语,活脱脱托出李逵天真质朴、嫉恶如仇、急躁莽撞的性格特征。即使宋江身为梁山领袖,又与他有生死之交,一旦他认为宋江不仁不义,他也毫不姑息,甚至以生命做赌注,他也要还梁山一个好名声。

李逵不仅表情是直说明言,摹景也是直说明言,质朴简单的。在《黄花峪》第三折中,写李逵扮作货郎到水南寨"打探事情",走近了寨子,他三言两语就把寨子的景色勾勒出来了。"我则见水围着人家一簇,中间里叠成一道旱路。则听则听的狗儿咬,各邦捣碓处。我这里担着零碎,践程途。我与你觅去。"眼前景物、景物中的人,人的行动都用几句寻常话头干干脆脆道出,倒也显得干净利落、本本分分。句子都由基本成分构成,极少修饰语,犹如疏疏朗朗几笔描出的乡村野景素描图,独具一份意趣。

当然,明说直言,并不意味着浅陋粗疏,李渔的明说直言,追求的

---

① 王运熙、周锋《文心雕龙译注》,第253页。

是"意深词浅"、"深入浅出",从口语中提炼出来,"了了于心,便便于口"晓畅明白的语言。被众多理论家称为高手的关汉卿就有这种深入浅出的功力。在《感天动地窦娥冤》中,关汉卿为窦娥劝说婆婆设计了一大段唱词,字字精彩,句句传神:

> 1) 空悲戚,没理会,人生死,是轮回。感着这般病疾,值着这般时势,可是风寒暑湿,或是饥饱劳役,各人征候自知。人命关天关地,别人怎生替得? 寿数非干今世,相守三朝五夕,说甚一家一计。又无羊酒缎匹,又无花红财礼;把手为活过日,撒手如同休弃;不是窦娥忤逆,生怕旁人论议。不如听咱劝你,府认个自家晦气,割舍一具棺材停置,几件布帛收拾。出了咱家门里,送入他家坟地。这不是你那从小儿年纪指脚的夫妻;我其实不关亲,无半点恓惶泪。休得要心如醉,意似痴,便这等嗟嗟怨怨,哭哭啼啼。

唱词尽选用质朴本色的语言,不追求词藻、不假借用典用事,其浅近自然如话,但确确实实又是从口语中提炼出来有高度艺术魅力的唱词。其运用语言的才能令人惊叹,难怪王国维要感叹:此一曲直是宾白,令人忘其为曲。

尽管传统戏曲推崇的本色程度为"作戏剧亦须令老妪解得,方入众耳,此即本色之说耳。"①但传统戏曲中仍常有"艰深晦涩"的语句。如《牡丹亭》中杜丽娘的唱词。

> 2) 不到园林,怎知春色如许! 原来姹紫嫣红开遍,似这般都付与断井颓垣。良辰美景奈何天,赏心乐事谁家院! 恁般景致,我老爷和奶奶再不提起。朝飞暮卷,云霞翠轩;雨丝风片,烟波画船——锦屏人忒看的这韶光贱!

---

① 王骥德《曲律》,第 200 页。

唱词的前一部分词藻工丽雅致,是历代曲词家欣赏的名句,是杜丽娘在感叹:园中代表着艳丽春色、万紫千红的百花在断井颓墙景象中荒废,这般良辰美景却无福、无缘消受。而谁是那有福、有缘之人?后半部分词句的语义就让人费解了。特别是何为"朝飞暮卷"?一直无人可解其意。戏曲理论家张庚作了考证,认为应该是从唐代诗人王勃诗句"画栋朝飞南浦云,朱帘暮卷西山雨"压缩而来。文字考证还需转几次弯,表演时一次过的戏曲语言写得这样简古,有谁能懂?还有李渔指出的《惊梦》首句"袅晴丝吹来闲庭院,摇漾春如线",发端一语即费如许深心,可谓惨淡经营;"然听歌《牡丹亭》者,百人之中有一二人解出此意否?"黑格尔的话显得格外诚恳:"艺术的特性就在于把客观存在(事物)所显现的作为真实的东西来了解和表现。"①艺术中最重要的始终是它的可直接了解性。戏曲语言需要被观众所接受,宜明朗,不宜艰深。

戏曲鉴赏、研究中,《西厢记》作为王实甫的代表作、顶峰之作总是被推崇备至的。可有的人却不以为然,何良俊的《曲论》却对《西厢记》颇有微词:"王实甫才情富丽,真辞家之雄",但"《西厢》内如'灵魂儿飞在半天'、'我将你做心肝儿看待'、'魂飞在九霄云外'、'少可有一万声长吁短叹,五千遍捣枕椎床',语意皆露,殊无蕴藉。如'太行山高仰望,东洋海深思渴',则全不成语,此真务多之病"。② 何良俊的批评说明了戏曲语言需要被观众接受,提倡本色通俗,但也不宜太白太露,也需要符合戏曲的审美特征和语言结构规律。

"样板戏"话语在语言的群众性、通俗性方面发扬光大了传统戏曲质朴本色的传统。"样板戏"话语没有这种无人可解的语句。基本上按照现代汉语规范的标准用字炼句。较少用典、偶一用之,也是选用人皆共知的范例,如"愚公移山"、"纸老虎"等。选用的大量的民间谚语、歇后语等,使语言通俗易懂、生动活泼、富于生活情趣。如:

---

① 黑格尔《美学》第一卷,第 200 页。
② 何良俊《曲论》,《中国古典戏曲论著集成》(八),第 6 页、7 页。

脚下自有路千条
人生地疏，两眼一抹黑
有眼不识泰山
宰相肚里能撑船
听话听声，锣鼓听音
甘蔗没有两头甜
有奶便是娘
人误地一时，地误人一年
农时不等人，救灾如救火
进了三宝殿，都是烧香人
芝麻开花——节节高
擀面杖吹火——一窍不通

"样板戏"话语源于口语，又高于口语，提炼出许多词浅意深、生动活泼、耐人寻味的本色语。李玉和的"临行喝妈一碗酒"、"提篮小卖"，铁梅"我家表叔数不清"，柯湘的"家住安源"，《沙家浜》中沙奶奶与郭建光的对唱，阿庆嫂、胡传魁、刁德一三人对唱，都是人们交口称誉、传唱甚广、老少皆宜的优美段子。还有许多耳熟能详、响亮上口的段子也是因其语言的生动质朴，饱含民间气息和生活情趣而得到人们的喜爱。如胡传魁的《想当初》和马洪亮的《自从退休离上海》：

1) 自从退休离上海，
   时刻把码头挂心怀。
   眼睛一眨已六载，
   马洪亮探亲我又重来。
   看码头，好气派，
   机械列队江边排。
   大吊车，真厉害，
   成吨的钢铁，它轻轻一抓就起来！

这段唱词最能引起人们开心一笑的,就是唱词表现出来的马洪亮因惊讶、因欣喜而忘老返童,忘老返顽的口吻。"眼睛一眨"表时间之快,用得多么生动!"马洪亮探亲我又重来",姓名"马洪亮"与代词"我"共现,使自豪感与欣喜共存。"看码头、好气派,机械列队江边排,大吊车、真厉害,成吨的钢铁,它轻轻一抓就起来!"简直就是小朋友惊奇时那一惊一乍的口吻。唱词用充满生活情趣的语言刻画了马洪亮那可亲可感、淳朴天真的心态,唱词也因此获得了观众的喜爱。俗话说:"众口难调",可这段唱词把众口调和起来了,只因为它使通俗与精炼得到了完美的结合,产生了让人喜闻乐见,击节赞叹的艺术魅力。黑格尔把艺术的品性形象地总结为:"艺术也可以说是要把每一个形象的看得见的外表上的每一点都化成眼睛或灵魂的住所,使它把心灵显现出来。"①这段话语正好达到了黑格尔所言的画龙点睛的效应,通过叙述、描写、议论,展示了人物淳朴的心灵、作为主人公的自豪和对祖国建设日新月异的欣喜。

第二节 切合声口

历来论曲者,都认为曲重本色。但有人认为本色就是简淡、朴素,只是寻常话头般通俗。有人认为"曲以婉丽俏俊为上","纯用本色,易受寂寞","本色之弊,易流俚腐"。有人认为本色就是"从人心流出"。在这些观点中,数臧晋叔对本色的解释具体全面,令人信服:"宇内贵贱妍媸,幽明离合之故,奚啻千百其状,而填词者必须人习其方言,事肖其本色,境无旁溢,语无外假。"②也就是说,世界上人情物理千姿百态,各各不同。戏曲语言必须按照人物的不同语气情调,不加藻饰地描绘出形形色色人物事理的本来面貌,戏剧的情境和人物的语言都不要有多余的铺叙。简言之,是要求戏剧语言按照生活的本来面貌描绘人物和情境,而不外加任何多余的东西。从臧晋叔的

---

① 黑格尔《美学》第一卷,第 198 页。
② 转引自沈尧《戏曲与戏曲论稿》,第 280 页。

论述可以看出,"人习其方言"是戏剧语言第一位的要求。这实际上提出语言切合声口,达到本色的又一要求,即人物语言的性格化问题。戏剧语言要表现出人物性格本真状态的东西,就必须使语言切合人物所处环境,切合人物各自所有的身份、经历、性格、教养、面貌等等。只有这样,才能真实描摹出人物性格中本真的东西。

　　李渔发展了臧晋叔的观点,提出了"语求肖似"的主张。"语求肖似"包含三方面的内容。其一,要求剧作者"欲代此一人立言,先宜代此一人立心",即设身处地去体会人物的思想感情,按照人物自己的口吻写出人物语言,才能把人物刻画得真实可信,个性鲜明。其二,剧中人物个人特点不同,语言就应不同。正面人物有正面人物的语言,反面人物有反面人物的语言。其三,说何人,肖何人,勿使雷同,弗使浮泛。每个人物都应有自己独特的语言,"极粗极俗之语,未尝不入填词,但宜从角色起见。如在花面口中,则恐不粗不俗,一涉生、旦之曲,便宜斟酌其词。无论生为衣冠、仕宦,旦为小姐、夫人,出言吐词,当有隽雅春容之度;即使生为仆从,旦作梅香,亦须择言而发,不与净、丑同声"①。在中国戏曲史上,在戏剧语言史上,把语言的个性化问题阐述得这么透彻,提到这样高的高度来认识的,李渔确实是第一人。李渔的论述深刻地揭示了任何戏剧都必须遵守的普遍规律,但很多时候又不为人注重的规律。每个人都有自己的性格,他所说的话必须符合他的性格,否则,人物就"席勒式地把个人变成时代精神的单纯传声筒"②。"样板戏"中的方海珍、江水英就是这种时代精神传声筒式的人物。

　　用李渔"说一人,肖一人"的标准观照传统戏曲,达到这种标准的语句是不胜枚举的。如《西厢记》中红娘有一段念白是:"请字儿不曾出声,去字儿连忙答应,可早莺莺跟前,姐姐呼云,诺诺连声。秀才每闻道请,恰便似听将军严令,和他那五脏神愿随鞭镫。"太生动了,令人过目难忘,一段话肖了两个人。惟妙惟肖绘出了张生欢天喜地的

---

① 李渔《李渔全集·闲情偶寄》,第22页。
② 《马克思恩格斯选集》第4卷,第340页。

神情。用超前夸张的手法,表出迫切想见到莺莺的张生来不及等红娘"请"的话音落,就急忙应承"去"的情景。接着又用调侃的口吻,戏说了张生唯唯诺诺、俯首称臣、小心翼翼那种令人忍俊不禁的情景。正是这种调侃的口吻,又确切表现了红娘俏皮爽朗的性格特征和切合丫环身份,浅近、朴实、顺畅的口语化特征。

反封建礼教,争取婚姻自由,是传统戏曲中的重大主题。戏曲中的主角多为妇女。但由于个性不同,她们表现出来的争取个人幸福的话语也有不同的表现特征。

《倩女离魂》中的张倩女个性软弱,尽管抱怨母亲的话里还有一点反抗性,"不争你左使着一片黑心肠,你不拘箝我可倒不想,你把我越间阻越思量"。但她的反抗方式是卧病离魂,反抗的话语显得软弱无力。

而《牡丹亭》中的杜丽娘性格刚烈,在与封建势力的对立中,她宁可自己被毁灭,也不放弃对天然、对自由的热烈追求,她的宣言是:"这般花花草草由人恋,生生死死随人愿,便酸酸楚楚无人怨!"

《谢瑶环》中的谢瑶环的反抗情绪迥异于张倩女、杜丽娘,没有消解在闺阁锦屏里。她是女扮男装的江南巡按,她的爱情也走进了更为广阔的天地,显现出热情果敢、大胆自主的特征。在共同反抗恶势力的斗争中,她对路见不平、仗义执言,"器宇轩昂貌英挺"的袁行健心生敬意,遂结八拜之交。尽管谢瑶环心存顾虑:"哪有个巡按嫁才郎?况有宫规难违抗,嫔妃下嫁要犯律章。"可一旦向袁行健公开女儿身份,决定与之共结秦晋之好后,她一扫疑虑,变得那么坚定、大胆、热情:"与袁郎同拜在花前月下,指牛女证鸳盟坚定无涯。"当然,谢瑶环主动追求爱情,自己做主婚姻的话语,是有别于闺阁中妇女们以微弱力量来反抗封建礼教,争取婚姻自主的话语的,也是切合她刚烈果敢的性格和在宫中职官尚仪院司籍,在宫外职官江南巡按的身份的。

写出同一人物在不同情景中的不同话语,揭示人物复杂的性格特征,也是"说一人,肖一人"的重要特征之一。

人是社会中人,社会思潮、社会文化、社会心理必定会对人们产生各种不同的影响。这些影响就反映为人物复杂的性格特征。人不可能只有一种单纯的性格，随着不同的时间、场合、境遇、情势变化，有不同的话语，展示着不同的性格特征的人，才是真实的人。所以在戏曲中，描写人物多面性的话语，不但不损害人物形象，反而给人以真实、性格鲜明的印象。包公是戏曲史上疾恶如仇、耿直忠介的典型形象，可在《陈州粜米》这出戏中却表现了包公保官、保身思想的另一面，让我们看到了另一个活生生的有真实个性的包公形象。

这出戏歌颂包公的主导方面："立心清正、持操坚刚，每惶惶于国家，耻营于财利；惟与忠孝之人交结，不共谗佞佞之士往还。"但也通过他的口说出："把那为官事都参透了。""待不要钱呵，怕违了众情；待要钱呵，又不是咱本谋。只这月俸钱做咱每人情不彀。我和那权豪每结下些山海也似冤仇：曾把个鲁斋郎斩市曹，曾把个葛监军下狱囚，剩吃了些众人们毒咒。到今日一笔都勾。从今后，不干己事休开口；我则索会尽人间只点头，倒大来优游。"在其他唱词中，还表达了他"粗直，终非保身之道"的消沉思想。这些话语，实则非常鲜明，表现了一个封建官僚、士大夫在那种社会环境中的普遍存在的心理，表现了一个人本来具有的复杂多样的性格特征。人物多面性特征越突出，人物愈真实可信。

"样板戏"中的人物性格，从整体上看，由于只描写人物英雄性格的一面，纯化人物高大全的性格特征，忽略人物多样化性格的描写，使人物类化、雷同化的倾向性极为明显。但就单个个体来看，许多人物还是富于个性的，人物话语也是切合声口，独特鲜明的。李奶奶的忠厚，李玉和的刚强，铁梅的天真，杨子荣的机智，阿庆嫂的干练泼辣，刁德一的阴险，胡传魁的鲁莽，都是个性鲜明的人物形象。

胡传魁一曲"想当初"，以其粗俗率直的话语特征，塑造出有鲜明个性的敌伪司令形象。

> 想当初，老子的队伍才开张，
> 拢共才有十几个人、七八条枪。
> 遇皇军追得我晕头转向，

第六章　"样板戏"话语既俗且雅的语言特征　　　189

> 多亏了阿庆嫂,她叫我水缸里面把身藏。
> 她那里提壶续水,面不改色,无事一样,
> 骗走了东洋兵,我才躲过大难一场。
> 似这样救命之恩终身不忘,
> 俺胡某讲义气终当报偿。(《沙家浜》)

唱词的每一句都是寻常话头,虽然是唱词,可不要音乐,忽略它的韵脚,它又变成了散文体式的口语。"老子"、"开张"、"拢共"、"讲义气"这些词又非常切合胡传魁土匪出身的粗鄙口吻。第二场中,胡传魁还有一段唱词,"乱世英雄起四方,有枪就是草头王。钩挂三方来闯荡,老蒋、鬼子、青红帮"。短短四句,作用类同于传统戏曲中的定场诗,以自报家门、经历的方式作了简要介绍:土匪出身、情操卑劣、丧失民族尊严的"英雄"。这些都是胡传魁性格中主导的方面。"想当初"是以他"以恩报恩、以怨报怨"的思想表现了他江湖义气中尚存的一点人性的东西。胡传魁还喜欢用谚语,如"就是我这强龙也压不过你这地头蛇"谚语的选用,表明胡传魁对他在沙家浜地位的清醒审视。谈论与新四军的遭遇战时他用谚语"我不能拿着鸡蛋往石头上撞"刻画了胡传魁的性格特征。这些谚语与两段唱词相互映衬,使人物以切合他性格的话语,勾勒出了他外表粗鲁,内心精细的性格特征。

《沙家浜》中有一段精彩对话,也是凸现人物个性的典型话语。

> 阿庆嫂　哎呀!哎呀!好厉害的老太婆呀!嘴里"汉奸"、"走狗"一个劲地骂。喏,衣裳也撕破了,牙也打出血来了!看哪!
> 胡传魁　老刁,别自作聪明了,这你明白了吧?阿庆嫂,打得不要紧吧?那么你帮我办喜事……
> 阿庆嫂　喜事尽管办!哼,瞎了眼,她倒想算计我,那老太婆哪是我的对手,早就被我打得落花流水了!
> 刁德一　阿庆嫂,你多心了吧?

>阿庆嫂　哼！我要是多心哪，就不在多心人面前管闲事了！

"阿庆嫂与沙老太婆打起来了"这个结果是胡传魁与刁德一所没有预料到的。胡传魁的第一个反应是指责出谋划策的刁德一，同时狡猾地向阿庆嫂传递了主谋是刁德一的信息。而且急功近利，担心阿庆嫂一气走掉，马上接着追问"那么你帮我办喜事……"三句话办了三件事，刻画了胡传魁粗而不愚的性格特征。

阿庆嫂的话语更是技高一筹，她以应对八方的本领，稳住胡传魁"喜事尽管办！"然后用双关语，"哼，瞎了眼，她倒想算计我，那老太婆哪是我的对手，早就被我打得落花流水了！"保护了沙奶奶；痛骂了刁德一；解除了心头恨；警告了刁德一：你不是我的对手；高扬了斗智胜利后的志气。两句话办了六件事，暗藏机锋的话语，刻画了阿庆嫂机智泼辣且有理有节、审时度势的性格特征。

胡传魁与阿庆嫂的这轮对话没有就此完结，因阿庆嫂话里的机锋针对性很明显，又引起了刁德一的应对："阿庆嫂，你多心了吧！"他的应对，并不是表道歉意，而是表明：这种结局非我有意为之，你指责我，那是你多心了。话中隐含的语义，既有化被动为主动的用意，又有不善罢干休的挑战意味。机灵的阿庆嫂识破了刁德一话中的话语，所以还击才显得那么有力："我要是多心哪，就不在多心人面前管闲事了"，明确告知刁德一，这一切都是你阴阳怪气的多心引起。三轮话语构成四个冲突，充分展示了三位人物鲜明突出的性格特征，表现了人物话语强烈的动作性。

第七章 "样板戏"话语的表现风格特征

表现风格是从多个角度对语言风格的格调气氛进行抽象,概括出的下位类型,是以各种风格手段综合运用所产生的修辞效果为着眼点的。刘勰的《文心雕龙·体性》篇,最早对表现风格进行分类,分出了4组8种风格:典雅、远奥、精约、显附、繁缛、壮丽、新奇、轻靡。这8种风格的区分,对后世的风格研究影响非常大,唐释皎然的《诗式》,司空图的《二十四诗品》,宋严羽的《沧浪诗话》,陈骙的《文则》等著作都阐述了表现风格的特征,有的还归纳了其类型。陈望道的《发凡》对古代风格论有所继承和发展,列了4组8体:简约、繁丰,刚健、柔婉,平淡、绚烂,谨严、疏放。张德明在《语言风格学》中区分出8组16种:繁丰和简约,含蓄和明快,华丽和朴实,庄严和幽默,文雅和通俗,谨严和疏放,平易和奇崛,刚健和柔婉。这些见解和主张,对我们认识"样板戏"的表现风格特征,具有重要的理论指导意义和参考价值。考察"样板戏"话语的表现风格,我们发现有4种表现风格特征最具代表性。

第一节 雄浑豪迈的表现风格特征

"样板戏"的题材选取的是中国革命中武装斗争和社会主义建设这样重大的题材,主题是歌颂人民战争的伟大胜利和社会主义建设的伟大成就这样重大的主题。题材和主题决定了"样板戏"的感情基调是高昂、激荡、豪放、明朗的,而由这种感情基调决定的语言运用也是贯注着豪迈之气、奔放之情的。

"样板戏"话语豪迈的语言特点主要表现为以下三个方面。

一　音调高亢

戏曲唱词历来讲究合辙押韵。长期以来,京剧都是以"十三辙"或称"十三韵目"作为合辙押韵的主要依据。韵辙除了宽窄之别,还有发音响亮不响亮之分。有人根据发音响亮的程度,把十三辙分为三类:第一,洪亮音,包括发音共鸣强度大的江阳辙、中东辙、言前辙、人辰辙、发花辙。第二,柔和音,包括发音比较柔和的遥条辙、梭波辙、怀来辙、由求辙。第三,微细音,包括发音比较低沉的灰堆辙、乜斜辙、姑苏辙、一七辙。为了配合表现"样板戏"的重大主题,"样板戏"的唱词选取了洪亮音这类挑得高,送得远的韵辙作为基本的、主要的押韵依据,恰切地表现了雄伟奔放、高亢昂扬的情绪,做到了唱字唱声又唱情。如:

1) 一路上多保重——山高水险,　　　（ian 韵）
　　沿小巷过短桥僻静安全。　　　　　（üan 韵）
　　为革命同献出忠心赤胆——　　　　（an 韵）
　　烈火中迎考验重任在肩。　　　　　（ian 韵）
　　决不辜负党的期望我力量无限,　　（ian 韵）
　　天下事难不倒共产党员!　　　　　（üan 韵）（《红灯记》）

李玉和的这段唱词句句押韵,是连字韵的唱段,而且都押洪亮音的言前辙,突出了李玉和的革命热情和高昂情绪。

我们对《革命样板戏剧本汇编》(第一集)和单行本《平原作战》10出"样板戏"作了一个统计。共 335 段唱词,用"言前辙"、"江阳辙"、"人辰辙"、"中东辙"的洪韵响韵押韵的有 284 段,占 84.8％。《智取威虎山》31 段唱词,以洪亮音押韵的有 30 段。其中"言前辙"11 段,"江阳辙"11 段,"人辰辙"6 段,"中东辙"2 段,占 96.7％。可见,洪亮音的韵脚,确实成为表现"样板戏"雄浑豪迈风格特征的语音风格要素。清人袁枚就做诗的选韵论述道:"欲作佳诗,先选好韵,凡其音涉哑滞者,晦僻者,便宜弃舍。"①"样板戏"为了突出人物形象,是在选响亮的好韵上下了功夫的。

在戏曲中,连句韵一般用于短小的唱词或用于戏曲中人物的开场韵白,大段的唱词往往隔句押韵。可"样板戏"中大段唱词押连句韵的并不少见,如《智取威虎山》中小常宝的唱段《只盼着深山出太阳》有14句唱词,都押江阳韵:降、娘、养、娘、掌、装、上、娘、亮、阳、讲、帐、狼。杨子荣的《管叫山河换新装》10句唱词,押江阳韵:状、腔、账、偿、放、阳、党、装、样、长。参谋长的唱段《朔风吹》10句唱词,也押江阳韵:荡、光、象、伤、向、当、望、方、样、光。用连句韵这种强化洪亮音律的手段,有力抒发了人物激越、豪宕、雄壮的思想感情。

"样板戏"不仅注重洪亮音律的风格功能,还充分利用语音平仄的风格功能。这是因为"句子长短平仄,须调停得好,令情意宛转,音调铿锵"②。

2)要报仇,要伸冤,要报仇,要伸冤,血债要用血来偿。(《智取威虎山》)

"伸冤"两个平声字相连,在调式、节奏、力度上都与前后的音节构成强烈的对比。在结构内部与"要"构成平仄对比,在结构外部与仄声相连的"报仇"构成平仄对比。唱腔中,利用阴平高而平的调值相连和第二个"伸冤"的拖腔,表达了高昂激愤的感情。

高而平的阴平调恰当选用,还有助于表现人物高扬奔放的思想感情。

3)鸠　山　我劝你早早把头回,免得筋骨碎。

---

① 李熙宗等《中国修辞学通史·明清卷》,第353页。
② 王骥德《曲律》,第163页。

李玉和	宁可筋骨碎,决不把头回。
鸠　山	宪兵队刑法无情,出生入死!
李玉和	共产党人钢铁意志,视死如归!
鸠　山	你就是钢嘴铁牙,我也叫你开口说话!
李玉和	你就有刀山剑树,我叫你希望成灰!(《红灯记》)

这三轮对话,构成了三对对偶句。出句对句都严格遵守了"上仄下平"的格律,下句的平声回、归、灰分别对上句的仄声碎、死、话。鸠山的话语形式是攻,每一句话中的两个短句的末一个字是先平后仄,李玉和的应对形式是守,但两个短句的末一个字是先仄后平,在韵脚上以平声那高而平的调值去对急促下降的去声,在语调上,以先抑后扬的顿挫去对先扬后抑的顿挫,鸠山情抑辞郁,声音沉细,李玉和情扬辞达,声音高畅,完全在语势上压倒了鸠山的嚣张气焰,表现出越斗越勇的自信和勇气,语音的高扬激厉,烘托出李玉和胸中的浩然之气。

二　词句富于阳刚之美

明代文论家张綖把词体分为两种类型:"一体婉约,一体豪放。婉约者欲其词性蕴藉,豪放者欲其气象恢弘。"[1]陈望道在谈论刚健体时认为其特点是"阳刚者气势浩瀚"[2]。王之望认为豪放首先体现在豪放雄大的精神气魄上。[3] 这些见解都集中论述了豪放风格气势宏大这样一个突出的特点。

"样板戏"中的主要人物都被塑造成了气吞宇宙、壮怀激烈的英雄。其英雄气概的形成与他们的话语包容着大气磅礴的气势、高昂激壮的情绪不无关系。我们分别从词语风格要素、语句风格要素两个方面来进行观察。

---

[1]　李熙宗等《中国修辞学通史·明清卷》,第 132 页。
[2]　陈望道《修辞学发凡》,第 263 页。
[3]　王之望《文学风格论》,第 160 页。

(一) 词语风格要素

4) 穿林海，跨雪原，气冲霄汉，抒豪情，寄壮志，面对群山。(《智取威虎山》)

5) 壮志撼山岳，雄心震深渊。(《智取威虎山》)

6) 我爹爹像松柏意志坚强，顶天立地是英勇的共产党。(《红灯记》)

7) 要学那泰山顶上一青松！(《沙家浜》)

8) 立壮志做一个中华好儿女，树雄心高举起抗日红旗。(《平原作战》)

何等光彩，何等豪迈的语句！"林海"、"雪原"、"霄汉"、"群山"、"山岳"、"深渊"、"泰山"这些名词的语义涵盖面大、通常表阔大、高远、厚重、刚健的语义。选用这些词语，通过宏伟壮观的自然景色所表现的磅礴气势、浩大的意境，衬托出英雄人物博大的气魄和胸襟。

"松柏"、"青松"是纯洁、高尚、伟岸、坚强的象征。"壮志"、"雄心"总是与崇高的理想、高尚的信仰相联系，"穿"、"跨"、"冲"、"撼"、"震"这些动感很强，表意遒劲的动词集中使用，都带给了唱词一种力量浑厚、势不可遏、一往无前的气势和精神。

9) 我恨不得急令飞雪化春水，迎来春色换人间。(《智取威虎山》)

10) 我恨不能——恨不能飞身跃上万仞岗。(《杜鹃山》)

11) 恨不能九万亩稻谷飘香。(《龙江颂》)

动词"恨不能"把人物求之若渴,急不可待的迫切心理展示得淋漓尽致。而"恨不能"所带成分表现的愿望"急令飞雪化春水","飞身跃上万仞岗",在旱情万分紧急的情况下"九万亩稻谷飘香",其实都是受无法逆转的自然规律支配,力不能及的事情。在不能实现却异常迫切向往的表述中,在奇特的想像中,在气魄浩大的语言文字中,透出了人物壮阔的胸怀和语言格调上的浩大气势。

"铺张扬厉"色彩浓烈的形容词也能造成浩大刚劲的气度美。

12)朔风吹林涛吼峡谷震荡,
　　望飞雪漫天舞,巍巍丛山披银装,
　　好一派北国风光。(《智取威虎山》)

极富描摹性质的形容词"漫天"、"巍巍"、"一派"与色彩词"银"配合,生动地摹写出壮观浩荡、气势恢弘的北国冬日的壮美景象。

13)要你们一日三餐九碗饭,
　　一觉睡到日西斜,
　　直养得腰圆膀又扎,
　　一个个像座黑铁塔。(《沙家浜》)

比较原始文本沪剧《芦荡火种》中的这段唱词:

14)待等你,一日三餐九碗饭;
　　待等你,身强力壮步如飞;
　　待等你,面红堂堂——像正月梅花,二月杏花,三月桃花,红里泛白,白里泛红,有了那三等九样花颜色……

沪剧用花比喻新四军指导员郭建光,就不如京剧改编本中比喻为"铁塔"恰切。"铁塔"把"花"的柔弱义转换为刚强义,而且与形容词"圆"、"扎"、"黑"共现,塑造出刚健、强劲的人物形象,与全剧的豪放风格产生了适应性。

包蕴容量大、范围广的数量词语,也是经常用于表现雄伟气势、浩大气象的风格手段。

  15)将万里征途放眼望,四海风云心内藏。(《红色娘子军》)

  16)迎千轮送万船重任在肩。(《海港》)

  17)千代冤仇万代恨。(《红色娘子军》)

"万里"与"四海","千轮"与"万船","千代"与"万代"交互作用,以其标示的数量大、地域广阔、场面大、时间久远的语义,表现出气势恢弘的风格特征。

语气词也是构成剧作豪壮风格的要素。

  18)春雷一声天地动!座山雕哇!看你还能活几天!(《智取威虎山》)

李勇奇那咬牙切齿、怒不可遏的激愤,通过强烈的语气和语气词"哇"表现了出来,使语句分别带上粗犷豪放的格调气氛。

(二)语句风格要素

朱熹从他的理学思想出发,提出自然界有阴阳之气,他认为:天地之间有自然之理,凡阳必刚,刚必明,明则亦知。将此理学思想用于语言风格的分析,就是说胸有阳刚之气者,才能焕发出雄阔、刚正的气势,才能观宇宙、察事理,说出雄健、睿智的话语。情操低下性情委琐之人,断然说不出高尚、大气磅礴的话语。叛变投降的王连举面对敌人的严刑拷打,喊着"我……冤枉!"随即招出"同党人"是李玉和,还劝李玉和:"老李,你不要太死心眼儿了……"同样面对酷刑,李玉和高唱的是:"任你毒刑来摧残,真金哪怕烈火炼,要我低头难上难!"英雄气概令群敌心胆俱裂,令鸠山无可奈何地喟叹:"共产党人,为什么比钢铁还要硬,我软硬兼施全落空。"

刑场上,李玉和抒发着气贯长虹的豪情,"休看我,戴铁镣、裹铁链,锁住我双脚和双手,锁不住我雄心壮志冲云天"。在相似的语境中,党代表柯湘戴铁链,昂首阔步赴刑场,精神状态昂扬:"无产者等闲看惊涛骇浪,洒热血、求解放、生命不息斗志旺,胸臆间浩气昂扬。"这些话语,都是他们那浩荡、忠诚、昂扬心理特征的真实写照。这些真真实实的豪言壮语,有着人物光照日月,气吞宇宙的精神气魄支撑,有着对共产主义的坚定信仰,有着饱满、浩荡的无产阶级战斗豪情,所以才获得了感天动地、时间久远的艺术魅力。若不如此,豪言壮语就只能是空洞无物词藻的堆砌,形式主义句式的汇集,毫无感情力度的空号。正如,孙联奎在《诗品臆说》中所言:"若无甚胸襟气概,而故为豪放,其有不涉放肆者鲜矣。"①

19) 闯敌阵,斗群魔,救乡亲,保公粮,耿耿正气满胸膛!(《平原作战》)

句子以4个3字垛与7字句错综使用,利用3字一顿的有力节奏和末句舒缓节奏的配合,造成了激情昂扬、热烈奔放的语言气势。

为了表达人物高昂奔放的情绪,"样板戏"中还大量运用了感叹句。我们统计了《红色娘子军》中所用感叹句,短短一出戏中竟用了538个感叹句,其中还有15个感叹加疑问,句末用"?!"来表示复杂感情的句子。全剧共有1532个句子(独词句、并列的分句都算一个句子),感叹句就占了35%,平均不到3句话就要使用一个感叹句,可见使用密度之大,渲染的气氛之紧张、热烈,人物的情绪之起伏跌宕。

有时候,为了强化某种感情,甚至把陈述句也强制改造成感叹句。

---

① 王之望《文学风格论》,第161页。

20) 江水英　咱们合计一下,派人去后山,这样,队里人手
　　　　　　少了,活儿可更重了,秧要抢栽,堤要加高,这
　　　　　　些都要好好安排。
　　阿　更　我们把窑上所有劳力都抽到大田来!
　　阿　莲　把看家的、上学的也都组织起来!
　　男社员甲　咱们苦干加巧干,一个顶俩!
　　阿坚伯　再把机械、耕牛重新调配,进一步挖掘潜力,
　　　　　　一定能够抽出人物支援后山!
　　众　　　对!
　　阿　莲　水英姐,支援后山的任务交给我们青年突击
　　　　　　队吧!
　　江水英　好,我和你们一起去!(《龙江颂》)

对白中部分陈述语气已经被置换为感叹语气,以夸张的语气和虚张的语势拔高人物胸中的革命豪情。对白中5～8句或多或少还带了祈使语气,而2～3句则完完全全是陈述语气。刘勰在《文心雕龙》中曾谈到"言壮而情骇"这种言语行为与感情的关系,而这里,言不壮却硬要情骇,欲张扬反而削弱了语言的表现力。

(三)辞式表意激越豪放

"样板戏"话语选取了大量辞式来表情达意,其中,排比、反复、夸张、激问等修辞格的高频使用,使话语与豪壮的格调气氛产生了适应性。

排比至少由3个句子组成,它在语言符号链上的长度使它具有了包容大信息量的能力。描摹物态可以穷形尽相,刻画人物心理,可以真切细腻,抒发感情,可以炽热深沉。"样板戏"中为了突出人物激壮的感情,也选用了很多排比句。

21) 你妄想负隅来顽抗,
　　你妄想入地把身藏,
　　你妄想重振残兵将,

你妄想保全旧时光。
睁开眼看看这革命洪流滔天浪!
……
叫你难逃覆灭下场!(《红色娘子军》)

面对南霸天的诱降,洪常青慷慨激昂,揭穿其嚣张气焰不过是垂死挣扎抱守残局的伎俩。整齐匀称的四个句子连贯而下,感情强烈,反复强调的成分"你妄想"使语意表达更为详尽充沛,充分表现了洪常青的凛然正气。

22)盼星星盼月亮,
只盼着深山出太阳,
只盼着能在人前把话讲,
只盼着早日还我女儿装,
只盼讨清八年血泪账,
恨不能生翅膀、持猎枪、飞上山岗、杀尽豺狼!(《智取威虎山》)

装哑人8年的小常宝开口向值得信赖的亲人似的"叔叔"倾吐她的心里话。"盼"和"只盼"的复现,排比兼反复的辞格,准确表达了常宝郁积于心的悲苦难言的心情:能言语却要装哑人,是女儿身却要着男装。"恨不能"句用并列短语构成的排比,表达了小常宝强烈的报仇雪恨的思想感情。

两个排比都是为突出主题,刻画人物性格,增强戏剧的艺术感染力,安排在戏剧冲突关键处的话语。洪常青用排比句表达了拒绝投降,不为所惑,从容就义的崇高革命气节。江水英面临重重困难、种种压力,激情洋溢地表示了筑坝救旱的决心。小常宝在人前装哑称男,现在终于等到能敞开心扉,诉说心里话、还女儿装的时候,怎不激情如春雷贯响、话语如江河奔流。清代姚鼐讨论写作时说:"其得于阳与刚之美者,则其文如霆,如电,如长风之出谷,如崇山峻崖,如决大川,如奔骐骥。"①同理,胸怀豪放激越感情者,方能说出雷霆万钧、如百川奔流,马骋平地般气势恢弘的话语。

23) 埋葬帝修反,人类得解放。
　　埋葬帝修反,人类得解放。
　　让革命的红旗插遍四方,插遍四方,插遍四方,高高飘扬!(《龙江颂》)

三四句复现一二句,"插遍四方"反复三次,一唱三叹,反复申说,运用反复这种修辞格表达了人物解放全人类的博大胸襟和强烈的思想感情。

寓答于问的激问宜于表达复杂而强烈的思想感情,能使语言波澜起伏,富于表现力。陈望道先生认为激问这种修辞手段若用于"知切情急"处,能更好地表达人物激越的思想感情。《红灯记》中李奶奶为了表达对鸠山的激愤,反驳鸠山的所谓"残忍",指责鸠山为代表的军国主义的侵略罪行,使用了激问句:

24) 李奶奶　你这是什么话!我的儿子,无缘无故地被你们抓起来了,你们还要杀害他。是你们犯罪!是你们残忍!你们杀害中国人,难道还要中国人承当,难道还要我老婆子承当吗?

这段话语的感情基调是愤激、悲壮、激昂的。面对敌人的攻击和儿子马上要被枪决,自己和孙女被关押的处境,李奶奶义愤填膺,怒从心起,而激问句的恰当选用,使李奶奶激越、昂扬情感得到了酣畅披露。

夸张的手法,是最能表达人物强烈思想感情的手法之一。

---

① 李熙宗等《中国修辞学通史·明清卷》,第291页。

25) 亲人蒙难,怒火三千丈。(《平原作战》)

这个夸张,显然从李白的诗句"白发三千丈"演化而来,夸张却又真实地表达了赵勇刚闻知张大娘受难后的冲天怒气。

26) 山崩海啸,我们顶得住。(《海港》)

言过其实的基础,是"我们"不畏任何艰难险阻的一身凛然正气和豪情,所以夸大得有真实合理性。

27) 八千里风暴吹不倒,
　　九千个雷霆也难轰。(《沙家浜》)

这里完全是对豪壮乐观、极富理想色彩的人格赞颂,所以诵读它,已经完全忽略了它包含的夸张意味,只感觉到被它营造的意境调动起来,激情在涌动,血液在沸腾。

第二节　壮丽庄穆的表现风格特征

古代文论中常用"典重"、"高古"、"严重"、"老成"、"沉厚"这些审美概念来阐释壮丽庄重的风格意义。许奉恩曾仿照司空图的《诗品》,撰三十六《文品》,对庄重的解释全面而具体,他说:"严肃如冬,温和如春。泰山磐石,一发千钧。正襟危望,心晤先民。扩充学识,凝练精神。履险若坦,驭驳惟纯。拨乱反正,宗社大臣。"[①]刘勰的《文心雕龙》解释壮丽为议论高超,论断宏大:"壮丽者,高论宏裁,卓烁异采者也。"[②]所述虽为文学风格,但这种境界用语言来体现,就是词语、语句、辞式的选取都要服从于表现严肃的社会意义和审美意义

---

① 王之望《文学风格论》,第167页。
② 王运熙、周锋《文心雕龙译注》,第253页。

这个目的。词语要精心锤炼，使之多含有敬重、讴歌的意味；语句要加工炼造，使之富有韵律感和节奏美，符合书面语体的规范性；辞式取譬设色、造景、抒情，都要以庄重壮丽作为基准。以此来观察"样板戏"的话语，"样板戏"话语热情歌颂了伟大的理想、崇高的人格，阐发了庄肃的道理，抒发了郑重昂扬、宏大丰富的感情，语言表现出壮丽庄穆的格调气氛。

一 主题题材中的革命理想主义和英雄主义

"样板戏"的主题都为"歌颂我们伟大的时代"，"歌颂忠于党、忠于毛主席、忠于军队和人民的伟大英雄"。艰苦卓绝但波澜壮阔的革命战争、社会主义建设需要英雄，革命的时势也就造就了这样的英雄。而英雄们的身上也沉淀着这段伟大辉煌的历史，他们的所作所为就是为了实现伟大的革命理想而奋斗和斗争。"样板戏"就是用壮丽庄穆的话语演绎了时代、英雄、理想之间的这种水乳交融、相辅相成的关系。

"样板戏"都为题材重大、意义直指党和国家或阶级利益的正剧，其内容的严正肃穆性就决定了语言表现形式壮丽庄重的语体色彩和感情基调。

"样板戏"中到处洋溢着歌颂正义的事业、革命理想、革命英雄主义、追求伟大人格的话语。这些话语以其庄重严肃色彩义的词语，精心提炼的句式，和美协调的音律，取譬鲜明的辞式，形成了戏剧语言庄严壮丽的格调气氛。而且不仅仅是戏曲创作，其他文艺品类的小说、诗歌、散文的创作也无不如此秉承相兼了这种格调气氛。长此以往，庄重肃穆的感情基调和语言格调已经深入人心，在人们的头脑中形成固有的模式话语。人们一旦接触到与之相违的话语，就会在第一时间引起本能的反感和反映。阿庆嫂形象塑造在全国范围内引起的热烈的讨论就是最好的说明。

针对江南某文学杂志刊登的，与京剧《沙家浜》同名小说的人物形象塑造问题，诸多报刊都展开了讨论。文章一致批评小说作者把人物形象"阿庆嫂"描写成潘金莲类"风流成性、可以令人丧失理智"

的女人,都认为其形象与京剧中大智大勇的阿庆嫂大相径庭,令人难以接受。作者歪曲阿庆嫂的形象,是商业炒作的需要还是出于一种对"文革"文艺的反动?这里只从尊重历史、尊重艺术的角度谈老百姓究竟认同什么形象的阿庆嫂这个问题。

京剧《沙家浜》是根据文牧编剧的沪剧《芦荡火种》移植、改编的。1959年初排时剧名为《碧水红旗》。1964年移植时剧名也是沿用沪剧名《芦荡火种》,后来根据毛主席观看演出时的指示更名为《沙家浜》。位于江苏常熟的"沙家浜"镇,因此成了爱国主义的教育基地、国防教育基地和学校德育教育基地。当地政府还投重资建了"春来茶馆",塑了阿庆嫂、郭建光的雕像和象征18位伤病员的石雕。这些都时时在提醒着人们:阿庆嫂、郭建光和18位伤病员都是人民英雄的成功典型。

50年代末60年代初现代戏热潮中的戏剧文本创作,多以回忆艰苦卓绝的斗争,歌颂具有牺牲精神的英雄为时代主题。沪剧《芦荡火种》的创作,也是为了弘扬革命英雄主义精神,以南京军区提供的"36个伤病员"的材料为题材编写的,阿庆嫂的形象也是以常熟、松江、昆山一带的8位女抗日英雄、女共产党员为原型塑造的。从17年文艺舞台塑造的英雄形象看,文艺创作塑造了一批像《红岩》中的江姐、《洪湖赤卫队》中的韩英等血肉丰满、具备革命英雄本色的女英雄。但从50年代后期开始,由于极"左"文艺思潮的钳制,文艺创作只能运用"三突出"的僵死模式来刻画人物,从而导致英雄人物形象的塑造从思想、性格、外貌到语言都雷同划一,特别是"样板戏",更是使英雄人物的塑造堕入了"高大全"、"假大空"的歧途。《海港》中的方海珍,《龙江颂》中的江水英,《奇袭白虎团》中的严伟才等人物塑造,完全成了政治理念的传声筒。尽管如此,《沙家浜》中的阿庆嫂却以其鲜活独特的个性在十大"样板戏"众多形象中脱颖而出。不言而喻,这与她的形象有着浓厚的民间文化背景直接相关。陈思和先生认为:样板戏"除了《海港》那种次劣的宣传品外,大都来自民间的文化背景。京剧本身是民间文化中的精致艺术,它的艺术程式不可能不含有浓重的民间意味。"①除了民间的文化背景,阿庆嫂形象的典型性还在于:一,由于《沙家浜》以艺术的形式反映了一段革命斗争史实,而且剧作塑造的英雄个人和18个伤病员的英雄集体在人们的心灵上引起了深深的震撼,使阿庆嫂的形象与剧中的英雄形象相互衬托、相得益彰。二,阿庆嫂虽为中共地下党员,但她的公开身份是春来茶馆的老板娘。为了斗争的胜利,在尖锐复杂的对敌斗争中,她的表现既不能处处退让,又不能锋芒太露;既要与刁德一针锋相对,又要与胡传魁虚以周旋。这些背景决定了阿庆嫂不能与敌人进行刀枪相见的正面斗争,只能与敌人巧斗心智。而正是这些特点形成了人物形象独特超群的人格魅力。

关于剧中一女三男的结构框架,小说中描写成阿庆嫂同时与丈夫之外的两个男人保持着暧昧关系,还公然说与胡传魁"也真是个姘头的关系"。而京剧中阿庆嫂与三个男角的关系,是阵营分明的敌我友关系,是角色之间的对衬与互衬关系。小说作者把阿庆嫂刻画成品质败坏,潘金莲似的风流人物,把一段刀光剑影的斗争衍化为风花雪月的无聊生活,既是把严肃的文艺创作当做文人墨客的把玩之物,也是对老一辈地下工作者出生入死、流血牺牲的功绩的否定。这正是广大的听读者所不能接受,群起而否定的主要原因。

2004年5月18日,《文艺报》以"文学界人士呼吁:不能随意乱改'红色经典'"为题登载了该报记者的采访录。中国作协副主席黄亚洲说:"'红色经典'是我们国家、民族很长一段时期形成的价值观念的共识,英雄人物体现出的价值深深印在人们心中。因此对这些作品的改动要格外地慎重。"老作家苏叔阳说:"像'《林海雪原》',这改编的还是原著吗?杨子荣是作为《林海雪原》中一个固定的形象被大家所熟知的,把他改成其他形象,就不能再叫杨子荣了。作为一个剧作家,你要对杨子荣这个人物重新诠释,就必须换一个其他的名字。否则这就是在借一部名著的名下做着与名著不相干的事。"

为纪念《讲话》发表62周年,2004年5月23日,中国文联、剧

---

① 《陈思和自选集》,第216页。

协、影协、视协邀集有关学者、艺术工作者在京座谈,反思近期以来大规模的"红色经典"改编热。6月8日的《文艺报》登载了讨论的部分内容。

与会者严肃批评了某些改编以"人性化"之名行消解崇高之实,颠覆了"红色经典"的凛然正气和昂扬精神。有的甚至肆意污辱"红色经典",将其改编成了"桃色经典"、"黄色经典"。在漫无边际的扩充和稀释中,"庄严的历史人生思考成为嬉皮笑脸的市井闹剧,侠肝义胆的英雄成为小肚鸡肠利欲熏心的政客,卖国求荣无恶不作的汉奸成了侠骨柔情的义士……"北大教授张颐武说:"'红色经典'包含了一个时期纯洁的人民记忆,蕴藏着一种高尚的伦理标准,改编要注重对人民记忆的守护。"郭汉城、胡可、于兰等老艺术家也认为:"不可否认,自我牺牲、追求真理也是一种人性。一味地把人性卑污化,长此以往我们只能自毁精神长城。"

这些讨论无一不在重申:英雄不可辱,革命理想主义和英雄的献身精神永远是人民心中宝贵的记忆,永远是人们道德教育的楷模,永远是人们称颂赞誉的精神。部分"样板戏",如《沙家浜》、《红色娘子军》、《智取威虎山》、《红灯记》、《平原作战》之所以成为"红色经典"改编热潮中被改编的对象,正是因为其主题题材贯穿了"一个共同的精神母题,即革命的理想、信念和英雄主义"。不言而喻,正是这个精神母题,决定了"样板戏"话语庄重严正的感情基调,也决定了"样板戏"话语典重肃穆、壮丽宏大的格调气氛。

二 结言铺词庄重肃穆

(一) 歌颂革命理想

全国解放以后,如何建设、如何创造一个崭新的、红彤彤的新中国? 如何实现新中国的文化抱负? 毛泽东以他诗人的气质,浪漫的情怀,独特的战略眼光关注历史和未来,为中国人民拟出了一个建设社会主义进而进入共产主义的伟大的社会理想。他说:我们共产党人从来不隐瞒自己的政治主张。我们的将来纲领或最高纲领,是要将中国推进到社会主义社会和共产主义社会去的,这是确定的和毫无疑义的。我们的党的名称和我们的马克思主义的宇宙观,明确地指明了这个将来的、无限光明的、无限美妙的最高理想。未来理想的宏伟和瑰丽,使每个中国人都不能不为之感染,自觉地聚集在他的旗帜下,热切地、诚挚地追求着理想的社会主义和共产主义。源于生活、高于生活的"样板戏"也在过去时、现在时、将来时全方位时态中对全国人民进行了革命理想主义、共产主义思想的教育,话语的语义覆盖了庄严、豪迈、雄健、刚劲等语义域。

过去时态的理想教育主要是歌颂已经实现了的理想,回忆艰难的武装斗争岁月里取得的光辉战绩,表达翻身做主人的自豪心情。

1) 解放前,星条旗、花旗轮横行江上,
给码头,留下了斑斑血泪、累累创伤!
幸喜得解放军大炮轰响,
轰散了乌烟瘴气出太阳,粗大的手,把革命的大印来执掌。(《海港》)

打倒那帝国主义、洋奴买办、封建把头狗强盗,
才换来江海关上红旗飘。(《海港》)

"解放军"、"革命的大印"、"红旗飘"这些词语本身就含有敬重、颂扬的意味。本来,"大炮"、"轰响"、"太阳"、"粗大"、"手"、"执掌"等词语在词汇库中属中性词,不带色彩意义。可被用在这种特定语境中,与表示邪恶、侵略、黑暗的词语"解放前"、"星条旗"、"花旗轮"、"横行"、"乌烟瘴气"、"帝国主义"、"洋奴买办"、"封建把头狗强盗"等词语对比、衬托,"大炮"等词语就附着了正义、光明、革命的色彩义和赞颂义。这是因为中华人民共和国的成立,不但在国际国内形成巨大影响,也给中国人民注入了巨大的心理能量。对照帝国主义侵略、封建统治下的痛苦,话语主体翻身做主人的自豪感、荣耀感也显现得格外强烈。

现在时态的理想教育主要是歌颂正在进行的社会主义建设和国

际主义、共产主义精神的大发扬。

　　社会主义制度的建立本身就是实现了一种革命理想。为了让中国人民尽早改变"一穷二白"的面貌,过上美好幸福的生活,实现共产主义理想,毛泽东以"一万年太久,只争朝夕"的迫切心情,领导中国人民开展了农业合作化运动、反右斗争,制定了多快好省地建设社会主义的总路线,发动了大跃进,成立了人民公社。在"三面红旗"的指引下,人民充满着对未来共产主义的美好憧憬,在他们的目光中:祖国一日千里,蒸蒸日上,到处红旗飘扬,形势大好。他们为之欢欣鼓舞,放声高唱:

　　　　2) 总路线放光芒照耀龙江,
　　　　　　大跃进战歌昂响彻四方。
　　　　　　人民公社似旭日蒸蒸日上。
　　　　　　为革命来种田奋发图强。(《龙江颂》)

　　"总路线"、"大跃进"、"人民公社"是大跃进时期产生的新词语,因其代表党的基本路线,所以本身就具有严肃正大的色彩义。颂词"放光芒"、"战歌昂"、"蒸蒸日上"、"奋发图强"从亮度、响度、高度、力度四个方面来讴歌了"三面红旗"。合着整齐的结构,匀称的间歇,"江阳"韵的响亮韵脚,颂歌褒扬了严肃庄美的时代精神。

　　社员们有宏伟的目标,高尚的情操。他们学习白求恩毫不利己、专门利人的共产主义精神,高风亮节,堵江筑坝,淹掉自己大队的300亩良田,以解救后山9万亩良田的灾情。他们有这样的胸怀:

　　　　3) 一花独放红一点,百花盛开春满园。(《龙江颂》)

　　社会主义改造的完成,公有制的确立,逐渐在人们头脑中形成了一种全新的道德原则和价值标准,在社会实践中形成了一种"为公"的普遍的行为,推动了团结友爱、互相协作、共同前进的新风尚。这句唱词就是这种社会新风尚的艺术反映。

韩小强的理想是当一个海员,亲手把物资送往亚非拉,支援亚非拉人民的斗争,发扬国际主义的精神。党支部书记方海珍教育他,装卸工作也能实现理想,支援社会主义建设,发扬国际主义精神:

4)要是没有咱们把这些货物装运上船,你拿什么去支援亚非拉?又怎么谈得上国际主义呢?小韩,不要轻视装卸工的平凡劳动,这一包一件,紧连着世界风云哪!(《海港》)

语言浓烈的政治说教意味,人物严正的情感态度,一方面源自"亚非拉"词义宽阔地域概念带来的厚重感和被"国际主义"、"世界风云"语义激活的革命责任感;一方面源自选用的两个推理,方海珍先用假言推理从反面说明了没有装卸工作,就没有实现理想的可能,然后又用因果条件推理,说明了装卸工作的重要性。

"样板戏"中着墨最多,大笔书写的是过去将来时、现在将来时中的理想。相当篇幅是憧憬革命斗争胜利时的理想:

5)但等那风雨过,百花吐艳,
　新中国如朝阳光照人间。
　那时候全中国红旗插遍,
　想到此信心增斗志更坚!(《红灯记》)

唱词选用"百花吐艳"、"新"、"朝阳"、"光照人间"这些表意明朗亮丽的词语和"全"、"遍"这种表全量的词语,用象征、比喻的手法烘托出李玉和对新中国光明前景的美好憧憬和对革命必胜的坚定信心。

"样板戏"中英雄人物都有卓越的政治远见,崇高的使命感和广阔的革命胸襟,所以他们抒发的不仅仅是要取得中国革命胜利的豪情,而且追求为人类求解放奋斗终生的壮丽理想:

6)要完全地、彻底地为全中国人民服务,为全世界人民服

务,这就是我们最崇高的理想。(《海港》)

方海珍的念白演化自毛泽东《为人民服务》的主题思想。开阔的胸襟、壮美的情怀,使这段来源和目标都高尚的念白产生了庄严感、郑重性。

理想主义作为一种巨大的精神动力,能激起人们极大的生活热情,能孕育积极乐观的情绪和胸怀祖国放眼世界的胸襟。所以理想主义是"样板戏"中人物经常宣讲的道理。洪常青教育只有狭隘复仇思想的吴清华:"跟着党,将万里征途放眼望,四海风云心内藏","只有解放全人类,才能最后解放无产阶级自己"。江水英启发缺乏全局观念,有狭隘本位主义的李志田要把"四海风云胸中装"。

正是这些有着浓烈崇高理想色彩的话语使"样板戏"话语产生了庄重严肃的风格特征。

(二) 歌颂伟大的人格

传统戏曲《西厢记》以青年男女为争取婚姻自由而叛逆封建礼教为主题,揭露了封建礼教对自由幸福爱情的摧残,表达了"愿普天下有情的人都成了眷属"的思想和愿望。《窦娥冤》写窦娥被冤斩后,通过临刑前发下三桩誓愿的实现和鬼魂告状来表现窦娥的斗争精神,张扬正义必胜的理想。区别于传统戏曲经常以小见大,以隐写明的主题表达方式,"样板戏"直接反映现实生活中有严肃意义的社会内容,直接歌颂人物斗争活动的正义合理性和在斗争活动中反映出来的社会责任感和崇高的道德追求。人物思考的都不是个人感情,而是关涉到国家社稷、民族危亡或社会主义建设事业这样目标高远、利益重大的政治问题。体现这种思考的话语,自然具有严肃庄重壮丽的色彩意义。

7) 征途上全靠党来把路引,
　　天底下唯有这共产主义真!(《红色娘子军》)

8) 龟田真是要来"清剿",还是设有圈套?不论是炸军火还

是反"清剿",都关系到战役的全局和群众的切身利益。(《平原作战》)

　　9) 查不出那散包,对不起人民,对不起党。
　　　　哪怕是针落海底,我也要倒海翻江!(《海港》)

　　《红色娘子军》中的话语表明吴清华已从狭隘的复仇思想上升到认识了共产主义的伟大理想。《平原作战》中赵勇刚的思考贯穿着战争中局部战术影响全局战略的思想。《海港》中的话语从查散包的责任联系到关系重大的国际影响和政治影响。
　　为歌颂英雄人物高尚的人格,"样板戏"话语取譬的客体经常是已经被赋予高尚意义的词语。如"泰山"、"青松"、"松柏"、"英雄树"、"铁长城"、"明灯"、"行船的风"、"领航的灯"、"海燕"、"征帆"等。其中,"要学那泰山顶上一青松"的"青松"最集中、最典型体现了对新四军战士高尚人格的审美评价和颂扬精神。

　　10) 要学那泰山顶上一青松,
　　　　挺然屹立傲苍穹。
　　　　八千里风暴吹不倒,
　　　　九千个雷霆也难轰。
　　　　烈日喷炎晒不死,
　　　　严寒冰雪郁郁葱葱。
　　　　那青松逢灾受难,经磨历劫,伤痕累累,瘢迹重重,
　　　　更显得枝如铁,干如铜,蓬勃旺盛,倔强峥嵘。
　　　　崇高品德人称颂,
　　　　俺十八个伤病员,要成为十八棵青松!(《沙家浜》)

　　唱词综合应用象征、比喻、对偶、排比等修辞手法,选用表意高远壮丽的描绘性极强的形容词和文言词语,以青松为表征,融注贯通、浓墨重彩地赞颂了新四军战士的崇高品质。

这段庄严、气势磅礴、饱含革命激情的唱词,既是新四军坚强意志的生动写照,又是中华民族英勇不屈传统精神的生动写照。它用青松这个生动的艺术形象表彰了中国人民不可战胜这样一种理想主义精神,宣扬了只要有坚定的信念,坚强的意志,就没有战胜不了的困难的乐观主义精神。

歌颂英雄人物,发扬光大红军传统,也是"样板戏"庄穆雄伟语言的一种类型。

毛泽东坚信精神的力量,认为精神可以变物质。他领导的中国革命斗争实践,特别是亘古未有、举世闻名的二万五千里长征的壮举,证明了他理论的正确性,更强化了他的唯意志论的信念:有坚强的意志就可以战无不胜、攻无不克。对毛泽东这种观念的形成,美国学者莫里斯·迈斯纳在《毛泽东的中国及后毛泽东的中国》中有过论述:至少就毛泽东而言,长征的经验强化了他的唯意志信念,这就是,人只要有高度的意志、精神和革命觉悟,就能够克服所有的物质障碍,并按照自己的观念和理想铸造历史现实。① 红军在二万五千里长征中经受的意志的考验,是一种典型,但也是一种特例。毋庸讳言,毛泽东注重的是长征艰难困苦考验的结果,而不是过程,他从这个特例中提取的思想精华是人的极限能量的发挥。所以他以胜利者的姿态颂扬红军的吃苦耐劳精神,并作为一种优良传统,通过他的长征组诗,通过党的文件,通过党史资料,通过各种艺术形式,输送给了每一个人,并深深地根植于人们的意识结构之中。"苦不苦,想想红军两万五!","一想到红军爬雪山、过草地、啃树皮,我们今天吃的这点苦就算不了什么!"这样的话语,在那特殊的年代,在生活中,在大众传媒中,随时随地都能听到、看到、想到。当然,"样板戏"中的英雄人物也要用艺术语言诠释这种传统精神。

面对沙奶奶的忧虑:"这芦荡无遮无盖,伤员同志们怎么受得住啊!"郭建光慷慨陈词:"沙奶奶,我们有毛主席英明领导,有红军爬雪山过草地的传统,什么也难不倒我们!"在药尽粮缺,又与党组织联系

---

① 参见陈晋《毛泽东的文化性格》,第229页。

中断的恶劣环境中,郭建光激励战士们:

> 11) 郭建光　难道说我们这支有老红军传统的部队,就被这小小的困难吓倒了吗?
> 众战士　不!
> 班　长　我们的红军爬雪山、过草地,那样的困难都战胜了。我们也一定能坚持下去!
> 众战士　对!(《沙家浜》)

　　毛泽东关于这方面的思想,内容十分丰富,对民族的影响也是深远而广泛的。整个民族充满斗志,有着为斗争胜利英勇奋斗,牺牲最宝贵的生命也在所不惜的崇高感和使命感。毛泽东的语录"下定决心,不怕牺牲,排除万难,去争取胜利!"可以说是这种文化心态的最好说明。在"样板戏"中,这段语录出现在四个剧中。在《龙江颂》中合龙抢险处于危急时刻,江水英登上高处:"同志们,现在只有跳入水中,用身体挡住激流,帮助打桩!""伟大领袖毛主席教导我们:中国人死都不怕,还怕困难吗?"于是众社员念着"下定决心"的语录,随江水英跳入水中,与浪搏斗,筑成人墙,堵住合龙口。

　　《奇袭白虎团》中,严伟才踩着地雷了,排雷的生死攸关时刻,他关心的不是自己的生命安危,而是斗争任务的完成。因为有革命理想的激励,才能置生死于度外,有为理想而勇于牺牲的崇高精神。

　　正是这样一些话语,在创作主题题材上彰显革命理想主义和英雄主义,在创作上追求高扬民族主义精神,才使作品保持了永久的艺术魅力,并给予观众以人生的启示、警醒、慰藉和指引。

第三节　繁富丰厚的表现风格特征

　　由于"样板戏"话语被要求承载宣传鼓动的社会责任,描绘革命历史上如火如荼的斗争生活,歌颂可歌可泣的英雄壮举,抒发诚挚、热烈的无产阶级感情,高扬理想的社会主义、共产主义精神。而繁富丰厚这种利用文辞表现丰满美的语言风格手段正好适于表达人物丰富多样的感受,热烈张扬的情绪,逻辑严密的思维,因此被大量地运用在"样板戏"的话语里。

陈望道的《修辞学发凡》对繁丰风格手段有着精辟的定义,他认为:"繁丰体是并不节约辞句,任意衍说,说到无可再说而后止的辞体。""繁丰的辞体,辞义详尽,可以使人充分明了。"①王构的《修辞鉴衡》也说:"文有以繁为贵者:若檀弓石祁子沐浴佩玉,庄子之大块噫气用者字,韩子送孟东野用鸣字,上宰相书至今称周公之德,其下又有不衰二字,凡此类则以繁为贵也。"②也就是说,"繁"并非"重复"、"赘余"之义,而是"全"、"详"、"尽"、"细腻"诸义。"样板戏"话语中词语重叠复现、语句铺排迭出,表繁富语义辞式的精当选用,都铺叙了详尽的内容,抒发了浓烈深厚的感情,从而使语言呈现出繁富丰厚的风格特征。

"样板戏"是源自传统京剧,但加进了现代因素的艺术形式。传统京剧是一种来源于歌舞、滑稽戏和歌唱的综合艺术形式。戏曲理论家张庚继承王国维的"以歌舞演故事"说和"意境"说,提出了剧诗说。剧诗说是张庚在40年代搞秧歌剧时提出,60年代初形成的戏剧理论。80年代以来,剧诗说继承了西方的戏剧理论遗产,更主要的是继承了我国王国维"以歌舞演故事"和"意境"说的精髓,并有所创新有所发展,已成为戏曲界认同的理论。剧诗说认为:戏曲是诗,但又不是一般的诗,而是有戏剧性的诗,是诗与剧的结合,曲与戏的统一,故名"戏曲"、"剧诗"。剧诗说内涵丰富,主要的内容包括两个方面,一是戏曲是不同于叙事诗、抒情诗的另一种诗体——剧诗,剧诗是叙事诗、抒情诗高度融合的有机体,其统一的前提是诗的明确节奏。二是强调戏曲从剧本到表演都要有诗的意境。③

由于剧诗是叙事诗与抒情诗的有机统一,不难推知,叙事功能和

---

① 陈望道《修辞学发凡》,第257页。
② 引自黎运汉《汉语风格探索》,第205页。
③ 参见安葵《戏曲"拉奥孔"》,第242~257页。

抒情功能就成了戏剧语言的主要功能。叙事功能用叙述的语言,生动的情节,细致地描绘出丰富的客观世界,而抒情功能则以抒情语言展示人物细腻的心理,表露人物丰富的情感世界。下面,我们即以剧诗语言的叙事功能、抒情功能为审视角度,来考察"样板戏"话语的繁丰风格特征。

一　叙述描写充分细腻

戏剧文学,主要通过人物语言来展开故事情节,因此,本质上是叙事的。

叙事语言负载着交代背景、点化主题、刻画人物性格、渲染气氛的交际任务。由于舞台时空的限制,叙事话语往往简洁明了。有时为了凸现人物形象的鲜明独特,突出主题思想,在叙事语言中运用繁笔,这就使语言表现出丰赡的表意特征。

(一) 手法多样　表意详尽

为了加重语意或精细表意,让同义词语或同义句式并列对举,或使一连串语义相关的词语排列一起。并列的项目越多,传递的语义信息就越丰足,反映的繁富特征就越鲜明。

1) 党代表是矿工生在安源,
与毒蛇胆无怨无恨毫不相干。(《杜鹃山》)

2) 依靠党依靠群众
坚无不摧,战无不胜。(《红色娘子军》)

带点部分都是由两个同义成语组成的句法结构成分。同义词语的并列共存,既是表意丰足的语义追求,也是结构匀称、语气平稳的结构需求。

3) 先辈的遗言和着鲜血流淌,流淌……(《海港》)

4) 想起您，力量倍增，从容镇定，从容镇定。(《杜鹃山》)

词语的复现与省略号的配合使用，表达了绵延不尽的语义。

5) 鞍前马后跟你跑，
   出生入死为你干。(《杜鹃山》)

6) 风波陡起形势变，
   当机立断莫迟延。(《杜鹃山》)

由同义句式组成的对偶句，"对你忠心耿耿"这个意思被敷衍为一个对偶句，而且起句的"前"与"后"，对句中的出、入、生、死构成的反义关系互补互衬，进一步强调突出且丰富了"对你忠心耿耿"的语意。"风波陡起"是"先言他物"的起兴，引起的所咏之词是"形势变"。"当机立断"与"莫迟延"本是表达同一语义的话语，同义话语的反复咏叹，大大增加了载体的语义信息。

7) 我要你再看看，再想想，这解放前……
   什么人似虎狼张牙舞爪？
   什么人似牛马终日苦劳？
   什么人设下这"过山跳"？
   什么人走不完"独木桥"？
   你要把解放前后两对照，
   你要把这杠棒、
   "过山跳"、破衣、烂袄、皮鞭、镣铐，
   一件一件，仔仔细细瞧一瞧，你瞧一瞧！(《海港》)

这段话语综合运用了多种修辞手法来表达"不能忘记过去"这个语意。同义、对义、类义词语铺陈排列，以同现、重叠、反复的方式来加强语意。四个句子构成的反复兼排比的辞式，通过"什么人"的反复和一口气说出一连串语义相互关联的句子,造成一种贯通的语势。再与紧接其后的散句结合,不避繁复反复申说、反复强调,把事情的方方面面都周详表述,把"不能忘记过去"的道理也阐发得清清楚楚,语义分明。

复杂结构句式的使用,也使得语句在句法平面上用尽可能短的线性结构,装载尽可能多的语义内容,"意则期多,字惟求少",是运用这种方法所追求的理想境界。

  8) 何日里冲下山刀劈毒蛇胆,
    杀他个落花流水人仰马翻。(《杜鹃山》)

  9) 硬抓我这五岁孤儿立下一张卖身契。(《红色娘子军》)

《杜鹃山》中例子的起句是个连动句,对句是联合短语作补语。《红色娘子军》中的例子是个兼语句,都在兼容并包的复杂结构中传递了大容量的语义信息。兼语"我这五岁孤儿"由同位短语充任,"我"既是"抓"的受事,又是"立下"的施事,同位语"这五岁孤儿"又输出了"我"孤苦伶仃无依无靠身份的信息。

并列各项的句子成分或分句以繁多的面貌进入句子结构,使得线性结构长度增加,语义容量增大,是"样板戏"话语中表现繁丰风格的重要手段之一。

  10) 霎时间如登上高峰峻岭,
    看到了北国烽烟、南海怒涛、东方火炬、西山枪林!
  (《红色娘子军》)

  11) 我胸中一阵阵江潮起伏,风云翻卷,警钟长鸣!(《海港》)

两个句子都运用了繁笔来表意,前一例的动词"看到"带了一个长宾语,"北、南、东、西"四个方位词作为衔接标志,把四个短语关联为一个整体,从而描绘出世界革命风起云涌的壮丽图景。后一例中的联合短语充任谓语,三个比喻形象生动地摹写了"我"内心逐渐加剧的冲突和难以排解的焦虑情绪。

句法层面的各分句并列,在修辞层面构成了排比辞式。

12) 革命者怕什么风狂雨猛,
　　风狂红旗舞,雨猛青松挺,海燕穿云飞,征帆破雾行,
　　暴风雨更增添战斗豪情!(《海港》)

第一句和第六句是一个十言的对句。中间插入了一个由四个五言句构成的排比,以结构的参差错落构成错综修辞格。从表意上看,排比的一二句上承十言对偶的起句,三四句下启十言对偶的对句,把六个句子连接为一个表意整体。排比中,一二句与三四句分别是一个对偶句。这段唱词正是通过对偶、排比、错综的修辞手法,联类聚义,极大地扩充了排比句式的语意。

辞式双关的选用,也利用辞面辞里双层丰富的语义关系,传递了超载的语义信息。

13) 高大伯　太君,他可是个好把式啊!
　　日本曹长　哦?
　　赵勇刚　自从你们到了这儿,我就开始干这一行了。不管风吹雨打,暑热严寒,车载万斤重,马行千里远,稳坐车头一挥鞭,得!驾!什么调皮难逗牲口,到了我的手里,也得让它规规矩矩、老老实实。(《平原作战》)

双关的辞里是"自从你们侵入我国后,我就开始与你们展开斗争,不管环境如何恶劣,你们多么凶狠,都只是我的手下败将。"依靠辞面义,赵勇刚取得了日本曹长的信任。而辞里义,则高扬了中国人

的志气,表示了与日寇坚决斗争的勇气,而这才是赵勇刚想利用双关修辞格表达的意义。

(二) 叙事语句庞大成群

叙事语言用于展示戏剧内容、推动情节、刻画人物性格、评论是非等。由于舞台时间的限制,这类语言有着很大的概括性。它不可能像小说等艺术形式那样用从容的笔墨去交代历史文化背景、叙说人物行为、介述人物的身世或事件的经过,渲染艺术气氛。它只能用简洁精炼的语言,迅速地完成上述叙述功能。传统京剧的表演程式中的"定场诗"、"定场白"、"上场白"用于介绍人物的传统手法,就是一种简洁精炼运用叙事话语的形式。定场诗是主要角色第一次上场念完"引子"后念的四句诗,介绍规定情景。其后念的一段独白,介绍人物的姓名、籍贯、身世及当时情景、事件过程等的定场白,一般都简明扼要。次要角色第一次上场,也念定场白,常念五言诗二句,简要地介绍其身份。如旅店主人上场大都念"孟尝君子店,千里客来投",其作用是简要介绍背景。"样板戏"也有类似"上场白"这种自报家门的话语,不过不是诗而是散文独白。如《龙江颂》中黄国忠的独白:"哼!我从后山跑到龙江村,隐藏了十几年,憋得我实在喘不过气来。"

清人章学诚在《章氏遗书·补遗》中这样慨叹道:"文辞以叙事为难,今古人才,骋其学力,辞命议论,恢恢有余,至于叙事,汲汲形其不足。"[①]一般文辞叙事之难尚且如此,更不待言有高度性格化、动作性要求的戏剧语言了。它既要以展示内容、推动情节发展、刻画人物个性为主要目的,又要为抒情作好铺叙。它既要符合全剧感情基调的要求,还要符合特定环境中人物的身份、性格等特征。从文字表达看,它深不得也浅不得。深,当然是断然不可取的,因戏剧语言追求"贵显浅"、"观听咸宜",力避"艰深隐晦"、曲折怪僻。剧作的本质就是"场上之曲"而不是"案头之曲"。更何况"戏文做与读书人与不读

---

① 李熙宗等《中国修辞学通史·明清卷》,第305页。

书人同看,又与不读书之妇人小儿同看,故贵浅不贵深。"①当然,一味浅显也不适宜,一则流于粗俗、浮泛、直露、浅陋,二则淡如白开水,失却了感染人的艺术魅力。

叙事话语还繁不得简不得。过简,损词害义,戏不成戏。过繁,戏剧话语很难处理。尽管京剧是以唱为主要表现手段的艺术形式,但长达20句以上唱词的成套唱腔也不宜过多。否则,一人干唱,其他人无戏可做。都作静场处理,就是有唱腔韵律、节奏弥补,也难免有冷场的情况。像《智取威虎山》是"样板戏"中唱腔较多的剧,我们做了一下统计,10句以上唱词的唱腔有9段,20句以上唱词的唱腔仅有两段。可知,唱词的繁简是受艺术自身规律支配的。

念白就更是如此了,宜短不宜长,简洁明了是念白第一位的要求。传统戏曲不重视念白的作用,术语作"宾白"即可看出其从属于唱词的地位。念白不宜长,主要是表演自身的规律和观众需求决定的。恩格斯在批评拉萨尔的历史剧《弗兰茨·冯·济金根》时就提到过这种窘况:"由于道白很长,根本不能上演,在做这些长道白时,只有一个演员做戏,其余的人为了不致作为不讲话的配角尽站在那里,只好三番两次地尽量做各种表情。"②尽管如此,在"样板戏"中却有着大段叙事成分的唱词和念白,这也是由"样板戏"的戏剧内容决定的。

由于戏剧总是搬演过去发生或已经结束的事情,是将过去时转换为现在进行时来表现。所以有时为了突出主题,推动情节发展,凸现人物鲜明的性格特征,往往需要对与目前事件有关的历史作一简要交代,通过唱词和念白再现过去的一系列生活情景。"文革"其时,特别注重"史"的教育功能,讲"史"经常是政治思想工作采用的手段之一。反映在"样板戏"中,就是戏戏均有史,主要英雄更是人人有史,而且国史、党史、战争史、集团史、家史、个人史、事件史一应俱全,像李奶奶、沙奶奶、盼水妈、洪常青、柯湘、严伟才都有大段家史诉说,

---

① 李渔《闲情偶寄》,第24页。
② 《马克思恩格斯选集》第四卷,第343页。

吴清华、杨子荣有大段的个人史。有些史还以多种板式的成套唱腔或大段的念白来表现。叙事不避繁复,精细交代了人物行动的心理、背景,刻画了人物性格特征。这些叙事话语以其文字平面的广阔度,表演时间的绵长性,传递信息的丰足,呈现出丰繁的风格特征,也使"样板戏"话语表现出与传统戏曲不同的独特性。以《智取威虎山》中杨子荣的个人史为例:

13) 选能手扮土匪钻进敌心窍,
方能够里应外合捣匪巢。
这任务重千斤派谁最好?
杨子荣有条件把这副担子挑!
他出身雇农本质好,
从小在生死线上受煎熬。
满怀着深仇把救星找,
找到了共产党走上革命的路一条。
参军后立誓把剥削根子全拔掉,
身经百战、出生入死屡建功劳。
他多次凭机智炸毁敌碉堡,
他也曾虎穴除奸救出多少战友与同胞。
入林海他与土匪多次打交道,
擒栾平、逮胡标、活捉野狼嗥。
这一次若派他单人入险要,
相信他心红红似火,志坚坚如钢,
定能够战胜顽匪座山雕。(《智取威虎山》)

杨子荣的个人史是通过参谋长转述的,参谋长先陈述"出身雇农本质好",介绍了杨子荣的阶级基础和政治素质,然后从"艰难困苦、玉汝其成"的角度,介绍苦难竞争生活对磨砺杨子荣意志的作用,接着历数他英勇机智、屡建战功的历史和与土匪多次周旋的经历,充分详尽地说明了杨子荣扮土匪钻进敌心脏的条件,表明了必胜的信心。

这段小史,11 句唱词,128 个字,篇幅不可谓不大,字数不可谓不多,在有限的时空中,有效地利用了戏剧话语叙事功能,从而表现出繁富丰足的格调气氛。

《红灯记》中有一段叙事念白,是李奶奶为教育铁梅继承先辈遗志,将革命进行到底,给铁梅讲述的异姓三代生死与共、情愈骨肉的家史。念白有八十多句,若采用独白方式,肯定会趋于平淡,难于形成戏剧高潮。若采用李奶奶与铁梅一递一句的对白,也难形成大气磅礴的气势。编导演匠心独运,取独白与对白之长,在"痛说"上做戏。李奶奶与铁梅的对白和李奶奶的独白交替进行,中间还插进李奶奶两段 23 句唱词的唱腔。念白借鉴传统戏的京白和韵白、曲艺中的评书和京韵大鼓的说白及诗歌朗诵的技巧,伴随着唱腔的韵律和节奏,八十多句念白,二十多句唱词,倾泻而出,一发而不可遏止,抒发了人物强烈的思想感情,掀起了戏剧高潮。一百多句浓墨重彩、大笔书写的叙事话语因此被调度得精彩无比,高潮迭起,体现出了编导演运用繁笔叙事的精湛功力,叙事话语也获得了异乎寻常的艺术感染力。

《智取威虎山》中有一段念白,是叙述杨子荣打进匪窟后,为了获取座山雕的信任,利用他对联络图垂涎三尺的急切心理,绘声绘色地描述了联络图的来历。这段念白穿插了座山雕、众匪徒的对白,达四十句之多,加上唱词二十多句,叙事话语聚合到一起有六十多句。集中笔墨叙述一件事,是为了表现杨子荣机智骁勇的伏敌本领,这样用笔,不可谓不勤,不可谓不力。唱白相间,六十多句叙事话语被调度得精彩无比,高潮迭起,体现出了编导演运用繁笔叙事的精湛功力。

二 抒情写意热烈充沛

戏剧语言的抒情性,是戏剧作为一种艺术形式的审美本质决定的。戏剧是一种观众的艺术,只有真挚、深浓的感情,才能打动观众,使艺术获得生命力。唐代诗人白居易就说:感人心者,莫先于情。狄德罗也说过:"没有感情这个品质,任何笔调都不能打动人。"①我国古代文论家对戏剧的抒情也有着共同的认知。袁于令认为"剧场即一世界,世界只一情"②,何良俊说王实甫的《西厢记》"首尾五卷,曲二十一套,始终不出一'情'字"③,黄周星也说"论曲之妙无他,不过三字尽之,曰:'能感人'而已"④。这些论述集中说明了戏剧语言的抒情性特征。

从诗歌对戏剧这种剧诗的影响也可看出,我国诗歌抒情诗的主流,决定了剧诗语言具有浓烈的抒情色彩。

我国戏曲的抒情侧重于人物内心情感的抒发。"样板戏"中,除《海港》、《龙江颂》外,正面人物都苦大仇深,思想感情都包孕在民族矛盾、阶级矛盾的剧烈冲突之中,情感变化总是大起大落,人物经常处于极度欢欣、极度痛苦、极度幸福、极度愤怒的情感冲突状态之中,所以抒发这些极度感情的戏剧语言,也总是以热烈充沛、激情奔放的形式表现出来的。

下面,我们拟从语言诗化特征的角度探讨戏剧语言的抒情性,这里仅从浓郁悲愤、阔大宏美感情要素充任繁丰风格要素的角度作一些分析。

(一)浓郁悲愤的情感要素

李勇奇看到"这些兵急人难治病救命,又嘘寒又问暖和气可亲"。他那"自古来兵匪一家欺压百姓"感性认识的经验世界开始瓦解。当参谋长告诉他:"我们是工农子弟兵,来到深山要消灭反动派改地换天"时,他春雷爆发般地倾吐出肺腑之言:

14)早也盼,晚也盼,盼穿双眼,
　　怎知道今日里打土匪、进深山、救穷人、出苦难,自己的

---

① 狄德罗《论戏剧艺术》,《文艺理论译丛》,1958年第1期。
② 参见苏国荣《中国剧诗美学风格》,第24页。
③ 何良俊《曲论》,《中国古典戏曲论著集成》(四),第7页。
④ 黄周星《制曲枝语》,《中国古典戏曲论著集成》(七),第120页。

队伍来到面前!
亲人哪! 我不该青红不分皂白不辨,
我不该将亲人当仇敌,羞愧难言!
三十年做牛马天日不见,
抚着这条条伤痕、处处疮疤我强压怒火,挣扎在无底深渊。
乡亲们悲愤难诉仇和怨,
乡亲们切齿怒向威虎山。
只说是苦岁月无边无岸,
谁料想铁树开花、枯枝发芽竟在今天!
从此我跟定共产党把虎狼斩,
不管是水里走、火里钻,
粉身碎骨也心甘!
纵有千难与万险,
扫平那威虎山,我一马当先!(《智取威虎山》)

"三十年做牛马天日不见","挣扎在无底深渊","苦岁月无边无岸",这些描写都是为后边情感出现巨大反差所作的铺垫,也叙写出李勇奇那沉郁无望的哀痛心理。"谁料想"这个词将语意一转,运用两个比喻,引出了"铁树开花,枯枝发芽"这种千年一现或不可能的事实,恰当地传递出李勇奇对已翻身解放那难以置信、惊喜交集的心情。"从此我跟定共产党把虎狼斩,不管是水里走、火里钻,粉身碎骨也心甘! 纵有千难与万险,扫平那威虎山,我一马当先!"这些斩钉截铁的话语,展示觉悟了的山民李勇奇那感激的心境和豪放、旷达的语言特征。"早"、"晚"这一对对义词与动词"盼"共观,加上"盼"的两次复现,"盼穿双眼"程度的强调,把李勇奇那种极度企盼的急切、渴求心理展示得淋漓尽致。这些炽挚如燃的话语是浸透着李勇奇真感受的情语、挚语。它从压抑了 30 年的内心深处迸发出来,其势如文论家梁启超所言:是情感突变,一烧烧到"白热度",便一毫不隐瞒,一毫不修饰。照那情感的原样子迸裂到字句上。

第七章 "样板戏"话语的表现风格特征

"呼告"话语,京剧中叫"叫头",是一种饱含感情力度的话语,它既表现了人物内心剧烈冲突,又充当了一种人物有曲要唱、有话要讲的提示语。

一声呼唤"亲人哪!我不该青红不分皂白不辨,我不该将亲人当仇敌,羞愧难言!"坦陈了李勇奇将亲人当仇敌的羞愧和把解放军作为自己人的心理。《杜鹃山》中田大江从骂把他当土豪打的雷刚等人"什么自卫军,简直是军阀!",到亲切地喊出"亲人哪!给我一杆枪吧,跟你们一块儿干!"人物的关系完全发生了转变。吴清华愤怒地呼告"南霸天、狗强盗!"和"想要我低头,永远办不到!你四次抓回我五次逃!"的话语,是吴清华对南霸天不可遏止的愤怒的宣言:被打、被押、被卖也决不屈服。

15) 昏沉沉只觉得天旋地转,
咬牙关,挺胸站,打不死的吴清华我还活在人间!
……
湿淋淋分不出哪是血呀哪是雨,
黑压压看不清密密椰林哪是边。
这世道谁肯听我诉苦难?
谁能替我报仇冤?
雷电哪,你为什么不化作利剑,劈开椰林寨?
五指山,你为什么不把五指握成拳,
打死南霸天!打死南霸天!(《红色娘子军》)

"雷电哪","五指山"这两声悲天怆地的呼告,贯注着吴清华对不平世界的愤怒控诉。两个"你为什么"带领的激问句,像喷射的火焰,表达出吴清华胸中那郁积已久、愤恨不平的情绪。陈望道先生认为激问这种修辞手段若用于"知切情急"处,能更好地表达人物激越的思想感情。剧中在这里使用激问句,切合人物被欺压却又无助,以逃跑来反抗却不能摆脱苦难,只有求助、希冀外界力量援助的复杂心理。呼告的运用,因使人物激越的情感得到酣畅披露,而把剧情推向了一个高峰。

选取具有表现力、富有抒情意味的物象和景象来形成一种氛围，创造一种意境，是戏曲传情达意经常采用的一种表现手法。表达人物沉郁激壮感情，经常以天、地、风云雷电、日月星辰作为选取对象。唐朝诗人孟郊的诗："天地入胸臆，吁嗟生风雷。文章得其微，物象由我裁"，就表现了这种取象的特点。唱词让雷电的剑形与锋利相联系，五指山可成拳形与力量相联系，赋予动态的雷电、静态的山以吴清华所希冀的强大力量，倾吐对封建制度的强烈仇恨。雷电和五指山成了人物情感、情绪的物化形态，营造出诗的意境，寄寓人物的思想感情。

其实，这段唱词情感浓郁、措辞精美，语句诗情浓郁，本身就是一首优美的诗。比如"湿淋淋分不出哪是血呀哪是雨，黑压压看不清密密椰林哪是边"就是结构形式优美的对偶句。"湿淋淋"、"黑压压"是由叠音后缀构成的形容词，用色彩和声响描摹出吴清华凄苦无助的心境。"分不出哪是血呀哪是雨"，"看不清密密椰林哪是边"结构相互映衬的语义顺向强化了这种心境。语气词"呀"是为了使对偶句字数相等而选用的，但它不仅仅起衬字的作用，它的慨叹，增加了抒情意味，还舒缓了绵长的语气节奏。这些手法都构筑了诗的结构，诗的意境。

（二）阔大宏美的情感要素

"样板戏"经常选取一些物象、景象来烘托气氛，抒发感情。通过以情入景，以景托情的手法创造出情景交融的意境。但"样板戏"选取的这些物象景象，几乎见不到花呀草呀，鸟呀虫呀这些自然景物中表意微弱的物象，多是"青松翠柏、丽日朝霞、高山大海"这些表意雄阔或"红旗、救星、红太阳"等表意宏伟的词语。这大概与那个年代提倡革命化，反对小资产阶级情调有关，当然主要与"样板戏"的斗争题材密切相关。如"壮志撼山岳，雄心震深渊"；"穿林海，跨雪原，气冲霄汉"；"我恨不能急令飞雪化春水，迎来春色换人间"；"五洲四海红旗飘扬"；"新中国如朝阳光照人间"；"风狂红旗舞，雨猛青松挺，海燕穿云飞，征帆破雾行"；"这阶级的情意重如泰山"等等，所表意象都表现出一种伟岸的形象美。

有些意象秀丽、柔美的物象即使被选用,也被赋予了坚强、革命的语义。

16)但等那风雨过,百花吐艳,新中国如朝阳光照人间。(《红灯记》)

17)娘子军恰似海南英雄树,铁干繁花风雨难摧!(《红色娘子军》)

18)春雷响,天地变,毛主席把阳光雨露洒满人间。(《沙家浜》)

"风雨"借指黑暗统治,"百花"喻指革命胜利后的景象。"花"明喻坚强无比的娘子军战士。"阳光雨露"比喻劳动人民翻身得解放。

像下面这种以宏大意象来抒发一种柔美感情的语句,在"样板戏"中不是很多。

19)想不到今天哪,春风引我到这里,找见了救星,看见了红旗!找见了救星,看见了红旗!(《红色娘子军》)

"春风"借代辞格,借指红军、党代表洪常青。"救星"、"红旗"所表的宏大意象指毛主席和党,这里具化为工农红军。语气词"哪",对偶兼反复辞格和"一七辙"的韵脚,都使这段抒情文字韵味浓郁、感人心脾。充分展示了吴清华从女奴那忧郁、压抑、悲愤抗争的心境转化为找到红军时那明朗、悠徐、激动的心境。

"样板戏"中大量抒情话语是抒发革命理想和革命豪情的话语。如:

20)洪常青 红旗漫卷椰林寨,

黄　威　春雷震塌阎王殿,铁锁铜枷全砸开!
　　……
　　洪常青　阳光下,把大地山河再安排!(《红色娘子军》)

由于使用了"漫卷"、"震塌"、"砸开"、"安排"这些动感性极强仿佛伴随着声响的动词,使理想的抒发显得自信、有力。

21) 砍不尽的南山竹,
　　烧不死的芭蕉根!
　　我丈夫死了,有儿子,
　　儿子死了,还有孙子。(《杜鹃山》)

22) 刀丛剑树也要闯,
　　排除万难下山岗。
　　山高不能把路挡,
　　抗严寒化冰雪我胸有朝阳。(《智取威虎山》)

用比兴修辞格,反复咏叹,抒发了前赴后继、豪情四溢的革命情怀。22)先用一个让步复句来烘托气氛,末句又用倒装的因果复句突出了"胸有朝阳"的主题。"严寒"、"冰雪"与"朝阳"比照,表现出人物的博大胸襟和革命豪情。

不难看出,"样板戏"中的抒情话语,趋向于选取表现强烈爱憎感情、憧憬革命理想、展示革命情怀的话语,而秀丽优美不是"样板戏"抒情话语的主导特征。

第四节　奇崛独特的表现风格特征

古往今来人们的审美都有一种基本的、普遍的心理趋势,即刻意追求新的刺激,新的满足。在审美过程中,总是要求审美对象新奇独特,能提供尽可能多的信息,以便获取新知和新的美感体验。韩愈在《答刘正大书》中把这种心理趋势描述为:"夫百物朝夕所见者,人皆不注视也。及睹其异者,则共观而言之,夫文岂异于是乎?"杜甫立誓"语不惊人死不休"。刘熙载主张"词要清新,切忌拾古人牙慧"。韩愈力主"唯陈言之务去"。李渔提出"人唯求旧,物唯求新。新也者,天下事物之美称也"。这些论述,都精切阐述了求新求异是人的审美本质这个道理。正如《牡丹亭》中杜丽娘唱出的"一生爱好是天然"。作为需要观众的戏剧艺术,作为主要通过写人叙事来获取观众的戏剧艺术,用神奇之笔摹写出惊天地、泣鬼神的奇事,用奇异之法,刻画出鲜活典型的奇人,自然成了戏剧语言孜孜不倦的追求。

在王之望的《文学风格论》中,他根据创作手法,把具有奇正风格的小说、戏剧分成了三类。第一类是幻拟类,如中外神话、传说及根据神话传说创作的作品。第二类是荒诞类,是以荒诞形式反映现实生活的作品,偏重于对客观现象作超常态、超现实的摹写。第三类是传奇类,这类作品大多选择、集中社会生活中带有传奇色彩的素材,经虚构、夸张和艺术加工而敷衍成篇。作品的故事情节既有生活本身的形态、符合生活的逻辑,又"通过偶然的、巧合的,以至'超人间的'情节来引起故事的转变。使故事情节的发展既在情理之中,又出乎意料之外。既给人以真实感,又比较曲折离奇,而且有引人入胜的效果"①。比照这三种类型,"样板戏"除《海港》、《龙江颂》外,其余的剧与传奇类非常接近。"样板戏"既没有神话传说中的神怪妖魔的描写,也没有荒诞离奇的情节出现。"样板戏"的创作是一种写实,但又不是纯粹写实、逼真再现客观生活的写实,而是有传奇色彩、理想色彩的写实,是通过戏剧情节的传奇性,表现了英雄人物性格之奇、情思之奇的写实。

戏剧理论家李渔在《闲情偶寄》推出了"机趣"作为戏剧语言审美的一种境界。他说:"机趣二字,填词家必不可少。机者,传奇之精

---

① 王之望《文学风格论》,第 186～187 页。

神;趣者,传奇之风致。少此二物,则如泥人土马,有生形而无生气。"①为了使戏剧语言富有机趣,李渔又提出熔字炼句取"尖新之语"的语言主张。"尖新"既对戏剧语言提出新鲜不陈腐的要求,又提出生动活泼,富有表现力的要求。考察"样板戏"话语,其中确实有不少在奇特语境中产生,具有超出寻常审美体验的"尖新之语"。这些"尖新之语"综合表现出一种奇崛独特的风貌,在一定程度上,用"传奇之风致"表现了"传奇之精神"。我们试从三个方面来加以论述。"尖新之语"我们表述为"奇语"。

一 奇语——人物的面具和进攻的武器

人物在剧中,一般只以一种角色或身份面貌出现。要么是军人,要么是农民;要么是男人,要么是女人;要么是人,要么是鬼。如果在同一出戏中,人物以双重身份或多重身份交替出现在舞台上,那么我们说这些人物具有多重身份。这里所言多重身份不是指一个人既为局长,又兼父亲、儿子、丈夫、女婿这种身份,也不是指《窦娥冤》中窦娥被冤斩后,又变为鬼魂告状,以人、鬼两种状态存在,《牡丹亭》中杜丽娘由生而死、由死而生的人、鬼、人三种状态存在,而是指剧中人有对内公开、对外隐秘的多重身份。多重身份重合在一个人物身上,但在特定的语境中,只以一种身份出现。如杨子荣有中国人民解放军、皮货商、土匪胡标三重身份,但在威虎山,他只以土匪胡标身份出现。

"样板戏"富于传奇色彩的情节,使人物面貌呈扑朔迷离、真假难辨的态势,每一出戏中都有多重身份的人物。

这些人物的多重身份有的有外部特征加以区别,如杨子荣装扮成土匪、洪常青装扮成华侨巨商、赵勇刚装扮成车把式,都脱下了军装换上了与之身份相符的服装,带上了证明其身份的物件。如杨子荣的联络图;洪常青丫头随从成群,礼品贵重,还有"广东省政府"的公文;赵勇刚的红缨车鞭等。但更多的多重身份人物没有外部特征可供辨认。那么,这些人物主要靠什么在特定场合把其隐秘身份隐

---

① 《中国古典戏曲论著集成》(七),第 24 页。

第七章 "样板戏"话语的表现风格特征

剧　名	人　物	身　份　一	身　份　二	身　份　三	身　份　四
《智取威虎山》	杨子荣	中国人民解放军	皮货商	土匪胡标	
	小常宝	哑巴男孩	女孩		
《红灯记》	李玉和	铁路工人	地下党员		
	王连举	铁路巡警	叛徒		
	磨刀人	磨刀人	游击队员		
	假交通员	交通员	特务		
《沙家浜》	阿庆嫂	茶馆老板娘	地下党员		
	程谦明	县委书记	大夫		
《红色娘子军》	洪常青	红军党代表	华侨巨商		
	吴清华	南府丫头	红军战士	华侨巨商丫头	
《平原作战》	赵勇刚	新四军排长	车把式	王掌柜	火车司机兼日寇犬养中佐特工队员
《奇袭白虎团》	严伟才及战士们	志愿军战士	敌伪军师部搜索队队员		
《杜鹃山》	温其久	自卫队副队长	内奸		
《磐石湾》	裘二能	渔民	暗藏海匪		
	08	匪特	公安人员		
	丁文斋	敌副司令	共产党干部		
《海港》	钱守维	调度员	阶级敌人		
《龙江颂》	黄国忠	社员	阶级敌人		

藏起来,给话语客体造成假象,来保护自己呢？语言,只有语言,只有富于动作性的戏剧语言独具这份功能。因为外部特征提供的信息,还不是人物真实身份的全部信息,比如座山雕就对土匪打扮的杨子

荣心怀戒备心理,南霸天就一次次试探洪常青,日军曹长一开始就不信任赵勇刚。而语言这种功能,它能造成种种假象,牢牢地筑成自我保护的防线,使话语客体深信不疑。语言就像一张面具,隐蔽了人物的真实身份,挡住了怀疑者的置疑,必要时,语言又会变换为锐利的武器进攻对手,从而达到保护自己的目的。语言的这种防御功能和攻击功能,体现为语言强烈的目的性,或称动作性。

戏剧语言富于动作性,既是戏剧语言第一位的要求,又是戏剧艺术对生活的真实反映。因为人物总是为着达到某种目的,实现某种意思而进行交际的,交际中,必然要与周围的人发生种种关系,从而处于各种各样的矛盾冲突之中。而矛盾冲突的不断发展,也推动了事物的运动发展。一旦这些矛盾冲突被反映在艺术形式的戏剧中,它们就构成了戏剧情节的冲突,反映戏剧冲突的表现形式,就是富于动作性的戏剧语言。简言之,戏剧语言的动作性就是话语主体为了实现某一目的施行了语言行为,这些语言行为促使话语客体产生强烈的动作感,包括外部形体动作、表情、心理变化等,从而把戏剧冲突的形成、消解展示给观众的言后行为。如《智取威虎山》第八场中,座山雕对杨子荣的身份并未确信不疑,遂安排了一次佯装解放军进攻威虎山的场面来加以考验。

  杨子荣 枪声!
      〔远处喊:"冲啊!杀啊!"近处喊:"共军来了!""共军来了!"
  杨子荣 什么!同志们来了?(思考,立即判断)不!参谋长接不到我的情报,在这个时候是不可能来的。
      〔枪声更紧,喊声更近。
  杨子荣 枪声也不对!哼哼,又是试探!好,我给他个将计就计,把情报送出去。(对空鸣枪两发。向左方喊)弟兄们!共军来了,跟我出击!
      ……
  座山雕 老九,老九,慢着。

杨子荣　怎么？
　　座山雕　嘿嘿！这是我布置的军事演习。
　　　　　　……
　　杨子荣　三爷，咱们威虎山，要讲防御，是没说的了。
　　座山雕　哈哈哈哈！
　　杨子荣　可是咱们不能光等着人家来打咱们哪。
　　座山雕　对，依着你怎么办？
　　杨子荣　现在咱们就演习追击。
　　座山雕　唔！
　　杨子荣　把兵练得棒棒的。
　　座山雕　对。
　　杨子荣　等吃过百鸡宴，进攻夹皮沟！
　　座山雕　（抓住杨子荣的手）你真是好样的！老九，就派你率领着弟兄们演习追击。

　　这段对白形成的戏剧冲突在于，座山雕总是想看看杨子荣用"许旅长的饲马副官胡彪"构筑的面具后的真实身份，而杨子荣不断用语言来加固这个面具，不让他看见面具后的秘密。在经受住解放军佯攻的考验后，杨子荣用"咱们"的三次复现，"把兵练得棒棒的"、"等吃过百鸡宴，进攻夹皮沟"这些座山雕最爱听的话进一步贴进关系，获取信任，结果争取到主动出击的机会。
　　"共军来了"的奇语，引起杨子荣情绪强烈的反应，他紧张思索、迅速判断，然后决定将计就计，把情报送出去。而座山雕一看这招不灵，只有尴尬摊牌，"是我布置的军事演习"。杨子荣相机行事，提出追击演习，达到了计送情报的目的。整段对白展示了座山雕主动出击、摊牌、妥协退让，杨子荣接受考验、争取主动、送出情报这样一个矛盾冲突的过程，简言之，就是语言进攻——防御——反击这样一个冲突过程。矛盾冲突中，人物语言、心理活动、外部动作紧密配合、相互促进，展示了冲突过程，表现了奇语强烈的动作性。这种动作性，表现在两个方面。

(一) 奇语的面具功能

奇语的面具功能、经常被剧中多重身份的人物用于防御。以《红色娘子军》"里应外合"一场为例：

在南霸天及众土豪党棍心目中，形势已于他们不利，"海南岛风雨飘摇，共产党神出鬼没，虚实莫测"，所以见到华侨打扮的洪常青，自然会在寒暄中夹杂试探、疑问：

南霸天　洪先生确实离乡日久，人地两生了。海外归侨，直达本岛，都是从金鹰港上岸，洪先生却从椰村而来，这不是舍近求远了吗？

洪常青　归途中绕道广州，再返本岛，请问，不走这条路，该走哪条路呢？

地　主　是啊！从广州而来，此乃必经之路。

南霸天　不过，椰村邻近红区，路上怕不大安全吧！

洪常青　哦？椰村乃椰林寨之门户，听说南团总的民团独霸一方，怎么，连椰村也不能确保安全了吗？

南霸天　这？（尴尬地笑）嘿……看来洪先生对我椰林寨倒是并不生疏啊！

洪常青　哼！出海不问风浪事，如何打得大鱼回？

南霸天的话字字有刺，句句设陷阱。第一次问话即置疑：为何不按海外归侨寻常的金鹰港路线返回。第二次问话即切中问题的实质，貌似关心的话语，暗藏着潜台词：与红军有无关系。洪常青的第一轮应答轻松自如，积极防御的手段是用"不走这条路，该走哪条路呢"的问句，引出地主"此乃必经之路"的答句。第二轮会话洪常青反守为攻，避开南霸天话语"不大安全吧？"表露出的明显倾向性，用一个选言判断构成的推理，把话语机锋转向南霸天自己。椰村是你南霸天的势力范围，我路过椰村安全，说明你的势力强，不安全，说明你的势力弱。无论南霸天选择哪一个判断，都于他不利。承认路过安全，证明洪常青与红军无涉，与自己刚提出的问题矛盾；认定路过不安全,又必须以承认自己势力弱为前提。所以南霸天如骨鲠在喉,只好甘拜下风,退守老营"嘿……看来洪先生对我椰林寨倒是并不生疏啊"。洪常青则气宇轩昂,用比喻兼双关的"出海不问风浪事,如何打得大鱼回?"表明了捣毁南府、消灭南霸天、取得斗争胜利的决心。

把奇语的防御功能运用得灵动巧妙、淋漓尽致,还数《沙家浜》中"智斗"这场被称为经典的戏。

日寇扫荡三天整,前脚刚走,胡传魁的"忠义救国军"后脚就开进了沙家浜。阿庆嫂急于弄清"他们究竟姓蒋还是姓汪"?是长住还是路过?以便安排接新四军伤病员回转。胡传魁因念记阿庆嫂当年的救命之恩,一到沙家浜、就"先到茶馆里来坐坐"。刁德一随胡传魁来到茶馆,三人一碰面,好戏就开场了。

刁德一表面斯文、实则工于心计,是死心塌地投靠了日寇的汉奸。剧中常用刁德一"嘿嘿嘿……"的笑声与胡传魁"哈哈哈……"的笑声作对比,以胡传魁的鲁莽、豪气比照刁德一的阴险、狡猾、狠毒。

"样板戏"把传统戏曲常用的一人背供的艺术形式改造为三人背供,让三人同时向观众吐露心曲,扩充了戏曲表现人物心理的功能。

  刁德一 这个女人不寻常!
  阿庆嫂 刁德一有什么鬼心肠?
  胡传魁 这小刁一点面子也不讲!
  阿庆嫂 这草包倒是一堵挡风的墙。
  刁德一 她态度不卑又不亢。
  阿庆嫂 他神情不阴又不阳。
  胡传魁 刁德一搞的什么鬼花样?
  阿庆嫂 他们到底是姓蒋还是姓汪?
  刁德一 我待要旁敲侧击将她访。
  阿庆嫂 我必须察言观色把他防。

这段心理描写奠定了斗智的基础,也给斗智的三方定了位:刁德一要主动"访",阿庆嫂要积极"防",胡传魁是不满刁德一搞的鬼花样。

　　刁德一首先以明褒实疑的话语向阿庆嫂发难："我佩服你沉着机灵有胆量,竟敢在鬼子面前耍花腔,若无有抗日救国的好思想,焉能够舍己救人不慌张。"阿庆嫂坚守自己"茶馆老板娘"的身份防线,用"开茶馆,盼兴旺,江湖义气第一桩"这些生意经把话挡了回去。接着说希望背靠司令这棵大树,"也是司令洪福广,方能遇难又呈祥",是想充分利用可以利用的力量,把胡传魁朝自己这边又拉了一拉,把这堵挡风的墙筑高一点,牢一点。

　　刁德一头一遭没得手,不甘心,又发起第二次进攻。

　　　　刁德一　新四军久在沙家浜,
　　　　　　　这棵大树有阴凉,
　　　　　　　你与他们常来往,
　　　　　　　想必是安排照应更周详!

　　刁德一的狡诈在这段唱词里展现得淋漓尽致。从语气上看,句子全选用肯定态,本来事态是以三种状态存在的:可能态、否定态、肯定态,刁德一不容分说的肯定语气,排除了其他两种事态的可能性。先给阿庆嫂定了性:与新四军有联系,有罪。从语词的选用看,"久"、"常"、"想必是"、"更"、"周详"这些词语都多个角度强调、印证了肯定语气,并且起到了反复地提醒胡传魁注意阿庆嫂与新四军有来往的作用。从逻辑推理看,刁德一以阿庆嫂的话作大前提顺势推出设有语言陷阱的小前提和结论。你阿庆嫂开茶馆一为讲义气,二图背靠大树好乘凉,那么,新四军是棵大树,你肯定对新四军照顾有加、周详备至。机智过人的阿庆嫂始终牢牢守住自己的阵地,还是用生意经作为语言防御功能;摆脱刁德一设定的语言陷阱,滴水不漏地回击了刁德一的挑衅。

　　　　阿庆嫂　垒起七星灶,
　　　　　　　铜壶煮三江。

摆开八仙桌,
招待十六方。
来的都是客,
全凭嘴一张。
相逢开口笑,
过后不思量。
人一走,茶就凉……
有什么周详不周详!

　　智慧老练的阿庆嫂回答得确实精妙绝伦,字字句句透出了她谋事必胜、高人一等的本领。她先用四句源自民间,表达生意人包容四方宽阔胸怀的句子作铺垫,托出了要强调的重中之重的句子"来的都是客,全凭嘴一张",表明新四军于我也是客的要义。按生意之道:"相逢开口笑,过后不思量",打个比方,就像"人一走,茶就凉"一样,新四军一走,我们就无联系,谈得上什么周详不周详。回答得丝丝入扣,逻辑严密,确实是不折不扣的"尖新之语",令无言以对的刁德一只好嘿嘿干笑,连叹"佩服!佩服!"

　　有时候,人物的防御面具已经脱落,人物还要利用奇语的防御功能来争取重新戴上面具,改变不利的处境。如《龙江颂》中的黄国忠偷偷溜去破坏大坝被逮住,他还装着理直气壮的样子:

　　黄国忠　你们不要冤枉好人!我这不是破坏,我是为大家着想!(佯作痛心)我不忍心乡亲们遭受这么大的损失啊!常富哥,大队长,你们是了解我黄国忠的。

　　把破坏说成是为大家着想,力图开脱罪责,重新戴上"好人"的面具,这黄国忠确实善于利用"尖新之语"来保护自己。

　　(二)奇语的反击功能

　　多重身份的人物经常运用奇语作为反击的工具。

《智取威虎山》第十场,栾平从夹皮沟我军手中逃脱,跑到了威虎山。这给多次审讯过他的杨子荣带来了极大的威胁。1964年演出本中有杨子荣见到栾平后的一段独白:

> 这不是栾平吗?他怎么来了?越狱逃走?宽大释放?是不是大麻子偷袭夹皮沟,他趁机逃出来的?——他这一来,定要坏我大事!嗯,不如趁我当值日官,瞒过座山雕,把他毙了吧!不妥,这样一来,会引起座山雕的怀疑。——我先躲一躲?躲不得,我一躲,谁来指挥这百鸡宴的"酒肉兵"啊?——嗯,座山雕最痛恨被我军俘虏过的人。有了,在栾平身上我就是这一着。

这段独白清清楚楚地展示了杨子荣内心激烈的冲突,从被动到主动,从急无良策的紧张心理到胸有成竹的镇静心理的整个过程。1970年改定本把这段独白改成了富有动作性的奇语。

> 座山雕　老九,你看看谁来啦?
> 杨子荣　呃。(见栾平一惊,立即镇定下来,抓住敌人虚弱的本质,机智地先发制人)噢!栾大哥,你怎么上这儿来了?怎么样?这次投靠侯专员得了个什么官?我胡标祝你高升!

杨子荣的话充满动作性:给栾平参与对话规定了"我是胡标"这样一个语境。重述刚见座山雕时的话,提醒众匪栾平当初不愿投靠座山雕,而去投靠侯专员的不忠行为,以期激起众匪的义愤。

杨子荣的话起到了他预期的效果,众金刚一起讥讽栾平。栾平先是茫然,后清醒过来,奸笑着说"嘿嘿嘿嘿,好一个胡标!你……你不是……"杨子荣机智地截断了栾平的话头,"我不是?是我的不是,还是你的不是?"把栾平话中的判断动词"是"转换为形容词"是"。把指认杨子荣不是胡标转换为指责胡标不仁不义。这是多么惊心动魄、机智果敢语义的转换!杨子荣再次用"我胡标"同位语强调自己现在的身份,"我胡标够朋友,讲义气! 不像你姓栾的,当初我劝你投靠崔旅长,你硬拉我去投侯专员,这不能怪我不义气!"紧接着机锋一转,提出了栾平最怕回答的问题"快回三爷的话,今儿个你到这儿来,有何公干哪?"

栾平张口结舌,无以应对,在众匪们的嘲笑声中终于喊出:"别笑了! 你们都中了奸计了! 他不是胡标,他是共军!"一句奇语,石破天惊! 话音刚落,众金刚掏出武器,瞄准杨子荣。情况危急万分,空气也为之凝固,稍有犹豫、迟疑,都会危及生命,造成一着不慎,满盘皆输的结局。

好个智勇双全的杨子荣,他色不改、心不惊,运用奇语这个武器,反守为攻,出奇制胜,惊中有险,险中出奇地降服了栾平,保护了自己。只见他哈哈大笑,镇静地说:

> 杨子荣　好,你说我是共军,就算我是共军。现在,你当着三爷跟各位老大的面儿,就把我这个共军的来历谈一谈吧!

杨子荣的语言策略是:抓住座山雕痛恨被共军俘虏过的人的心理。这一着真高明,杨子荣的话果然激活了座山雕的怀疑神经:

> 座山雕　对,你说他不是胡标,是共军,你怎么跟他认识的?

杨子荣又步步紧逼;推给栾平一个两难推理的问题:

> 杨子荣　是共军把你放了? 还是共军派你来的?

栾平选择任何一个推理作答,都是座山雕心理不容的行为。至此,杨子荣用奇语从心理上、气势上完全击倒了栾平,致使栾平见势不妙,不得不跪在杨子荣脚下大喊"胡标贤弟"、"九爷,九爷饶命"。

二 奇语——奇事的载体

戏剧是一种为观众而表演的艺术。它存在于观众之中,在观众中形成和发展。任何剧目,只要拥有广泛的观众,也就拥有了长久的生命力。因为观众是戏剧艺术的出发点和归宿,所以在戏剧艺术的一切规律中,正如莫里哀所言:"博得广大观众喜爱是最大的规律。"

"样板戏"在十年"文革"中,传唱于几亿人之口,八九十年代又唱遍神州,若抛开"文革"中行政干预造成的"八亿人民八台戏"的畸形因素不论,比照"样板戏"与观众的关系,广大观众能接受"样板戏","样板戏"所传故事浓郁的传奇色彩,恐怕是其中重要的因素之一。除《海港》、《龙江颂》外,其余八出戏都有情节离奇,人物行为超乎寻常的吸引人的故事。当然,"样板戏"能获得观众,主要因为"样板戏"代表着戏剧的变革,区别于传统戏道德劝善的伦理本位,把目光聚焦于探索人与社会的人本位,并通过传奇故事中的人物命运,映射社会历史,阐发人生社会哲理,切合了"文革"其时和八九十年代人的审美心理。也就是说,戏剧艺术的创新,除了取材上做到事新、事奇,还与挖掘主题思想,尽说具有社会意义的事理有密切关系。因为"凡说人情事理者,千古相传"。"样板戏"正是因情节离奇,又代表当时审美标准,所以在一定程度上获得了庞大的观众群。

而"样板戏"话语中那些奇崛独特的话语,就充当了离奇情节、人生社会哲理的载体。

《红灯记》中,李玉和一家三口亲情融融,家虽贫寒,却小孝老,老疼小,其乐无穷。原始文本中有不少感情交流的描写,70年代改定本中都予以删除。作为穷人的孩子,铁梅"提篮小卖拾煤渣、担水劈柴也靠她,里里外外一把手,穷人的孩子早当家"。作为革命的后代,她耳濡目染,懂得了许多革命道理,但毕竟年纪小,爹爹奶奶"怕谈以往",没有告诉她悲壮惨烈的家史。可忽然间天塌地陷,铁梅的生活出现巨变。爹爹被日本宪兵队带走,奶奶意识到处境危险,于是告诉铁梅:"铁梅,眼泪救不了你爹!不要哭。咱们家的事应该让你知道了!"

第七章 "样板戏"话语的表现风格特征　　241

  李奶奶　孩子,你爹他好不好?
  铁　梅　爹好!
  李奶奶　可是爹不是你的亲爹!
  铁　梅　(惊异)啊!您说什么呀?奶奶!
  李奶奶　奶奶也不是你的亲奶奶!
  铁　梅　啊!奶奶,奶奶,您气糊涂了吧!
  李奶奶　没有。孩子,咱们三代本不是一家人哪!你姓陈,
  　　　　我姓李,你爹他姓张!(《红灯记》)

  一家三口三个姓,来自三个不同的家庭,事不可谓不奇。铁梅对白中两次出现的感叹句"啊!"及一系列感叹句、疑问句,都是铁梅惊异万分、难以置信的巨大反差情绪的反映。其后奶奶痛说的惊心动魄的革命家史,字字句句重千钧,使铁梅认识到了生活的苦难,前赴后继斗争的艰巨性。对于观众,因李奶奶的一家三代不同姓及革命家史的话语,大大超过审美期待值,产生了新的心理刺激,因而获取了强烈的美感效应。
  《智取威虎山》中杨子荣在雪地里救了一个哑巴男孩,并送他返家。几天后重访,剧情出现令人惊异的一幕:

  杨子荣　老常,这一带叫座山雕糟蹋得够苦啦!你们爷儿
  　　　　俩躲进这深山老林,一定有深仇大恨哪!
  常猎户　激愤地坐下,拔起斧头……
  杨子荣　老常,说吧!
  常猎户　(不愿触及伤心事)八年了,别提它了!
  常　宝　(情不自禁地)爹!
  常猎户　(一惊)常宝,你……
  杨子荣　孩子!毛主席、共产党会给我们作主的,说吧!
  常　宝　叔叔!我说,我说!

  一声"爹!"如雷乍响,振聋发聩,撼人心魄,让所有在场的人都大

吃一惊。常猎户一惊,是常宝暴露了装哑八年的秘密;杨子荣一惊,是哑巴开口说了话,还道出"充哑人女扮男装","只盼早日还我女儿装"的秘密;观众一惊,是这奇语激活了他们求异求新的心理,在剧情的高潮中,与剧中人同感同悲同喜。

阿庆嫂曾是"忠义救国军"司令胡传魁的救命恩人,所以胡传魁面见阿庆嫂就抱拳唱道"似这样救命之恩终身不忘,俺胡某讲义气终当报偿"。刁德一对"眼观六路,耳听八方,胆大心细,遇事不慌"的阿庆嫂有怀疑,多次试探、质疑。胡传魁对此大为不满,还说"这小刁一点面子也不讲"、"老刁,你瞧你"、"老刁,别自作聪明了"。可当戏到尾声时胡传魁听到阿庆嫂说"对,我们一定要公审他们",疑惑地问:"你是……?"阿庆嫂坚定明确地告诉他:"我是中国共产党党员!你们这些日本帝国主义者!民族败类!"胡传魁大惑不解,救命恩人与报恩者的关系,怎么突然变成了胜利者与手下败将的关系。

红云岭上,红军战士终于打退了敌人的第12次冲锋。为掩护战友撤退,洪常青留下坚守阵地,终因伤重昏迷过去。

老四在山口发现洪常青,吓得大叫一声。

　　南霸天　什么?
　　老　四　总,总爷!洪……
　　南霸天　洪……?!

南霸天及老四惊不成声、张口结舌、目瞪口呆。半截子话,惊叹号、疑问号并用惊叹号,都真切地摹写了他们惊恐万状的心理:欲投资10万银元创办橡胶园的华侨巨商洪常青怎么会浑身鲜血躺在硝烟弥漫的这里。

这些都是令观众新奇,获取审美愉悦的奇语。

《红灯记》中,铁梅钻里屋炕洞从慧莲家出去找磨刀师傅接关系了,特务进来盘查。

　　李奶奶　干什么的?

> 特务乙　查户口!
> 特务甲　你孙女哪?
> 李奶奶　病啦。
> 特务乙　病了?在哪儿呢?
> 李奶奶　里屋躺着哪!
> 特务乙　叫她起来!
> 李奶奶　孩子病了,让她歇会儿。
> 特务乙　躲开!(推开李奶奶欲掀门帘。)
> 　　　　〔帘内声:"奶奶,谁呀?"
> 李奶奶　查户口的。
> 　　〔二特务相对无奈,出门下。李奶奶关门,回身惊望。慧莲从里屋出。

特务要掀门帘,奶奶紧张,观众焦虑,因为铁梅刚刚走。一声"奶奶,谁呀?"缓解了奶奶、观众的紧张情绪,以为铁梅又转回。门帘一掀,却是慧莲从里屋走出,又让奶奶与观众一喜。情绪的起伏,是一波未平,一波又起,奇趣横生。毛宗岗在《第一才子书》42回批语中写道:"读书之乐,不大惊则不大喜,不大疑则不大快,不大急则不大慰","令读者眼中,如猛电之一击一来,怒涛之一起一落。"①综合观照上述奇语,这读书的审美感受与观剧的审美感受又何尝不一样,也是因情绪的大起大伏才产生强烈的审美感受。

《杜鹃山》中,雷刚聚众造反,三起三落,致使"多少好兄弟血染山岗"。逃回山中,痛定思痛,渴望找到共产党。在急切的盼望中,李石坚带来了有关共产党的消息:"杜鹃山来了两个共产党员。"但一个"不幸牺牲,一个负伤,被捕入监,明天一早,祠堂门前,游乡示众,开刀问斩!"众战士急问"怎么办?"

> 李石坚　不下汪洋海,

---

① 转引自王之望《文学风格学》,第184页。

		难得夜明珠！
郑老万	你是说……	
李石坚	咱们乔装改扮，	
郑老万	星夜下山，	
李石坚	出其不意，	
罗成虎	劫法场，大闹三官镇，	
众战士	搅他个人慌马乱！	
李石坚	这共产党……	
雷　刚	你是说：抢？	
李石坚	抢！	
众战士	抢？！	
李石坚	找不到就抢嘛！	

　　大家热烈的讨论把意思一层一层地向"抢"这个语义中心推进，把气氛逐渐地酿造到"抢"字呼之欲出，但由雷刚说出这个"抢"字还是大大超出了观众的心理期待值，因为好像"劫法场"、"救"等词语比"抢"更符舞台气氛。但再一回味，就体会出这个字的精妙确切处。表现自发农民革命军的政策水平，刻画他们粗犷、鲁莽的性格，描摹他们求贤若渴的心情，有哪一个词比"抢"更合适！"抢一个共产党领路向前"，是剧作的点睛之笔，它传奇又传情，是意新辞美的尖新之语，是老舍推崇的"点石成金"，"谁都感到惊异，拍案叫绝"的奇崛之语，是王朝闻赞赏的所谓敲得响的语言。其所以能够敲得响，不只是因为观众对它的内容有所体会，也在于它确实使人物性格突出鲜明。

三　奇语——奇境中的话语

　　老舍在论戏剧语言时阐述到"有什么情节，就有什么语言来支持"①，陈望道也提出"修辞以适应题旨情景为第一义"②。两位先生

---

① 老舍《论剧作》，第 107 页。
② 陈望道《修辞学发凡》，第 11 页。

的精辟论述启发我们注意到"样板戏"话语中的一类奇特现象：为了适应剧情传奇色彩的需要，为了更好地刻画在特定环境中的人物性格，"样板戏"话语中多处选用了隐语中的黑话、暗语、行业语、双关语、歇后语等这些语言的社会变体。

隐语、黑话、暗语、行话等术语在印欧语中有着大致相当的内涵和外延，如：《新英汉词典》中词条"argot"释为"［法］隐语；（盗贼等的）黑话，暗语"。词条"cant"释为："行业术语，行话"，"（小偷等的）黑话，切口"。《语言与语言学词典》中，词条"cant"释为："隐语，黑话，某一地方、社会或职业集团、尤其是社会下层特有的行话（Jargon）。可替换术语：argot（隐语、黑话），lingo（隐语、行话）。"考察汉语"隐语"的实际，我们发现，汉语中隐语概念的内涵外延都大于印欧语的隐语。汉语的隐语与黑话、暗语、行话等不是同一个层级上的概念，隐语是包容性极强的上位类型，双关语、歇后语、委婉语、黑话、暗语、行话等是以隐秘性为特征，以社会交际需要和人类思维进化为前提发展出来的下位类型。而在汉语语言学词典、论著中，这些术语也有混为一谈的。如清人翟灏在《通俗编》中，摘引了《游览志余》所搜集的杭州各行各业、"江湖杂流"的隐语，但是行话、行业语和黑话是同用"市语"这个术语来界说的。《现代汉语词典》中"行话"与"行业语"是作为可替换术语使用的。显然，确定印欧语、汉语中"隐语"的语义域，梳理汉语中"隐语"与其下位类型之间的关系，认识隐语所反映的汉民族历史文化和思维方式，于语言运用于科研都是极其有益的。

隐语这种语言现象古已有之，不过，古代隐语仅指暗示事物或文字让人猜测的谜语。陆谷孙的《英汉大辞典》，吴光华的《汉英大辞典》，《辞源》、《辞海》等辞典都有隐语即谜语的注释。谜语亦称"瘦辞"、"瘦语"。《国语·晋语》卷五载"有秦客瘦辞于朝，大夫莫之能对也，吾知三焉。"注云："瘦，隐也。谓以隐伏谲诡之言问于朝也。"由于谜语具有疑难性、趣味性和知识性，既能风趣婉曲地传递信息，又能充分体现听说者的语言智慧，所以受到了语言交际者的欢迎。不但以极强的传承性和渗透性遍及全社会，流传至今，还发展出了双关语、歇后语、委婉语等语言新体制和黑话、暗语、行话等隐语。从结构语义的角度来考察,谜语隐约其辞、表层结构与深层语义不一致的特点,应该是后世双关语等各类隐语构成的理据。《汉书·东方朔传》中有"臣(郭舍人)愿复问朔隐语,不知,亦当榜。"这里的"隐语"已不再是谜语,已经发展出不直接说出本义,而用曲折隐伏的词语来表义的语义。另外,谜语运用多种修辞手法构成的特点,又为隐语大量运用隐喻、双关、借代、析字、用典、藏词等手段来扩大内涵外延,包容复杂多样的下位类型,提供了结构上的可行性。元人陈绎曾的《文说》详细分析了隐语构成的四种方法:(1)托喻法,(2)托兴法,(3)析字法,(4)指物借喻法,即是隐语下位类型生成方式的总结。从社会交际功能的角度来考察,有隐秘的行为就有隐语产生,社会交际需求的发展,人类思维的进化,汉民族注重语言文字游戏的审美倾向,都决定了隐语生生不息。

隐语以隐秘性为特征,从古到今,已经发展出了歇后语、双关语、委婉语、黑话、暗语、行话等各种隐语。隐语语义内容由少而多逐渐充实发展的历史过程,正是人类社会交际活动日益丰富、人类思维不断进化的过程。而隐语从单一的谜语不断分化、发展出众多的下位类型,又反映了社会分工日益精细化、明朗化,人类思维日益精密化的必然发展趋势。

无论从隐语的结构还是语义看,根据谜语隐约其辞、表层结构与深层语义不一致的特点发展出的最初的下位类型,应该是歇后语这种变异表达式。歇后语在结构上由前后两部分构成,类似于谜语的谜面谜底。有的歇后语只出现类似谜面的部分,一般谜面谜底两部分都出现。

1)哼,鸡蛋碰石头……(《磐石湾》)

2)乡亲们的情绪,是芝麻开花——节节高哇。(《平原作战》)

前一例类似谜底的部分"不自量力"省写了。后一例类似谜面谜底的前后部分都出现了，这一方面是因为现代歇后语已较少歇后，而以前后两部分并出为常，一方面也因为戏剧艺术是一种视听的时间艺术，话语流程不可能给观众留下仔细推敲歇后语隐秘语义的时间。

双关语也是与谜语有着最直接血亲关系的变体。双关语在句法平面上表现为现此隐彼，在语义层面上是虚此实彼，在语用层面上是借此言彼，最直接表现了谜语的结构语义特征，而且适用于想说，或不得不说，又不能直说的场合。如现代京剧《平原作战》中八路军排长赵勇刚扮成车把式，为了获取日本曹长信任，达到打进敌炮楼的交际目的，采用了双关这种隐语，利用辞面辞里双层丰富的语义关系，传递了超载的语义信息。

 3）高大伯 太君，他可是个好把式啊！
   日本曹长 哦？
   赵勇刚 自从你们到了这儿，我就开始干这一行了。不管风吹雨打，暑热严寒，车载万斤重，马行千里远，稳坐车头一挥鞭，得！驾！什么调皮难逗的牲口，到了我的手里，也得让它规规矩矩、老老实实。

例子的辞里是"自从你们侵入我国后，我就开始与你们展开斗争，不管环境如何恶劣，你们多么凶狠，都只是我的手下败将。"依靠辞面义，赵勇刚取得了日本曹长的信任，而辞里义，则高扬了中国人的志气，表示了与日寇坚决斗争的勇气，而这正是赵勇刚利用双关修辞格想表达的意义。

或由于宗教迷信、封建礼教，或由于感情好恶，婉曲表意，隐语发展出避人所知，避凶就吉，避俗、避秽就雅的下位类型——委婉语。

 4）刘副官 刁小三，都是自己人，你在这闹什么哪？
   阿庆嫂 这位兄弟，眼生得很，没见过，在这儿跟我有点

过不去啊!(《沙家浜》)

阿庆嫂不说"不认识"和"在这儿跟我耍横",而婉曲说出"眼生得很,没见过","跟我有点过不去",是为了缓解刁小三抢包袱抢少女被阻而生的怒气,从而达到解救少女,平息事态的目的。

随着社会历史文化、思维方式的发展,使用隐语的社会集团或群体根据他们各自的文化习俗、交际的需要,创制了一批批特殊的词语。这些词语的流行,使得隐语内部的区别性特征逐渐明朗,逐渐分化出黑话、暗语、行话等下位社会变体。

从古代到解放前,黑社会、流氓集团、匪帮在历代权势干预力无法涉及的社会生活底层,为黑话找到了一片滋生的沃土。从解放后到70年代末,由于帮会、江湖的铲除和政府破旧立新的强硬度,黑话失去了产生的基础。但80年代初至今,社会因改革有了空前的活力,黑话也在违法犯罪人员中找到复活的机会。由于黑话的使用者是与社会为敌的特殊群体,黑话历来被视为与语言主流相对立,不健康、低俗的语言污染物,所以以其"黑"的贬义特征,从隐语中分化出来,自成一类。术语"黑话"的确立,是词语感情色彩对词义演变浸染的典型例子。有人把一些流行的隐语,如干部中流行的"开会——跑马拉松",学生中流行的"家长会后——今夜有暴风雪"等也归为黑话,显然是没有注意到"黑话"被社会价值观所赋予的色彩义。

以词汇语义为视点,"黑话"、"暗语"在"彼此约定的秘密话"上同质。交际目的都是要秘密地传递信息,以确定成员的归属,或增进圈内人的认同感、亲密度。二者的区别点在于:前者有特定的使用域,使用者是黑帮、土匪、流氓、盗贼等,术语"黑话"被注入了贬义;后者的使用者是普通人或代表正义的地下工作者,所以"暗语"呈中性色彩义。如现代京剧《智取威虎山》和《红灯记》为了更好地刻画在特定环境中的人物性格选用了黑话、暗语这种语言的社会变体。

黑话是土匪交际圈子内彼此约定的秘密话语,也是杨子荣打入匪窝必定要熟知,以获取众匪徒认可的话语。小说《林海雪原》描述众匪考察杨子荣的黑话为:

5)"蘑菇,溜那路?什么价?"
"嘿,想啥来啥,想吃奶就来了妈妈,想娘家人,孩子他舅舅就来了。
……"
"紧三天,慢三天,怎么看不见天王山?"
"野鸡闷头钻,哪能上天王山。"
"地下有的是米,唔呀有根底。"
"拜见过啊么啦?"
"他房上没有瓦,非否非,否非否!"
"哂哒?哂哒?"
"一座玲珑塔,面向青带,背靠沙。"
"么哈?么哈?"
"正晌午说话,谁也没有家。"
"天王盖地虎?"
"宝塔镇河妖!"
"脸红什么?"
"精神焕发!"
"怎么又黄了?"
"防冷涂的蜡。"
"好叭哒?"
"天下大大啦!"

　　这些黑话构成方式有的是赋予语言里已有的词语以特殊的含义,有的是按照使用者自己拟定的规则改造现成的语句。
　　"样板戏"只选取了上述加点的部分,目的是点到为止,并不故意渲染气氛,以奇取胜。为了表现杨子荣能从容地应对众匪,操一口稔熟、毫无破绽的黑话,戏剧在前面话语中还作了一些铺垫。在参谋长唱词中,他强调"杨子荣入林海他与土匪多次打交道"。杨子荣请缨时,陈述他有三个条件,第一是"奶头山许大马棒刚垮台,我可以扮作他的饲马副官胡标,这个人现在我们手里,座山雕没见过他;我又熟悉黑话,不会露出破绽"。所以在威虎厅,黑话关一过,座山雕发话:"嗨!照这么说,你是许旅长的人啦?"就初步确认了杨子荣为圈内人。正是这几句充满江湖气息,土匪腔调的黑话所呈现的奇异色彩,使《智》剧话语有了独具一格、亮丽的一笔,也丰富了"样板戏"话语奇崛独特的风格特征。

《红灯记》第二场,交通员与李玉和有一段对白:

6) 交通员　我是卖木梳的,
　　李玉和　有桃木的吗?
　　交通员　有,要现钱。
　　李玉和　好,你等着。
　　　　　[李玉和示意李奶奶拿灯试探。
　　李奶奶　(举煤油灯看交通员)老乡……
　　交通员　谢谢你们救了我,我走啦!
　　李玉和　(高举号志灯)同志!
　　交通员　我可找到你啦!

这段接头用的秘语就是暗语。对上暗号,交通员才放心地把密电码交给李玉和。由于叛徒王连举告密,这段接头暗语已不再是敌人的秘密,敌人利用已经掌握的暗语,派特务冒充交通员来骗取密电码。上述暗语又一次出现在假交通员与李奶奶、铁梅的对白里。

两段对白都是圈内人使用的联络密语,但社会价值观根据使用者的不同,把语义都为"彼此约定的秘密话语"但被强制分成黑话和暗语。所以,例5)是只能是"黑话",例6)则为"暗语"。黑话构成方式有的是赋予语言里已有的词语以特殊的含义,有的是按照使用者自己拟定的规则改造现成的语句。暗语是呈中性色彩义的联络密语,所以既可以为代表正义的人使用,也可为代表非正义的人使用。

《奇袭白虎团》中,我志愿军尖刀班从逃兵口中得知了敌人的口令后,扮着师部搜索队,利用口令的确认功能,插入敌心脏,捣毁了白虎团团部。

7) 张顺和　排长，敌人巡逻队！
　　韩大年　对证口令。
　　金大勇　是。
　　严伟才　快！
　　金大勇　口令？
　　伪兵乙　"古轮木——"。
　　金大勇　"——欧巴"。
　　伪兵乙　噢，是自己人哪！
　　韩大年　差点闹成误会。

　　这里的口令，是对证身份的秘密语，属于暗语。
　　双关是隐语中的一种，它在句法平面上表现为现此隐彼，在语义层面上是虚此实彼，在语用层面上是借此言彼，所以适用于想说，或不得不说，又不能直说的场合。《平原作战》中赵勇刚扮着车把式、王掌柜、火车司机兼日寇犬养中佐的特工队员，为了达到不同的交际目的，赵勇刚多次采用了双关这种隐语。如：

8) 赵勇刚　我们的人可都来了！
　　日寇曹长（对伪班长）何的，你的认识？
　　赵勇刚　岂止认识，我们还是老交情呢，我常给他们家捎东西。（对伪班长）上次在铁路边，不是你让我给你捎过豆子吗？你可是要的"红豆"！
　　伪班长　对，我要的是"红豆"。太君，他是个有名的车把式！

　　对日本曹长来说，"红豆"是食用的豆类，对赵勇刚和伪班长来说，"红豆"指立功受奖记的红点。因在此之前，赵勇刚告诉伪班长："抗日军民掌握着你们的'生死簿'，谁做件坏事，记个黑点，到时候算总账。谁要是改邪归正做好事，就记个红点，立功受奖。"
　　至于也属于隐语的歇后语，在剧中隐语部分已经表达出来了。

9）我们是两股道上跑的车,走的不是一条路。
10）擀面杖吹火,一窍不通。
11）芝麻开花——节节高。
12）秋后的蚂蚱,蹦跶不了几天了。

这是因为戏剧艺术是一种时间艺术,话语流程没有留出给观众去仔细推敲歇后语的隐语的时间。

"行话"是以行当特色从隐语中分化出来的又一类型。它是某些群体和从事某些职业的人的习惯用语,往往是所替换词语的形象表达法。在圈子内,行话具有开放性,在圈子外,行话也是需要解释说明才能理解的。如:中小学生流行的"挂黑板",写作的人流行的"爬格子",国家干部流行的"去世——落实政策"等。解放前的各个行当,如米行、丝行、当铺、黄金行,都有自己的行话,其中"数字行话",又称"暗切头"最具特色。如当铺从一到十的暗切头是:

一,由;二,中;三,人;四,工;五,大;
六,王;七,天;八,井;九,羊;十,非。

与"行话"发生纠葛的术语还有"行业语"。"行业语"是从事各行各业的人们、集团为专业工作需要而创制使用的词语,具有高度的专业性、科学性、稳定性,属于普通词汇中的词语,不具隐秘性,因而不属于隐语。例如烹饪行业的高汤、勾芡、氽,戏曲行业的花旦、西皮、行腔等。而行话只是与行业有关的,为增进语体色彩、表情色彩的替代说法,是特殊的语言现象,有一定的隐秘性和时效性,属于隐语。

在《红灯记》第三场、第七场中,磨刀人吆喝的"磨剪子来抢菜刀",属于行业语。它是穿针引线,推动剧情发展的一句重要话语。

除了分化出来的"黑话"、"暗语"、"行话"、"双关"、"歇后语",隐语中剩余的部分,根据语言习惯,只能称着隐语。由于它们各自内部的成员不够庞大,区别性特征还不够明显,所以还不能自立成类。作

为上位概念的隐语与其下位概念的关系我们表示如下:①

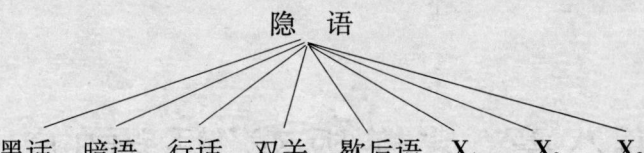

综上所述可知,印欧语中"隐语"概念的内涵外延相对小,通常指某一地方、社会或职业集团、尤其是社会下层特有的行话(Jargon)。可替换术语为 cant(隐语,黑话)argot(隐语、黑话、暗语),lingo(隐语、行话)。汉语中的"隐语"是一个包容了众多下位概念的上位概念,包容了有趣而有疑难的谜语;表示含蓄、幽默、形象的双关语、歇后语;避人所知,避凶就吉、避俗、避秽就雅的一委婉语;既隐且达的黑话、暗语、行话等各种下位类型。除此之外,隐语中剩余的部分,根据语言习惯,只能还称着隐语。因为它们各自内部的成员不够庞大,区别性特征还不够明显,所以还不能自立成类。当然,随着社会发展和研究深入,隐语还可能分化出来新的下位类型。

---

① "$X_1,X_2,X_3\cdots\cdots$"表示"黑话"、"暗语"、"行话"、"双关"、"歇后语"之外的隐语,可能随社会发展和研究深入分化出来的下位类型。

第八章 "样板戏"话语的个体风格特征

朱权《太和正音谱》中"古今群英乐府格式"一节中从曲词的语言风格角度评价了一些作者,如:

> 马东篱之词,如朝阳鸣凤。其词典雅清丽,可与《灵光》、《景福》而相颉颃。有振鬣长鸣、万马齐喑之意。又若神凤飞鸣于九霄,岂可与凡鸟共语哉,宜列群英之上。
>
> 王实甫之词,如花间美人。铺叙委婉,深得骚人之趣。极有佳句,若玉环之出浴华清,绿珠之采莲洛浦。①

这些评价是针对作者的个人风格而言的。古代曲论家极重南北曲的差异,并对此多有评论,比如:

> 北主劲切雄丽,南主清峭柔远。②
>
> 凡曲:北字多而调促,促处见筋;南字少而调缓,缓处见眼。北则辞情多而声情少,南则辞情少而声情多,北力在弦,南力在

---

① 引自蔡钟翔《中国古典剧论概要》,第160页。
② 王世贞《曲藻》,《中国古典戏曲论著集成》(四),第25页。

第八章 "样板戏"话语的个体风格特征

板。北宜和歌,南宜独奏。北气易粗,南气易弱。此吾论曲三昧语。①

南北二调,天若限之。北之沉雄,南之柔婉,可画地而知也。北人工篇章,南人工句字。工篇章,故以气骨胜;工句字,故以色泽胜。②

曲论家辨别南北曲的差异,是根据曲调的风格以及与之相适应的曲文地域的风格,这是曲词的地域风格。

在前几章中,我们把十出"样板戏"作为一个整体,分析归纳其主要的风格特征,是考察"样板戏"的整体语言风格。实际上,作为个体,每一出戏都是有其独特的风格特征的。"样板戏"的创作改编虽然原则上是集体的,大多数剧是集中了当时一流的剧作家和作家进行创作改编,但不可否认的是,尽管作家都是在高压之下,戴着"三突出"的精神枷锁在奉命创作、遵旨创作,但作家的才情和独特的语言表达习惯,还是会通过个人独有的遣词择语、组句谋篇的方式和表达手段表现出来。所以"样板戏"单个文本的语言风格既是时代风格的反映,又有个人特点的流露,所以显现出复杂的风格面貌。下面即以每一出戏为考察对象,在整体研究的基础上考察不同文本独特的个体风格特征,即大同之中的小异。

从民族审美心理的角度看,汉民族审美心理在古代受上古音乐的影响,是以悲为美。汉代可能受到楚国音乐的影响,审美观念转为以喜为美。所以元代以降的古典戏曲中缺少西方戏剧中典型的悲剧。明明是悲剧,结尾也要安上光明的尾巴,在黑暗中露出亮色。就是被公认为悲剧典型的《赵氏孤儿》、《窦娥冤》也不是彻头彻尾的悲剧,也是要在尾部添加亮色。《红灯记》也是一出尾部有斗争胜利亮色的英雄悲剧。苏国荣在《中国剧诗美学风格》中把英雄悲剧描述

---

① 王世贞《曲藻》,《中国古典戏曲论著集成》(四),第 27 页。
② 王骥德《曲律》,第 175 页。

为:"英雄悲剧一般出现于阶级斗争和民族矛盾的尖锐时刻,悲剧内容充满了鲜明的政治色彩。这样的悲剧及其主人公,往往具有事业的正义性、冲突的激越性、性格的刚烈性、效果的鼓舞性等特点。"①《红灯记》具有上述种种特点,它正是以悲剧冲突的宏伟力度和气势打动了千千万万的观众。在剧中,敌人是强大凶恶的,斗争是尖锐残酷的。李玉和参加了二七大罢工的斗争,一家三口又参加了保护密电码的斗争,李玉和、李奶奶并为之献出了宝贵的生命。他们艰苦卓绝的斗争,英勇悲壮的牺牲,高风亮节、正气堂堂的品格,使戏剧语言产生了庄重、豪迈、壮美的格调气氛。

《红灯记》的语言精炼、典雅,千锤百炼,有"十年磨一剑"的美誉。《红灯记》的段子有"提篮小卖拾煤渣"、"我家表叔数不清"这样清新雅丽的唱词;有"闹工潮你亲爹娘惨死在魔掌"这样凝重、沉郁的唱词;有"锁不住我雄心壮志冲云天"这样豪气冲天,气贯长虹的唱词。全剧有三场高潮戏,《痛说革命家史》的话语表现出一种悲壮美;《赴宴斗鸠山》的话语表现出一种隽永豪放的美;《刑场斗争》的话语则表现出一种刚健奋发的美。

《沙家浜》是一出立意深、结构精、语言美的现代戏。其话语清新流畅、优美明快、富含江南水乡情致,形成《沙》剧最显著的语言风格特征。关于《沙》剧的结构框架,陈思和在《民间的沉浮》中提出"民间隐形结构"说。他认为,样板戏"除了《海港》那种次劣的宣传品外,大都来自民间的文化背景。京剧本身是民间文化中的精致艺术,它的艺术程式不可能不含有浓重的民间意味。尽管政治意识形态对这些作品一再侵犯(或可说这些戏的原始脚本;就是国家意识形态侵犯的产物),但是民间意识在审美形态上依然被顽强地保存下来,并反过来制约了这些作品的创作意图"。② 他认为《沙家浜》就是由传统民间文艺中一女三男的角色模型,即"隐形结构演化出来的例子"。

从民间意识的角度去观照"样板戏"话语,感到陈思和的话不无

---

① 苏国荣《中国剧诗美学风格》,第126页。
② 《陈思和自选集》,第216页。

道理。阿庆嫂与三个男角的关系,就是民间一女三男的角色模式。阿庆嫂在日本人眼皮底下救了胡传魁,以勇气征服了他。阿庆嫂以智慧与刁德一较量,游刃有余地智胜了他。郭建光本来是政治权势要拔高为第一主角的人物,无奈这场戏就是以茶馆为中心,围绕阿庆嫂来安排的。郭建光怎么抢戏,也遮不住阿庆嫂是真正第一主角的光辉。没有阿庆嫂,就没有《沙家浜》这场戏,所以,郭建光只能与阿庆嫂形成互衬互补的关系。

《沙》剧与《平原作战》、《红灯记》等剧一样也表现抗日战争、地下斗争这样严肃重大的主题,也有"勾结"、"坚持"、"授计"这几场表现激烈斗争的戏,但由于民间隐形结构的影响,《沙》剧有喜剧色彩的话语,有生活情味浓郁的话语,有严正感情被轻松幽默化了的话语,所以就产生了与其他同样题材戏剧话语不同的轻快、明丽的表现特征。试想,作为戏轴的阿庆嫂巧言善辩,机智过人,精明能干,指挥若定。敌人来软的、硬的,明的、暗的,都被她打得落花流水。人物的交锋少见明枪明炮的斗争,多是唇枪舌剑的智斗。由这种感情基调决定的语言风格就不会是悲壮严正的,而是明快优美的。

《海港》与《红色娘子军》在典雅优美、热情豪放的语言特征方面有着相当的共同性。都采用大量的赋体叙事、摹景、述志、抒情。这是因为赋体较诗体更能详尽细腻地叙事,热烈充沛地表意。刘熙载的《艺概》就指出:"赋起于情事杂沓,诗不能驭,故为赋以铺陈之。斯于千态万状,层见迭出者,吐无不畅,畅无或竭","赋,诗之铺张者也"。[①] 由于采用了赋体,两剧的叙事言情极注意音律美,文辞的设色布采,显得华丽、质感鲜明。语句多选用语义容量大的松句和多项并列成分构成的长句,辞式喜用表意丰厚,语气连贯通畅的对偶、排比、反复和意象鲜明的比喻。《海港》选取的喻体多为水,《红色娘子军》的喻体多为山和树。由于《海港》过于注重戏剧的社会功能,把话语主体当成政治理念的化身,致使其话语总是带有强烈的社会责任感和浓烈的说教意味。词句的选用显得较理性,抒发的感情也空泛

[①] 《刘熙载论艺六种》,第 84 页、85 页。

一些。加之提炼了不少富有哲理的诗句，全剧的基调倾向于严峻、郑重、隽永。《红色娘子军》反映红军的战斗生活，反映吴清华从女奴到无产阶级红军战士的成长过程，语言基调热烈、奔放、明朗。从锤词炼句的功力看，《海港》无论唱词、念白都显得华美凝练些。《红色娘子军》尽管有很多《海港》无法企及的情感真挚、淳朴的语句，但不少唱词、念白则显得有些平白直露，甚至还出现了缺乏诗意，顺口溜、口号似的唱词。如："常青他含悲愤，下决心，昂首前进，参加红军闹革命，英勇奋战为人民！"

《智取威虎山》与《奇袭白虎团》都是军事题材的剧作，都塑造了智勇双全的侦察排长形象，而且情节的安排，矛盾冲突的设置都大同小异。但《智》剧声势浩大，剧情波澜一个接着一个，高潮不断迭起，而且越往后，声势越大。相对而言，《奇》剧人物的心理、剧情的表现缺乏层次、缺乏渐进的高潮。后半部，主要以精彩的武戏来诠释以少胜多，以弱胜强的战术思想，显然不如《智》剧在唇枪舌剑中以心智和意志的力量获胜有震撼力。

杨子荣的形象丰满厚实，是因他拥有多个心理层次的话语。他有侦察返回向参谋长汇报情况的机敏话语；有重访常猎户，体贴民情，体现高度阶级觉悟、政治素质的诚挚、警策话语；有请战和出征时的理想话语；有应对座山雕及众匪，玩其于股掌之上的精湛话语；有与栾平斗智斗勇的机智话语。相比之下，严伟才的形象就单薄多了。《奇》剧的话语板正不奇，是最没有自己鲜明个性的话语。尽管《奇》剧比别的剧还多一个国际背景，但除此之外，它有的别的剧都有。所以，《奇》剧语言给人的感觉若用老舍在《论剧作》中的话来说，就是"没有想像、语言都爬伏在地，老老实实，死死板板"。"看起来缺少些空灵之感，叫人觉得好像逛了北海公园，而没有看见矗立晴空的白塔"。① 其实，没有特点也是一种特点，《奇》剧的这个特点就是拿来过多失去自我的特点。

《平原作战》根据京剧《平原游击队》改编而成，但改编掉了原作

---

① 老舍《论剧作》，第105页。

中的许多独特处。为了强调阶级友爱感情,原作中八路军游击队长李向阳与母亲李大娘的母子关系被置换为赵勇刚与张大娘的军民关系。原作中最有创意的高潮戏是一台演两戏,即在台上同时演日寇松井押李大娘游街,妄图诱捕游击队员的戏和李向阳与战友们在地下联络员陈凤鸣家中待命行动的戏,但在改定本中也被删掉了。由于改编掉了个性、戏剧冲突追求与其他剧作的一致性,语言上也就出现较多的雷同特征。好在改编时由于诗人张永枚的努力,提炼了部分凝练、精致,诗情浓郁的语句,锤炼了从意境到语言都为人称赞的赵勇刚与张大娘的几段对唱,加上许多轻松风趣的双关语的巧妙运用,才使《奇》剧的话语比同为武装斗争题材的《奇袭白虎团》更富有艺术感染力。

《龙江颂》是唯一的一出反映农业题材的"样板戏",与《海港》一样是打上明显政治烙印,涂抹浓厚阶级斗争色彩的戏剧。语言上的显著特点是:有贯彻始终的阶级斗争、继续革命话语,有充满说教意味的政治套话,有空泛的解放全人类的豪言壮语。但由于提炼了大量富于生活气息的语言,如"手心手背都是贫下中农的肉,山前山后都是人民公社的田";反复运用成语"丢卒保车"和谚语"甘蔗没有两头甜"等来说明丢部分保全局的整体协作思想;精心锤炼了"一花独放红一点,百花齐放春满园"等优美清丽的语句,又使剧作保持了一点清新的生活气息。

《杜鹃山》、《磐石湾》以唱词、念白韵律化、节奏化、音乐化的诗化特征作为自己独特个性,形成区别于其他"样板戏"和传统戏曲的创新特色。两剧都在全剧中贯彻类似词曲长短句式的韵白体制,严格炼字炼意,注意合辙押韵,大量选用对仗比兴这种高度形式美的结构形式,使念白形成不唱的韵文,戏剧话语也因之产生典雅精致的艺术形式美。在结构功能上,念白承载了唱词的部分功能,缩小了唱词与念白之间的差距,开创了戏剧表演的新样式。

重新认读"样板戏"文本,认识其话语产生的社会历史文化背景,客观辩证地剖析其语言风格特征,应该给戏曲创作与改编带来诸多鉴往而知今的有益启示。

第九章 "样板戏"话语对传统戏曲话语的偏离

"文革"结束已经28年了,"样板戏"处于贬多褒少的窘况也已经28年了,我们以平静、甚至有些苛求的心态走近了"样板戏"。可不由自主地,我们被它的话语卷进了它所设定的语境,并产生了相当程度的感情共鸣。我们诧异,这些话语尘封已久,远离了人们关注的热点话题,为什么它还能震撼我们已有多元接受能力的心灵。我们疑惑:"样板戏"话语应该被否定的是它过度膨胀的政治功能和负载政治理念的部分,为什么它的情感至真至纯、革命信念坚定、舍身为义的豪言壮语也会受到众多学者的批评? 仔细研读,我们发觉这些话语所表现的感情倾向其实很集中,也很单纯,丝毫不及"文革"后当代人的思维向度那么复杂多变,玄奥高深。用毛泽东的话来归结,就是:"凡是敌人反对的,我们就要拥护;凡是敌人拥护的,我们就要反对。"① 再用当时学习榜样雷锋的座右铭具体化为:"对待同志要像春天般温暖,对待敌人要像严冬一样冷酷无情。"无疑这些话语表现的思想感情,也属于社会推崇的情感范畴之一,为什么不能把它从"样板戏"话语中相对分离出来,与负载政治理念的话语作一区分?

当最初的情感激荡过去,我们冷静地展读传统戏曲文本的精品时;当戏曲人物用他们个性鲜明的话语,向我们展示其内涵丰厚、种类繁多、形式多样的情感世界时,我们的种种疑惑得到了解释。因为

---

① 《毛泽东选集》第二卷,第590页。

塑造人物、抒发情感、表现语言艺术丰富的形式美是戏曲语言最根本的任务和本质的审美特征。一方面,"样板戏"话语选择"情"作为切入点,运用各种艺术手段,渲染一种气氛,强化一种体现阶级共性、代表普遍社会意义的爱憎感情,打动了我们的心,获取了明显的戏剧效应。另一方面由于这种情感话语是缺乏完美的审美品质、有情感缺陷的话语,它偏激地强调阶级共性和抒发革命豪情,把人物多层次的感情极端化为或爱或憎两种感情,把人物丰富复杂的内心感受浅表化、变异化、模式化,塑造出一批没有个性特征,贴着伟大崇高标签的英雄人物。

下面,我们将从四个方面来讨论这种偏离了正常人性的情感缺陷话语。

第一节 中西戏剧中的抒情性

从文体的角度看,无论中西,最早形成的文学体类都是诗歌和散文。随着交际需要,又不断发展分化出一些新的类型。集各类文体、各类艺术表演形式之大成的戏剧出现以后,文体构建且基本上稳定为以叙事性、抒情性、戏剧性为特征三大类型。下位类型的划分也大体如此。黑格尔在讨论诗的美学特征时就把诗分成史诗、抒情诗、戏剧体诗三种下位类型。[①] 叙事性体类以史诗、小说为代表,抒情性体类以抒情诗为代表,戏剧性体类以戏剧为代表。尽管在具体的文体样式中,有时候叙事性、抒情性、戏剧性是水乳交融地交织在一起的,但各种体类呈现出来的倾向性仍然是相当明显的。

以戏剧话语抒情性为视角,不难发现,西方的传统戏剧与中国的传统戏剧对比因素和参与因素最多,也最鲜明。

西方的传统戏剧是典型的"戏剧性戏剧"。擅长表现激烈的戏剧冲突,情节结构紧张紧凑,有一个悬念贯穿始终,人物的积极行动为戏剧的本质特征。人物以展示个人自觉的、强烈的意志为出发点,通

---

① 黑格尔《美学》第三卷(下),第97~101页。

过轰轰烈烈的行动把意志具体化,以给观众带来强烈的震撼为目的。也就是说,戏剧中的人物都有很明确的理想,人物在激烈紧张的戏剧冲突中总是自觉地按照自己的意志去实现理想,并把意志转化为种种外在的行动。正如黑格尔所言的:"戏剧中的人物一方面把他内心中的东西作为他所特有的东西(性格特征)表现出来,像在抒情诗里那样;另一方面又必须在实际生活中发出动作,作为一个完整的主体与他人对立,也就是要有些外表活动,要做些姿势。"①("姿势"朱光潜把它译为"动作"或"行动")相应地,戏剧话语抒发的感情也是与强烈的冲突、意志、行动基调相适应的感情,是一种由相互对立的人物因思想行为激烈冲撞而产生的大起大落、壮怀激烈的感情。

中国戏剧中由于主人公多为弱势群体,反面人物又势强力壮、称王称霸,力量的悬殊,使戏剧很难形成强强对峙的行动语境,所以很难构成强烈的、正面的戏剧冲突,营造对立的感情气氛。另外,人物往往没有极其明确、自觉的意志,剧情的延展也不像西方戏剧,由人物直接把生活中的积极行动表演出来。与西方戏剧以独立自主的对话为主的话语模式不同,中国戏剧的话语模式是以叙述为主,对话为辅,是一种由叙述人来转述的叙述话语,是人物直接向读者或观众直抒胸臆的抒情话语。

中国戏剧以抒情性见长,是一种以抒情性为主的戏剧。中国戏剧有自己一整套独特的话语形式表达体系,最重要的话语是抒情话语。抒情话语追求一种舒缓优美的审美感受,曲词作为传递这种审美感受的主要载体。换言之,曲词中的抒情性占据戏剧抒情的核心地位。特别是在传统戏曲中,剧作家"常常置抒情性于戏剧性之上。这一倾向主要表现在以下三方面:(1)不是将抒情性纳入到戏剧话语之中,而是直接采用抒情的话语模式;(2)不管什么样的人物往往都唱得出很抒情的曲子;(3)越是在关键时刻,越是喜欢抒情"②。

西方戏剧也讲求抒情性,抒情话语也是戏剧话语的必有成分。

---

① 黑格尔《美学》第三卷(下),第 97~101 页。
② 何辉斌《戏剧性戏剧与抒情性戏剧:中西戏剧比较研究》,第 22 页。

但西方戏剧自古至今都是自觉地以戏剧性为目标,关注的是以人物独立对话的话语模式,人物性格、戏剧冲突、情节结构等,抒情性从来就没有进入到戏剧话语的核心层。"他们在利用抒情性来增强戏剧的文学性时,往往使抒情成分服从于戏剧性。所以西方人很少让人物直接向观众抒情,一般都把抒情成分纳入到戏剧对话当中,而且在冲突白热化的时候,就尽量减少抒情性。"①

不难推知,抒情性是所有文学作品构成要素中的必有成分,但西方戏剧是一种以对话为中心的剧本位戏剧,抒情话语只好寓居于对话形式里。不像以曲词为中心的中国戏剧,有大量的曲словой、独白和旁白让演员在舞台上尽情地诉说感情。本来在古希腊戏剧中,西方戏剧话语还有不少独白和旁白,可在现实主义戏剧中,独白和旁白基本上取消了身影。因为西方戏剧观念中对话是对现实话语的模仿,应该切情切景、切合人物的教养、职业等身份特征。

"样板戏"由于其独特的生成语境,在抒情性上表现出极为复杂的特征,对中西戏剧的抒情性都有所继承又有所偏离。

源自1942年毛泽东《在延安文艺座谈会上的讲话》中核心思想的影响:要把文学艺术纳入军事斗争(后转化为政治斗争)的轨道,使之成为整个革命机器的一个组成部分的影响,也有陈思和所提出的战争文化心理的影响,"样板戏"的创作接受了西方戏剧中的许多理念,也说是用戏剧冲突的结构方式来表现革命战争和阶级斗争。在戏剧结构中,如《红灯记》、《海港》,整个戏剧过程始终有一个悬念;戏剧冲突由一系列紧张紧凑的情节来形成、来推动;人物都有很明确的理想,往往通过外部的行动和内心的冲突充分展示人物如何形成了自己的意志;人物的对立倾向明显,力量有时势均力敌,有时敌强我弱,但在由长期的、反复的、艰苦的斗争所形成戏剧冲突中,革命的正义的力量终归是要战胜敌对的力量,取得革命的最后胜利!这些戏剧冲突一般是由革命战争和阶级斗争中敌对双方正面发生的冲撞形成的。所以"样板戏"有着大量充满戏剧冲突,动作性意味强烈的对

---

① 何辉斌《戏剧性戏剧与抒情性戏剧:中西戏剧比较研究》,第25页。

话、独白和旁白,也有着与这种冲突、意志、行动基调适应的强烈的感情话语。

中国的传统戏曲在本质上说是重在抒情也长于抒情的戏剧。"样板戏"发扬光大了这种传统,在比例不少于传统戏曲的曲词中,人物找到了向观众敞开心扉、尽情倾诉感情的场合和机会。只不过传统戏曲中的主人公大多是小人物,抒发的多是个人色彩浓郁的下层人民的感情,抒发的也多为优柔、哀婉的感情。像《杨门女将》、《单刀会》这样代表着民族利益、阶级利益的激壮豪放感情,只占有很小的比例。而"样板戏"中产生戏剧冲突的双方代表的是各自民族、阶级、集体的利益,表现的是一种你死我活、非此即彼的利害关系,所以感情的抒发也是富有壮伟绚丽、意气慷慨、刚健遒劲色彩的。表现这些民族、阶级、集体的利益冲突的戏剧话语就不可能是和风细雨的,而只能是"春雷暴发"式的,"激情汹涌"的,"激愤"的,"声震旷野"的。本来,人的感情世界是丰富多彩的,即使按照阴阳的界说分为阴柔、阳刚,也是存在两大类别的区分的。"样板戏"继承了西方戏剧话语中的戏剧性和中国传统戏剧中的抒情性,倘若把二者很好地结合起来,发扬光大,也能使现代京剧中人物感情的抒发达到一种完美的、符合现代生活的境界。遗憾的是,"样板戏"的感情表达只以尖锐的民族矛盾和阶级矛盾为动力,在"三突出"创作原则的制约下,一步步地向"左"、向极端迈进,抛弃了阴柔的审美追求,只强调阳刚之美,走向了情感表达的偏激。以女性话语为例,"样板戏"中的女性话语缺乏鲜明的女性特征,人物话语有着女性话语男性化的倾向性。有些女性人物话语,在文本中把称谓改换成男性,在表演中女演员换成男演员,观众也不会感到有什么意外和不协调。因为无论是男是女,都是按照既定的理念,在说着同一类型、同一口吻的革命话语。而且这些革命话语只代表两大敌对势力的利益,只表现爱憎分明的感情和革命豪情,只强调一种阶级共性。所以不管是男是女,是老是少,不管人物是什么身份,也不管人物应该具有的七情六欲和儿女常情,都在说着同一模式的话语,其结果形成了奇特的偏离人性的阶级共性话语。

第二节 两极分化的阶级爱憎话语

明代的张琦曾说过:"人,情种也;人而无情,不至于为人矣,遏望其至人乎?"①人是情感动物,而且是有着爱、恨、悲、喜、忧、怨等感情的动物。古人把人的感情区分为"忠"、"孝"、"节"、"义"四种情感规范,传统戏曲中人物的情感演绎也都是以这四种情感规范作为标准的。从社会基础来看,与西方社会相比,中国社会显然不是一种以个体为本位的社会,而基本上是一种以家庭和集体为本位的社会。无疑,社会基础决定了"忠"、"孝"是历代社会必不可少的道德判断和情感维系,自然也成了戏曲话语最基本的情感类型。可是在"样板戏"话语表现的情感中,抛弃了"孝"、"节"、"义",只剩下了"忠",而且又被锁定在忠于党和毛主席,忠于人民,憎恨阶级敌人的范围内。于是,"样板戏"英雄人物的情感世界中就只剩下强烈的阶级爱憎感情和空洞的革命豪情。

在传统戏曲中,可以说,每一部优秀作品都是充溢着"情"的作品,作品中成功的人物形象都是作者在"情"字上驰骋才思、泼墨写意来完成的。因为感情是形象的基础,形象是感情的载体。《牡丹亭》中由人而鬼,由鬼而人,亦人亦鬼的杜丽娘,以火一般炽热的爱情,征服了千千万万不同层次不同时代的观众群。《秋风辞》描写了汉武帝对爱子已去、暮年忽来的伤痛、迷惘之情;《四郎探母》写杨四郎因叛国而带来的自责悔恨之情;诸葛亮的众多戏又尽写了他智慧、飘逸,鞠躬尽瘁、统一天下,建功立业的豪情。传统戏曲话语力避重出复见,陈陈相因,摹写了各种各样的动人心魄的情。

而"样板戏"中人物的"情",只有位于两个极端的阶级爱憎感情。这种极端感情的产生,源于人际关系被简单化为两大对垒阵营中的敌友关系,或同一阵营中的同志关系,对敌狠,对友亲成了剧中正面人物处理人际关系的唯一标准。"样板戏"中的英雄人物都高大完

---

① 张琦《衡曲尘谭》,《中国古典戏曲论著集成》(四),第273页。

美,敌人则恶贯满盈。英雄们总是站在历史的高度、民族的立场上思考和行动,为了国家和人民的利益,英勇斗争,不怕流血牺牲。而敌人不是侵略者、民族败类,就是潜伏的阶级敌人。"中间人物"在剧中没有立身的依据。"韩小强"、"常富"类转变人物,在英雄人物的感召下,终归要回到革命的队伍里来。而像"王连举"、"温其久"之流经不起考验的投降变节分子,敌人的阵营也是其必然的归宿。

其实,"样板戏"话语中的这种感情倾向,受制于一种两极对立、整整影响了建国前后两代人的简单思维。陈思和认为这是源于"战争文化心理"的二分法对立思维,其特点"在于把一切现象简单化、公式化,并注入了强烈的感情色彩,把各种相对立的现象夸张到两极"①。这种感情倾向,也是五四新文化运动激烈的反传统文化态度的继承。传统观念中的"三纲"、"五常"被打破、被否定,人与人之间的交际关系和组合关系完全依所处的阵营而定,阶级的利益是判断是否同一阵营的基准。所以,同一革命阵营的,可以享有最高价值的关怀——阶级关怀。小到衣食住行,大到为保护你而献出生命。敌对阵营的,哪怕是曾同为炎黄子孙,哪怕是血浓于水的亲人,哪怕是曾经同为革命理想而共同奋斗过的同志,只要现在不再代表人民的利益,就必然对其进行毫不留情、你死我活的斗争。

每一出"样板戏"中都分布着这种两极分化的爱憎话语:对敌人只有强烈的阶级仇恨,对党对人民,拥有不是亲人胜似亲人的阶级情谊。

一 阶级仇恨话语

对敌斗争,除了刀枪相向以外,唇枪舌剑也是不可低估的武器,在戏剧舞台上尤其如此。因为语言符号,特别是攻击性的语言符号,是一种具有强刺激功能的武器。当民族的利益、个人的权力被侵犯,又处在刀枪不能及或势弱不能敌的情况下时,把因愤怒而产生的憎恨情绪通过攻击性的语言传递给对方,贬低其人格,攻击其弱点,使

---

① 《陈思和自选集》,第 195 页。

对方受到强刺激,使自己在心理上获得胜利。这时候,语言就变成了一种斗争的武器。骂得越痛快,感情就宣泄得越是淋漓尽致。全然没有亵渎舞台艺术语言文明不文明的顾虑,是阶级仇,民族恨使唾骂具有了合理性。

(一) 比喻、借代式

"样板戏"中的阶级仇恨话语多选用斥责、詈骂、诅咒等直露、激烈的语言表达形式,喜用夸张、比喻、借代、激问等攻击力强的手法来直抒胸臆,绝少用藏头、歇尾、析字、谐音、象征、双关等委婉曲折的修辞手法来表意。比如为了直接揭露敌人阴险、恶毒、凶残、嗜血如命的本性,就直接用借代修辞手法为反派人物命名,如:"野狼嚎"、"毒蛇胆"、"黑头鲨"等。把敌人比喻作"野心狼"、"披着人皮的豺狼"、"虎豹"、"毒蛇"、"断了脊梁骨的癞皮狗"等,不仅仅是对敌人人格上的蔑视,更重要的是通过这些动物本身所具有的凶残、狠毒的特性,表达了话语主体对敌人强烈的蔑视、憎恨之情。

1) 打败美帝野心狼!(《奇袭白虎团》)

2) 挺身灭虎豹,奋勇斗豺狼!(《红色娘子军》)

3) 好一条毒蛇!(《杜鹃山》)

4) 你这张王牌,不过是一张断了脊梁骨的癞皮狗!(《红灯记》)

5) 刁德一,贼流氓,毒如蛇蝎狠如狼。(《沙家浜》)

中国传统文化中人本观念根基深厚,许慎的《说文解字》释人为:"人,天地之性最贵者也。"释大为:"大,天大,地大,人亦大焉,象人形。"就都是人本观念的反映。陈伟武对此也有着详尽的研究,他认为:"人为万物灵长,有情感,有理智,更重要的是有语言。经过长期的进化,逐渐形成了睥睨万物、唯我独尊的心理。"① 动物本不如人,把人比着动物,视人非人,自然是侮辱人的行为。上述比喻、借代,不仅仅是对敌人人格上的蔑视,更重要的是通过这些动物本身所具有的嗜血如命、凶残、狠毒的特性,表达了说话人对敌人强烈的蔑视、憎恨之情。

(二) 詈骂式

"样板戏"中还多次出现"鬼子兵"、"美国鬼子"、"日本鬼子"的说法,应该说这也是对敌人的一种蔑称。

6) 为的是:救中国,救穷人,打败鬼子兵!(《红灯记》)

7) 咱们有了地道,就更能对付日本鬼子了!(《平原作战》)

8) 今日里,须把那妖魔鬼怪尽扫全歼!(《平原作战》)

9) 怎容妖魔舞翩跹!(《海港》)

称人为"鬼",我们猜想词语的联想语义是阴曹地府的鬼怪。陈忠武的研究给我们提供了有力的证据:据传说,卢志之祖卢充曾与崔少府之女幽婚,崔氏生子还充,因此陆机愤怒之极骂卢志为"鬼子"。② 据此可认为,此"鬼子"乃鬼生之子,鬼之后嗣,阳界非纯人种也。而咒美国侵略者、日本侵略者为"鬼子",大概取其引申义——不通人性,不是人也。在古代典籍中,称被贬斥对象为"魑魅魍魉"、"妖蛾精怪"者比比皆是。毛泽东诗词也有"妖为鬼蜮必成灾"之类的句子。显然,称人为妖魔鬼怪,也是一种表愤慨的詈骂语。

只要对方不属同一阶级且又违背了革命的利益,就可以无情唾骂。詈骂语可以没有文明与粗野之嫌,也可以没有老幼尊卑之分。

---

①② 参见陈忠武《骂詈行为与汉语詈词探讨》,《语言文字学》,1992年第12期。

骂得越狠,越显得革命立场坚定,无产阶级感情深厚。可以说,是阶级仇,民族恨使唾骂具有了合理性。

10) 狼心狗肺贼鸠山!(《红灯记》)

11) 屈膝投降真劣种,
   贪生怕死可怜虫。
   ……
   敌人把你当狗用,
   反把耻辱当光荣!(《红灯记》)

12) 刁老财蛇蝎心肠忒毒狠。《沙家浜》

李玉和赴宴斗鸠山,在没有摸清鸠山意图之前,为争取主动,李玉和还称鸠山为"先生"。鸠山打出王连举这张"王牌"后,斗争形势明朗,李玉和改称"鸠山"。鸠山诱降不成,严刑拷打李玉和,李玉和的情绪终于以虚以周旋转为愤怒,厉声责骂惨无人道的鸠山,骂其为"贼鸠山"还不解气,再加上"狼心狗肺"作修饰语。李玉和骂王连举是"劣种"、"可怜虫"、"狗";沙奶奶骂刁老财毒如蛇蝎,这些詈语都表达了话语主体那深沉、强烈的仇恨心理。

13) 恨白匪残暴阴险设下陷阱。(《杜鹃山》)

14) 卖国贼,你认贼作父、引狼入室、烧杀抢掠、为所欲为。
   (《奇袭白虎团》)

15) 老贼!我叫你尝尝仇恨的子弹!(《红色娘子军》)

"匪"、"贼"、"盗"自古以来都是为正统观念所不容的社会恶孽,不除不快人心。更何况这匪这贼还非一般杀人放火、窃取钱财之徒,还是出卖民族利益之贼,更当大骂特骂!"仇恨的子弹"应用移就的手法,让枪口射出的子弹也带上了话语主体的满腔仇恨。

"样板戏"中还有一些与"卖国贼"同样取偏正结构的詈词,"贼鸠山"、"贼流氓"、"狗强盗"、"狗地主"、"狗命"、"狗奴才"。这种修辞手法是用修饰语所具有的贬斥义,附加否定的感情色彩意义,浸染、复合、强化到中心语上去,以增加人们对敌人激愤、鄙夷的思想感情。

至于"日寇"、"日本强盗"与"日本鬼子",还有"美国佬"与"美国鬼子"应为同义语。"寇"即"盗"。"佬"是对成年男子的贬称,汉语中还有"北方佬"、"乡下佬"、"乡巴佬"、"小赤佬"、"湖北佬"、"阔佬"、"外国佬"、"英国佬"、"鬼佬"等类似带贬义的说法。说美国人、日本人是"鬼子",是诅咒美、日侵略者是人却非人。说成"强盗"、"佬",是贬美、日侵略者是人却非好人。因为近代史上,特别是鸦片战争以来,由于清政府的腐败无能,国力不强,外国侵略者经常恃强凌弱,欺凌我中华民族,侵占我国领土,外国人几乎成了"侵略者"的代称。因此,用带贬义的"佬"来称呼外国侵略者,语义自然贯注了强烈的民族仇恨,附着了鲜明的贬斥色彩。

由于在这类词中,"佬"所表的"高大"语义仍然在深层对词的构成起着主要的制约作用,所以"日本人"与"美国人"、"德国人"一样同为异族侵略者,但由于日本人身材矮小,汉语在构词时选取的憎称就不是"日本佬"而是"倭寇"、"日本鬼子"了。

(三) 处置式

对阶级敌人的仇恨还表现在将来革命胜利之时对敌人的严厉惩办和处罚上。话语表现是用将来示现的修辞方式:

1. 处以极刑

16) 座山雕!抓住你刀劈斧剁把血债偿!(《智取威虎山》)

17) 恨不能将你碎尸万段!(《杜鹃山》)

18) 誓把那南霸天、北霸天,一切反动派统统埋葬!(《红色

娘子军》)

19) 强盗！我正要为你安排火葬场，
你在那里放火定叫你在那里灭亡！(《平原作战》)

2. 以牙还牙

20) 以血还血，以牙还牙！(《奇袭白虎团》)

21) 要和敌人算清账，
血债还要血来偿！(《红灯记》)

22) 千道伤万般痛含恨无言，
南霸天欠血债定要清算。(《红色娘子军》)

3. 审判处罚

23) 到头来，人民定要审判你，变节投敌罪难容！(《红灯记》)

24) 待到我军来解放，看你这刽子手怎样下场。狗强盗你逃不出人民的法网！(《奇袭白虎团》)

"刀剁斧劈"、"碎尸万段"的说法让我们联想起反映古代刑法的成语"五马分尸"，抗日歌曲中"大刀向鬼子们的头上砍去"所伴随的血淋淋的场景。这些话语都以咬牙切齿的诅咒，消除了心头之恨，表达话语主体强烈的憎恨感情。

（四）直面相斥式

除了选用詈语，"样板戏"表达仇恨情绪的另一种形式是直面相斥，因为面对面地申斥、责骂，是人们最勇敢、最痛快也是最有力地表露情感的行为。

洪常青面对钢刀、烈火,怒拒南霸天的诱降,痛斥其欺压人民、危害革命的罪行;李玉和拍案而起,奋臂怒斥叛徒,驳斥鸠山的诱降、谬语,坦然面对敌人的用刑、枪杀,这些都是每论及"样板戏"必定涉及的经典话语。我们这里还想补充一些不为人注意,实际也可称为经典的话语。

有一句俗话是:"男不跟女斗。"这句话蕴含着传统观念的一个三段论式:

  女人是弱者,男人是强者;
  强者不应该欺负弱者;
  所以,男人不应该跟女人斗。

从这个观念来看问题,女人在体力、能力、社会地位方面,都是以被保护者的形象出现的,女人必须遵从"君为臣纲,父为子纲,夫为妻纲"的"三纲",还得遵从"未嫁从父,既嫁从夫,夫死从子"的"三从"。中国传统文化是一种男权文化,要求妇女屈从男权。所以,从通行的社会观念来说,处于地位尊贵、力量强大的男人,只能保护女人,而不应该跟女人争斗。

"样板戏"话语表现的却反其道而行之,男不跟女斗,出于阶级斗争、民族斗争的需要,女却要跟男斗。一般都是女主角唱重头戏,这一方面是因为"样板戏"基本上走的是程砚秋的以旦角戏为中心的路子,既然以旦角戏为中心,就要围绕旦角来安排戏。在以"斗争"为主题思想的"样板戏"中,不可避免要有女跟男斗的戏。另一方面,新中国的成立,把妇女从封建传统的宗法礼教制度下解救了出来,妇女的政治地位发生了根本性的变化,确实顶起了半边天。反映在艺术中,就是让妇女的话语代表着一定的社会力量,并具有了一定的权威性。

两方面的原因,保证了旦角在"样板戏"中唱重头戏的地位。又由于斗争主题的制导,与传统观念相悖,男跟女斗,女更要跟男斗,而且要斗出斗志,斗出骨气,斗出胜利来!

方海珍、江水英、柯湘是强女跟强男斗,结局是大获全胜。有七出戏中是弱女跟强男斗,有七个老旦与强悍的敌人斗,当然最出戏剧效果。其中,写得光彩照人、令人荡气回肠的数李奶奶、沙奶奶、张大娘、崔大娘置生死于不顾,义正辞严斥敌顽的戏。面对穷凶极恶的敌人,又处在被关被押的境地,四老旦大义凛然,无所畏惧,采用第二人称"你"、"你们",直斥敌人的罪恶本性。这些斥责语极大地表现了话语主体的阶级仇恨,也成了把戏剧冲突推向高潮的点睛之笔。

鸠山把李奶奶、铁梅抓进宪兵队,并居心险恶地说:"你的儿子,就要在这里上西天了!老人家,当一个人犯了罪的时候,他的母亲能够救他的性命而不救,这样的母亲,未免太残忍了吧!"李奶奶义正词严,反驳的话语字字句句铿锵有力,剥开了敌人伪装仁慈的原形:

25) 李奶奶　你这是什么话!我的儿子,无缘无故地被你们抓起来了,你们还要杀害他。是你们犯罪!是你们残忍!你们杀害中国人,难道还要中国人承当,难道还要我老婆子承当吗?(《红灯记》)

李奶奶这段话语的感情基调是愤激、悲壮、激昂的。面对敌人的攻击和儿子马上要被枪决,自己和孙女被关押的处境,李奶奶义愤填膺,怒从心起。她先用激问句表示了对鸠山"犯罪"、"残忍"等谬论的否定,然后用两个肯定句,两个反问句表达激愤的反驳、质问,把鸠山军国主义的侵略罪行揭露得一览无遗。

胡传魁、刁德一设堂审讯沙奶奶,威逼利诱沙奶奶,要她说出她和儿子为新四军干事是谁的主谋?谁的指使?沙奶奶以新四军抗日救国的壮举与胡传魁、刁德一卖国求荣的卑劣行为相比,进行指责、斥问:

26) 沙奶奶　你们号称"忠义救国军",
　　　　　　为什么见日寇不发一枪?

>我问你救的是哪一国?
>为什么不救中国助东洋?
>为什么专门袭击共产党?
>你忠在哪里?义在何方?
>你们是汉奸走狗卖国贼,
>少廉无耻,丧尽天良!
>你有理,敢当着百姓们讲,
>纵然把我千刀万剐也无妨!
>沙家浜总有一天会解放,
>且看你们走狗汉奸好下场!(《沙家浜》)

六个问句构成的排比,如直泻而下的江河,气势如虹;似连枪排炮,直捣胡传魁、刁德一的心脏,揭穿了他们明靠蒋介石,直斥暗投日寇的民族败类的罪行。

龟田指挥日伪军包围了张庄,把群众抓到一起,先后用建立"王道乐土"的说教和把张庄变成无人区的威吓,胁迫他们说出八路军赵勇刚的下落和粮食藏处。张庄人民宁死不讲,张大娘临危不惧,正义凛然,揭穿了龟田所谓"王道乐土"虚假面目:

>27)张大娘 呸!你们这些狗强盗,满嘴里"王道乐土",一肚子狼心狗肺,害得我们平原,抬头见岗楼,迈步是沟墙,多少人惨死,多少田园荒!你们的"王道"是烧、杀、抢,你们的"乐土"是杀人场!
>花言巧语,装模作样,
>砒霜外面裹蜜糖。
>辨善恶分真假我们心明眼亮,
>看穿你丑恶的原形、
>歹毒心肠!(《平原作战》)

四老旦面对的都是异族侵略者和本族的败类,但从情绪的激烈程度看,《奇袭白虎团》中的崔大娘最甚。她用了八个詈词:"卖国贼"、"走狗"、"强盗"、"杀人不眨眼的魔王"、"凶暴残忍的野心狼"、"刽子手"、"狗强盗"、"野兽"来诅咒美国顾问、白虎团长、伪连长,还直面高呼:美国顾问,"我们要你从朝鲜滚出去!"白虎团长开枪击中了崔大娘,她还强忍剧痛唱道:"定把你们埋葬在人民战争的大海洋!"壮哉!美哉!可敬!可佩!

在四老旦痛快淋漓的叱骂声中,观众的感情也得到了极大的宣泄。四老旦的形象也被塑造得高大无比。

"样板戏"正是通过这些话语描写,以敌人的强悍、残暴衬托了众老旦不畏强暴、维护革命利益、坚持真理、勇于牺牲的崇高气节。四老旦有三位壮烈牺牲在敌人枪口下,只有沙奶奶因阿庆嫂的保护得以幸存。"为有牺牲多斗志,敢叫日月换新天。"四老旦崇高的英雄气节和牺牲的壮美打动了千千万万观众的心灵。这阶级仇、民族恨,激起了千千万万观众的义愤。不敢忘啊,今天的幸福生活确实来之不易!这就是"样板戏"话语动人心魄、令人荡气回肠的重要原因之一。

二 偏离人性的阶级共性话语

"世上决没有无缘无故的爱,也没有无缘无故的恨。"[①]这是"文革"中经常被引用来阐释人们对友亲,对敌狠的理论依据。"样板戏"中的人物话语正因为缘阶级的情亲,缘阶级的恨狠,所以饱含着有缘有故的、强烈鲜明的爱憎。恨得越深,爱得也就越热烈、真切。这种阶级共性话语可分为阶级亲情话语,阶级情谊话语。

(一) 阶级亲情话语

2001年2月20日《新民晚报》有一个读者参与的"亲情是什么"的讨论。读者们各抒己见,有的认为"亲情是不念回报的力所能及的自愿付出","亲情是义务,是责任"。有的认为"亲情是心安理得利用别人的借口","亲情有限","亲情是锦上添花,不是雪中送炭"等等。

---

① 《毛泽东选集》第三卷,第871页。

考察"样板戏"的话语,我们发现"样板戏"中推崇的亲情话语以前两种亲情为基础,还包括了同志关系情谊,是一种有鲜明阶级共性的亲情话语。

"文革"中,代表着政治权势的文艺批评大批"人性论"、"人道主义",认为"人之常情"是地主资产阶级的腐朽感情。要求创作从阶级关系的诸方面表现人物的无产阶级感情,即"共同的阶级仇,民族恨"。由于把人物的感情限制在阶级仇、民族恨的范围内,话语被从时间和空间上封杀了人物言说亲情的可能性,亲情这种本来有着血缘关系、在人们的感情天平上分量最重的感情没有了容身之地,剧中言说的亲情话语也带上了阶级共性属性。

在"样板戏"中,这种具有共性的亲情话语不是在家庭事务中表现的,而是在阶级矛盾的激烈冲突中,以人物感情大起大落的方式表现出来的。

日寇包围了张庄,张大娘掩护女儿小英出村找八路军解救危急。待小英带八路军打回时,张大娘已被日寇龟田枪击身亡。小英凄厉恸哭:"娘!亲娘血洒槐树下,泪流如雨,女儿心中似刀扎!亲娘啊……"

崔大嫂支前去送军粮,返回时婆婆已遇难,崔大嫂愤慨之极,大放悲声:"啊!妈——妈——见婆母遭惨害痛心绞肠。你英勇不屈丧敌手,仇恨在心头如倒海翻江。"

在"样板戏"中这类有浓浓人情味的亲情话语为数还不少,但都是在阶级仇、民族恨的语境中展示的。

"样板戏"创演时期,是政治宣传"革命利益高于一切"和批判资产阶级人性论最力的时期,加之多次政治运动给文艺工作者蒙上的阴影,极大地束缚了、压抑了文艺工作者的创作热情。"做革命人,演革命戏"成了文艺工作者的理想追求。创演时理智地绕开"儿女情长"这个雷区,成为理所当然的事。《智取威虎山》这出戏"文革"前各种形式的演出本中都有卫生员白茹这个角色,由于她与参谋长是恋人关系,尽管剧中没有涉及他们的感情,但为了表现人物的革命性,白茹被逐出了剧本。有时就是表现的是在阶级情基础上的亲情关系,也不知会遭遇到什么样的厄运。于是,人物都成了关系单纯、单一,没有儿女私情,没有七情六欲,只有高度政治觉悟、无私奉献精神和无产阶级情谊的革命人。亲情话语也变成了由阶级关系演绎出来的偏颇的亲情话语。

"样板戏"中绝大部分主角是孤男寡女,也许并非事实上的孤寡,但剧中根本就不考虑给角色留下表现亲情的时间和空间,赋予他们多种多样的亲情关系。10出戏中有10个老人,马洪亮是孤老头,阿坚伯只有从未出场的老伴,而八个老旦都没老伴。年轻的男英雄多是光棍汉,李勇奇有妻,但一出场就安排她掩护李勇奇中弹身亡。陆长海虽有娇妻相伴,但娇妻巧莲贪图享受、敌情观念淡薄,总是处在被教育、被批评的地位,剧情也没给她留出表现儿女情长的机会。她的出场只是为了衬托陆长海高度的阶级斗争觉悟,英勇顽强的超人毅力。年轻的女英雄们更是个个形单影只,有的有交代:柯湘结婚三载的丈夫赵辛壮烈牺牲;阿庆嫂的丈夫阿庆是我党的交通员,跑单帮去了;江水英家门楣上有"光荣人家"的横联,透露出她丈夫是军人的信息。没有交代的,很难知道她们是否婚配。总之,"样板戏"几乎就没有表现夫妻关系。其他亲情关系的组合,也是极其单纯、单一的,而且均为一对一的关系,是父子关系,父或子就不会再与其他人有亲属关系。亲属都为直系亲属,如:父女关系(常猎户和常宝)、母子关系(沙奶奶和沙四龙)、父子关系(常富和宝成)、母女关系(郑阿婆和小娥、张大娘和小英)、婆媳关系(崔大娘和崔大嫂)、舅甥关系(马洪亮和韩小强)、祖孙关系(杜奶奶和杜小山)。除李勇奇家还有母、妻、子三人,(妻与子出场就处理死亡)陆长海家有妻、岳母两人外,每一家都只有两个人,也就是说,家庭势力都不大,小家都溶于革命这个大家,小家的利益都以革命大家庭的整体利益为重。所以在表现亲情关系时,并不把亲情关系看做是至高无上的,而是非常理性地建立在无产阶级利益的基础上的。

马洪亮见到阔别多年的外甥韩小强,欣喜不已,仔细端详,赞赏地说:"嗯!像个装卸工的样子啦!记得我走的时候你才这么高。那年国庆节的晚上,我带你到码头上看焰火,还生怕把你挤丢了呢。"融融亲情溢于言表。可得知韩小强沾染了资产阶级思想,不安心码头工作后不是因亲情而袒护他,而是向党支部书记方海珍表示要狠狠管教他。在阶级教育展览会,马洪亮见痛说家史仍不奏效后,竟举起扛棒要教训他。

可见,亲情的浓度是以交际双方阶级利益的覆盖面来决定的,覆盖面越大,亲密度越大,反之,则疏远。常富和儿子的关系就是一个最好的例子。常富的自私自利使得身为共青团员的宝成很反感,不但不听从常富先个人后集体的安排,还两次批评常富:"爹,要关心集体!""爹,抢救大队秧苗要紧!""你这是个人主义。"

在生离死别的时刻,为娘的想留给孩子的临终遗言,涉及的必然是她最关心、最重视的事情。崔大娘留给儿媳的是:"孩子,要坚持斗争……"张大娘说的是:"勇刚,我把小英托付给你们,叫她永远跟着毛主席,永远跟着共产党,抗战到底!革命到底!革命到……"

看起来似乎不合情理,如果把剧中所有人物表现出来的亲情联系起来,即可理解,革命是她们终身的目标,是唯此唯大可为之献身的大事,临终遗言要儿女继续做个革命人,当然表现了长辈最大的愿望,最浓的亲情。

(二)阶级情谊话语

"样板戏"中,阶级情谊这种不是亲人胜似亲人的无私、纯洁、高尚的阶级感情被表现得动人心魄、惊天动地。

只要在斗争中处于同一阵营,有着相同的阶级基础和思想基础,不管身在异国他乡,还是处在危险的境地,你都可以得到你的同志最高的关怀——阶级关怀。这种关怀是毫无私念的,是不惜一切代价,包括为之献出生命的关怀,是超常人际关系,是浓于亲情的关怀。给予或获取这种关怀的同志,虽不是亲人却胜似亲人。铁梅那充满稚气的唱段正是对不是亲人胜似亲人关系作了最好的注解。

> 我家的表叔数不清,
> 没有大事不登门。
> 虽说是,虽说是亲眷又不相认,

> 可他比亲眷还要亲。
> 爹爹和奶奶齐声唤亲人，
> 这里的奥妙我也能猜出几分，
> 他们和爹爹都一样，
> 都有一颗红亮的心。(《红灯记》)

每一出"样板戏"中都有这种阶级情谊话语的描写。

《杜鹃山》中雷刚因阶级兄弟杜山跟着自己扯旗造反，英勇就义，跪认杜妈妈为白发亲娘，当杜妈妈被毒蛇胆用刑、监禁时，舍出性命也要去救老娘亲。

《红灯记》中，正是无产阶级革命的伟大目标，把异性的祖孙三代聚集拢来，组成了一个特殊的亲情浓于血、生死同心的革命家庭。李玉和代表李奶奶、铁梅阐述了这个家庭生存的阶级基础："人说道世间只有骨肉的情义重，依我看阶级的情义重于泰山。"

《奇袭白虎团》中崔大娘感激志愿军到朝鲜抗美援朝，待志愿军视若己出。一见严伟才她唱道：

> 在我家养伤朝夕相伴，
> 情愈骨肉相依相关。
> 伤未愈赴前线叫我挂念——

而严伟才也早已把这朝鲜老妈妈当慈母看待。

> 养重伤你为我昼夜不眠，
> 一口水一口饭细心照看，
> 这阶级的情义重于泰山！
> 志愿军离祖国千里远，
> 您就是我们的慈母在面前。

所以，看到平安里遭敌人火焚，就感到"如烧故乡"，"更挂念阿妈妮生死存亡"。在得知阿妈妮壮烈牺牲的消息后,"心痛欲裂似箭穿,仇恨又在心头添",发誓"血债定要血来还!"

《平原作战》中由于"军民是十指和心紧相连"的,所以,张大娘一听到枪声就激起她对子弟兵的满怀惦念。她担心"勇刚他三天来英勇转战,粮食尽路途险日多艰难"。待天亮出门看见勇刚他们星夜归来,不愿惊扰她,露宿在草棚,又是惊喜又是心疼,"孩子"、"我的儿",声声唤得亲。

赵勇刚感动异常,也动情诉说军民鱼水情:

> 好妈妈疼爱咱像亲娘一样,
> 为抗战献出了火热的心肠:
> 老玉米做干粮粒粒辛苦,
> 紫花布缝军装针针情长。
> 想那年杀敌挂花来村上,
> 你撕破了棉衣来裹伤,
> 煎药汤,亲口尝,
> 果树下,勤瞭望,
> 北风刺骨寒,鬓发结冰霜,
> 日夜守护在身旁。
> 这阶级的深情厚谊永难忘,
> 恰似那太行高入云、黄河万里长!(《平原作战》)

"粒粒辛苦"、"针针情长"用移情修辞格让"老玉米"、"军装"承载了赵勇刚对张大娘的感激之情。"撕"、"煎"、"尝"、"瞭望"这些动词摹写出的意象,颂扬了张大娘照顾他那种"像亲娘"的"火热的心肠"。"果树下"、"北风"、"冰霜"、"太行"、"黄河"这些景物的描写都融进了赵勇刚的感受,叙事抒情融为一体,景中情,情中景首尾呼应,表达了赵勇刚浓浓的感激和敬重之情。

这种种真情表达,强调的都是阶级感情,感人至深,与《沙家浜》的军民情谊相比,由于有流血、牺牲,感情基调显得有些沉重。

《沙家浜》中有一段富蕴抒情意味的对唱,是表达军民情谊最轻松、最有喜剧色彩的话语。郭建光用提意见的方式,表达了指战员对"沙妈妈"无微不至关心照顾的感激之情。

> 那一天同志们把话拉,
> 在一起议论你沙妈妈。
> ……
> 七嘴八舌不停口……
> 一个个伸出拇指把你夸!
> 你待同志亲如一家,
> 精心调理真不差。
> 缝补浆洗不停手,
> 一日三餐有鱼虾。

沙奶奶开始以为真是提意见,继而听出郭建光是用亲切调皮的话语方式在感激她自己,她便以同样热情、幽默的话语方式应答,表露出对子弟兵母爱似的真挚感情。

> 伤痊愈,也不准离开我家,
> 要你们一日三餐九碗饭,
> 一觉睡到日西斜,
> 一个个像座黑铁塔,
> ……
> 到那时,身强力壮跨战马——

郭建光接唱:

> 驰骋江南把敌杀。
> 消灭汉奸清匪霸,
> 打得那日本强盗回老家。

等到那云开日出,家家都把那红旗挂,
再来探望你这革命的老妈妈!

如果再从这些长辈施爱的比例来看,杜妈妈、崔大娘、张大娘、沙奶奶这几位被尊为母亲,对人民,对子弟兵付出了最真挚、最热烈的感情,对子女却较少流露出亲情。在我们的感觉中,她们的子女更像一批道具,他们的出场,仅仅是为了高扬长辈们的革命英雄主义和乐观主义,为了衬托长辈们革命的坚决彻底性,为了表现长辈们强烈的爱憎,对比出长辈们无私奉献的无产阶级感情。他们缺少表现个人情感的时间和空间,他们匆匆忙忙地上场下场,只是为了接受或完成长辈交办的革命工作,或作为革命的后备力量,继承先烈遗志,完成她们的未竟事业,把革命进行到底。长辈们的母爱充沛、深沉、丰厚,但对外不对内。剧作者集中笔墨尽情抒写长辈们不是亲人胜似亲人的阶级情谊,却吝啬笔墨来叙说亲情。剧作者疏于涉及的层面是:儿女们参加革命斗争,与千千万万的战士一样,面临着斗争的艰苦、严峻、残酷性,同样也会被捕、坐牢、受刑、牺牲。忽视她们作为正常人怜子惜女、重血肉联系的感情描写,一味强调她们置斗争环境的险恶于不顾,勇于奉献,包括自己亲身儿女的牺牲精神,实际上损害了她们的形象,使描写的性格出现了变异。因为一个不爱自己儿女的人,很难想像她会施爱于人,没有爱的感情基础,从何谈起共享爱的感情。

杜妈妈在得知儿子杜山壮烈牺牲后,杜妈妈对雷刚说:"砍不尽的南山竹,烧不死的芭蕉根!我丈夫死了,有儿子,儿子死了,还有孙子。他叫小山,交给你们,磨筋练骨,报仇雪恨!"杜妈妈称雷刚为"雷刚儿",叫战士罗成虎为"孩子",对独根独苗小山却没有一句疼爱的话语,全剧与小山唯一的一次交流是小山喊:"奶奶!"杜妈妈应"小山?"这一句话语。

郑阿婆与小娥、沙奶奶与沙四龙,张大娘与小英都是相依为命的母子关系,但这些革命的老前辈并没有把后代仅仅看做是疼爱的骨肉和养老的依靠,更主要的是把他们看做革命的后备力量或者说就是看做革命的有生力量。因此,总是义无反顾地、毫不保留地支持他们参加革命工作。郑阿婆和小娥才被红军从土牢中救出,就积极送小娥参加红军。她说:"红军恩情深似海,阿婆我满心感激,饮水思源,送女把军参。"张大娘支持小英冒着生命危险给八路军送衣服、送干粮。沙奶奶四个儿就剩下四龙一条根,可无论情况怎么危急,她也让四龙帮助新四军。四龙三次为新四军送粮、送药、送船,都有可能牺牲生命,沙奶奶只说过一句话:"阿庆嫂,他有一身好水性,让他去吧。"从未说过一句显示母爱,表现担忧、牵挂的话语。倒是阿庆嫂一次又一次地叮咛:"四龙啊!行船要隐蔽,千万别让任何人看见,啊!""要提高警惕呀!""四龙,你顺着那条小道找个僻静地方下水,可千万要小心哪!"剧情作这样的安排,我们猜想,并非是表现沙奶奶冷漠无情,而是既要突出二号英雄人物阿庆嫂行事干练、周密,关心群众的阶级素质,又要凸现沙奶奶为革命勇于奉献,包括献出自己亲生骨肉的崇高献身精神。

在《沙家浜》原始文本沪剧《芦荡火种》中,七龙(即四龙)是个戏份很重的人物。连"序幕"在内的12场戏中,七龙8场有戏,第4场还主要是表现他的机智勇敢和担任的送粮任务的艰巨。他参与了57轮对话,有67句唱词。可是在"样板戏"中,七龙的戏份被减到只有4场戏,4句唱词,尽管参与了18轮对话,可有10轮都是以独词句的结构形式来参与的。这就是在"三突出"创作原则框定下陪衬人物的命运。

"样板戏"中既不准涉及情爱世界,还压抑了儿女亲情,剧中的人物被抽掉了人的正常属性,只剩下阶级觉悟、阶级感情,被塑造成从里到外,思想、情感硬邦邦的革命人,只说着不食人间烟火的革命语,人物形象也因此缺少了真实可感性。因此,几位老旦中张大娘对女儿说了一句富有人情味的话语:"小英,路上千万要小心"就令我们惊奇,感动不已。因此,我们格外珍爱《智取威虎山》中常宝"白日里父女打猎在峻岭上,到夜晚爹想祖母我想娘"那真情表白、亲情浓郁、令人久久回味的话语。

不是亲人胜似亲人的感情,也是以亲情作为参照系的。英雄们齐声颂扬的其实就是古今中外皆成共识的、最高情感级别的母子情。对剧中这种胜似亲人的阶级情感关怀,我们有两种理解。其一,情感关怀的目光不聚焦投注于自己的子女,而投注于革命的同志。其二,以像母亲疼爱自己的子女一样的伟大母爱去疼爱革命的同志。剧作都想表现第二种情感关怀,结果,受政治权势的干预和社会心理惯性的影响,过度强调阶级情谊,写成了第一种情感关怀。

除了母子情似的情感关怀,"样板戏"还描写了在阶级情感基础上的多种情感关怀。

为了体现杨子荣对劳动人民启发引导式的阶级关怀,《智取威虎山》特别增设了"深山问苦"一场戏。杨子荣从雪地里救了小常宝,对常猎户父女所受的苦难感同身受,满怀深情地启发小常宝倒出一肚子苦水:

"孩子!毛主席、共产党会给我们做主的,说吧!"

原改编本设计的念白是:

"孩子!有毛主席、共产党给你们做主,说吧!"

把"你们"改成"我们",找准了关怀的切入点,消除了心理距离,增进了亲切感,使装哑人8年的小常宝开口说了话。把"有"字句改为"会……的"的肯定句,给小常宝输送了控诉土匪罪状的信心和勇气。

小常宝的控诉"字字血,声声泪",激起他仇恨满腔。他激发小常宝的阶级感情:"普天下被压迫的人民都有一本血泪账。""消灭座山雕,人民得解放,翻身作主人,深山见太阳。从今后,跟着救星共产党,管叫山河换新装。这一带也就和咱家乡一样,美好的日子万年长!"

与广大劳动人民息息相关、血肉相连,是英雄们基本的阶级素质。《红色娘子军》中看见被打得遍体鳞伤、昏倒在地的吴清华,娘子军党代表洪常青询问的话语充满了阶级深情和强烈义愤,就像《杜鹃山》中柯湘总结的那样:"阶级情,海样深,同命运,一条心。"

  1) 是谁把你打成这个样子?

  2) 阶级姐妹遭迫害,如刀扎我心间。

  3) 天下的受苦人心心相连。

  4) 南霸天欠血债定要清算!

  洪常青给吴清华指出了奔向解放区的道路,体现了解救式的阶级关怀。

  5) 红云乡刀枪挥舞天地变,共产党领导工农把身翻。

  6) 吴清华,我这儿有两个银毫子,你带着,路上用。

  《红灯记》中松岭根据地的交通员为躲避敌人,从火车上跳下来,摔晕了。李玉和把他背到屋里,对上暗号后,交通员交出密电码,并表示马上要赶回去。李玉和周到细致,密切关注交通员的身体和生命安危。

  李玉和 同志,你的身体……?
  交通员 刚才是摔晕了,现在我能走了。
  李玉和 好。等一等,我给你换件衣服。
  〔李玉和拿衣服给交通员换上。
  李玉和 (郑重叮嘱)敌人正在到处搜查,情况很紧,路上你要多加小心!
  交通员 老李,你放心吧!

> 李玉和　同志……
> 　　一路上多保重,山高水险,
> 　　沿小巷过短桥僻静安全。
> 　　为革命同献出忠心赤胆。

一声"同志",情深意切,具现了李玉和对交通员同志式的情感关怀。"同志"的本义为志同道合者,《国语·晋书》中有:"同德则同心,同心则同志。"在斗争岁月里,"同志"这个称呼代表对同一阵营亲密成员关系的确认,代表具有同一基础的阶级感情。所以"同志"这个称呼是振奋人心的、异常温暖的、催人泪下的。李玉和正是用"同志"这个在当时地下斗争中表现神圣、亲密关系的称谓,营造了阶级情谊的氛围。

可以说,正是上述阶级爱憎话语和阶级共性话语,作为一种必有条件,配合表演、舞美、音乐一起,使"高大全"式英雄人物的形象塑造得以完成。

相形之下,传统戏曲话语对爱情的追求、亲情的温馨展示得相当热烈充分。

反对封建礼教,争取婚姻自由,是传统戏曲中的重大主题。而围绕这个主题,传统戏曲话语描写了有着各自独立品格的情。

《牡丹亭》中的杜丽娘性格刚烈,在与封建势力的对立中,她宁可自己被毁灭,也不放弃对天然、对自由的热烈追求,她的宣言是:"这般花花草草由人恋,生生死死随人愿,便酸酸楚楚无人怨!"

《谢瑶环》中的谢瑶环是女扮男装的江南巡按,她的爱情没有产生于闺阁锦屏里,而是走进了更为广阔的天地,显现出热情果敢、大胆自主的特征。在共同反抗恶势力的斗争中,她对路见不平、仗义执言,"器宇轩昂貌英挺"的袁行健心生敬意,遂结八拜之交。尽管谢瑶环最初还是有所顾虑:"哪有个巡按嫁才郎?况有宫规难违抗,嫔妃下嫁要犯律章。"可一旦向袁行健公开女儿身份,决定与之共结秦晋之好后,她一扫疑虑,变得坚定、果敢、热情、开放,自主了自己的婚姻:"与袁郎同拜在花前月下,指牛女证鸳盟坚定无涯。"

传统戏曲对亲情的描写也显得真挚动人。

《窦娥冤》中窦娥被押送法场时请求刀手从后街走,怕婆婆看见伤心。"俺婆婆若见我披枷带锁赴法场餐刀去呵","枉将他气杀也么哥"。

《琵琶记》中的赵五娘自己咽糠,孝顺公婆吃米,受到误解也隐忍不辩,唯恐伤害到他们。

成功的戏曲作品无一不是以真情贯穿始终,人物形象无一不是凭借真情来托起。

第三节 僵化雷同的模式话语

解读"样板戏"话语,我们发现,剧中的正面人物,无论是老是少,是男是女,不论是军人、老百姓,还是工人农民,只要处在同一种大的话语背景中,他们就会异口同声地说着相同内容或表达方式同一的阶级话语。按说他们生活在不同时代,又有着各自截然不同的教养、经历、身份以及相异的个性,但在这些"样板戏"中,他们却被模式化了,其言行都是相似和雷同的,他们有相同的立场、持同一观点、使人们感到他们都在运用着同一的经验思维和理性思维。

当然,每个人都生活在一定的社会中,每个人的行为和语言无不打上其所属阶级的烙印,语言作为交际工具的载体,必然会表现出共性的一面。但是每个人又有着独特的性格,这决定了他们有着独特的话语。正是各自独特、鲜明的话语,才构成了丰富多彩的社会话语。有个性才会有共性,共性是建立在个性的基础上的,没有个性也就失去了共性。"样板戏"中的人物话语过度追求阶级共性,努力凸现人物话语的阶级特征,目的就是要通过强化正面人物的同一言行来塑造一群高大全的英雄形象。然而,以模式化的方法来塑造高大全的英雄人物,忽略了人物话语的独特性,必然使其人物话语意象浅表化、单调化和公式化,形成一套僵化雷同的模式话语。

戏剧语言个性化,是戏剧艺术第一位的特征。与其他艺术形式的语言不同,在戏剧中,情节的发展、人物之间矛盾冲突的展开和解决,只能通过人物语言来表现,所以戏剧语言必须是代表着每个人行动和意志的语言。而只有准确地表现出矛盾冲突中行动着的人物的思想、感情、态度和目的,才能"说一人,肖一人,勿使雷同,勿使浮泛"①,说张三要像张三,难通融于李四,说出符合人物独特的身份、经历、气质修养、感情态度等特征的话语。

"样板戏"人物话语的雷同化,违背戏剧人物语言性格化特征,是"文革"政治权势倡导"主题先行论"、"根本任务论"、"三突出"一系列创作理论的产物。这套理论用于规范"样板戏"的创作、直接扼杀了人物语言的个性。因为按照这套理论,"样板戏"创作的中心任务就是塑造一个完美无缺、至高无上的主要英雄人物形象,所有矛盾冲突、人物关系和情节的组合都要服从突出主要英雄人物这一原则。英雄人物一出场就应该是"一尊完美的雕像",任何场合都要用"最好的语言,最完美的音乐,最挺拔的表演动作,最重要的舞台记录和最突出的灯光服饰","热烈地讴歌"英雄人物。在所有表现手段中处于第一位的要素是"最好的语言",何为最好?按照政治权势的标准,就是指阶级斗争语言、革命理想语言、偶像崇拜语言。在限定的范围内,用格式化语言来表达,必然会失去语言的丰富性和生动性,产生出同一模式的僵硬话语。

"样板戏"模式话语的形式,还与编导演、观众的群体政治心态不无联系。孟繁华讨论了这种心态对群体政治行为产生的制约作用。这种群体政治心态的结构特征是群体无意识:埋藏在记忆深处的情感,并不是也不可能是自然生成的,而是通过不断的宣谕、教化等强加方式形成的。这种群体无意识一旦形成,就会成为可能统一的惰性的领域。② 在"文革"时代,毛泽东思想已经成为时代的意志得到了普遍的信仰,"斗争"、"理想"成为时代的主题。所以,编导演、观众双方在既定的政治语境中形成了共同的知识背景,共同遵奉的审美标准,共同认可的话语类型。因为也只有这样,编导演的成果才能得

---

① 李渔《闲情偶寄》,《中国古典戏曲论著集成》(七),第 54 页。
② 参见孟繁华《政治文化与中国当代文艺学》,《文艺理论》,2000 年第 2 期。

第九章 "样板戏"话语对传统戏曲话语的偏离

到政治权势的批准,才能走上舞台、走向社会,并且得到同样政治心态观众的承认。例如,《奇袭白虎团》是志愿军京剧团在朝鲜战场受到周总理的启发,根据战斗英雄杨育才的事迹改编的,回国后,志愿军京剧团划归山东京剧团。1963年底复排《奇袭白虎团》,参加1964年的全国观摩演出大会。演出引起了热烈的反响,将上海京剧团的《智取威虎山》比了下去。当时的情形被描述为两虎相斗,上海虎不敌山东虎。但《智取威虎山》是张春桥拱手献给江青的大礼。江青投桃报李,以其特殊身份安排毛主席观看《智取威虎山》,使《智取威虎山》先获通行证,站稳了脚跟。然后江青又把《奇袭白虎团》剧组划归华东局,让张春桥直接掌管。《奇袭白虎团》剧组搬到上海磨戏,按照张春桥等人的意图,将大量的政治话语添加到剧中,一直磨到分布了大量政治话语,沾上上海虎的虎气,才算被培植为"样板戏"。而《奇袭白虎团》也就成了政治话语侵入戏剧话语的典型。试比较下面的几组话语:

《红灯记》 　　为革命同献出忠心赤胆。
《奇袭白虎团》 为革命为人民忠心赤胆。

《红灯记》 　　天下事难不倒共产党员。
《奇袭白虎团》 再艰巨也难不住共产党员。

《智取威虎山》 穿林海,跨雪原,气冲霄汉。
《奇袭白虎团》 革命者就应该气冲霄汉。
《奇袭白虎团》 天兵怒气冲霄汉!

《红灯记》 　　浑身是胆雄赳赳。
《奇袭白虎团》 浑身是胆斗志昂。

《智取威虎山》 要消灭反动派改地换天。
《奇袭白虎团》 党指引改地换天闹革命。

《智取威虎山》　共产党员时刻听从党召唤，
　　　　　　　　专拣重担挑在肩。
《奇袭白虎团》　我代表全排再请战，
　　　　　　　　要把那最艰巨的重担挑在肩。

《智取威虎山》　几十年闹革命南北转战。
《奇袭白虎团》　为解放全人类南征北战。

不难看出，《奇袭白虎团》中照搬了《红灯记》、《智取威虎山》中的诸多现成语句。阶级共性、求同性思维，群体无意识，群体政治心态，传统思维惯性，都在这简单比照中得到了印证。

从"样板戏"的表现风格特征看，"样板戏"话语就单个的人物话语看，是鲜明的，也是有特点的。可把这些话语放在一起，就看出它出自同一的标准。在前面章节中，我们已经陆续谈到了这种模式话语，这部分还拟讨论几种比较突出的模式话语。

一　关怀模式话语

五六十年代和"文革"时期，人们对党和毛泽东思想无限崇敬、无限信仰，毛泽东思想已经成为人们精神的基础、支柱和最终的价值关怀。其文化表现形态就是毛泽东代表党和人民、代表无产阶级，在全方位时空中，表现出对全中国人民整体的、无限的、最终的、普遍的人文关怀。人们在前途未卜、生死莫测、灾难重重之时，总是迫切地关心和期待着毛泽东思想关怀指引，并且坚信毛泽东思想能帮助他们抵御一切困苦，消解一切矛盾。而当时以权威为中心的社会偶像崇拜，中国革命斗争取得胜利的经验思维都使人们坚定不移。这种时代风貌、这种精神状态一而再、再而三地被表现在"样板戏"中，因而形成了相对固定的表达模式和相对固定的关怀话语。

剧中的主要英雄人物都被塑造得能量非凡、高大完美。他们指点江山，改天换地，他们攻无不克，战无不胜。而他们之所以有这样超凡脱俗的本领，因为他们有伟大的锐利无比的思想武器。面临思想工作难题,面临险象环生、激烈复杂的斗争环境,这些英雄人物总是从思想方面寻找正确的方法,获取精神力量,明确前进方向。由于英雄们用毛泽东思想武装了头脑,有了取之不尽、用之不竭的力量源泉,所以他们在矛盾冲突异常激烈、情况万分危急时,总是靠着伟大的毛泽东思想的指引而取得一个又一个的胜利。"样板戏"的表现模式是在英雄们面临危急而又一筹莫展之际,让英雄们在静场思接千载、意驰万里,独抒胸臆。突然间,伴随着雄壮的《东方红》或《国际歌》音乐,他们或想起了党和毛主席,或热切地呼唤着毛泽东思想来指引,毛主席的教导使英雄们的精神为之一振,信心百倍,勇气大增。于是矛盾得到化解,难关度过,化险为夷,斗争又有了光明的前景。

《沙家浜》第6场中,阿庆嫂坐卧不安,焦急万分,新四军伤病员在芦苇荡中已经是第5天了"亲人们粮缺药尽消息又断,""刁德一派了岗哨又扣船",怎样才能把亲人见。

  阿庆嫂 怎么办,怎么办,怎么办?
     事到如今好为难……
     (耳旁仿佛响起《东方红》乐曲,信心倍增)
  阿庆嫂 (接唱)
     毛主席!
     有您的教导,有群众的智慧,
     我定能战胜顽敌渡难关。

《杜鹃山》中的杜妈妈被毒蛇胆监禁;用尽毒刑,雷刚为救杜妈妈误入圈套,再落虎口。奸细温其久鼓动战士下山救人,战士们情绪浮动,军心不稳。面临胜败存亡,柯湘心情沉重。

  幕后女声 心沉重,
      望长空,
      望长空,
      想五井。

>   柯　湘　似看到,万山丛中战旗红,
>   毛委员指航程,
>   光辉照耀天(哪),天地明!
>   幕后男女声　光辉照耀天地明,天地明!
>   柯　湘　想起您——
>   想起您,力量倍增,从容镇定,从容镇定,
>   依靠,依靠群众,坚无不摧,战无不胜,定能挽狂澜
>   挫匪军,壮志凌云!

《平原作战》中,对龟田是真"清剿",还是设圈套的论证分析,直接关系到群众的生存利益和战役的全局。赵勇刚仰天望月,思潮起伏。

>   赵勇刚　军情急如火,夜短征途长,风向不明计未定,箭在
>   弦上弓难张。(极目远望)
>   望西北延安城光芒万丈,
>   毛主席瞩望着抗日战场,
>   看得见战火纷飞青纱帐,
>   惦记着红旗不倒小村庄。
>   隔山隔水,我听见亲切教导在耳边响:
>   察敌情要去粗取精,去伪存真,由此及彼,由表及
>   里,仔细思量。
>   ……
>   任凭他机关算尽遍布下云山雾嶂,
>   毛主席的革命路线指引我永不迷航!

毛主席的战略思想使赵勇刚明辨斗争形势,有了前进的方向。

《海港》中,由于阶级敌人钱守维的破坏,混有玻璃纤维的小麦散包与稻种两头错包,天一亮,外轮就要起航,查不出散包,将产生国际影响。"情况急,时间紧,从何着手方能制胜难下结论……"方海珍苦

无良策,心情焦急,热切地呼唤着伟大的党来为自己指点方向。

  方海珍 党啊,党啊!
      行船的风,领航的灯,
      长风送我们冲破千顷浪,
      明灯给我们照亮了万里航程!
      想起党眼明心亮顿时振奋,

  孤胆英雄杨子荣能神勇克敌,只因"党给我智慧给我胆,千难万险只等闲"。江水英能从容应对错综复杂的阶级斗争,也是因为"望北京使我增添力量,革命豪情盈胸膛"。吴清华和战士们在弹尽粮绝的情况下,用大刀、枪托与满山遍野的敌人拼搏,打退敌人的12次进攻。也是"为革命为人民为阶级而战,党的教导是我们力量的源泉"。
  关怀模式话语还有一种类型,活学活用毛主席著作的模式话语。与前面的表现方式不一样,这种模式是把"文革"中活学活用毛主席著作的政治场景直接搬演进戏剧中。
  《红色娘子军》中的洪常青通宵达旦地学习油印的文件,在晨曦中诵读着"无产阶级只有解放全人类,才能最后解放无产阶级自己!"找到了教育吴清华从狭隘的复仇者成长为无产阶级战士的理论根据和思想武器。
  《海港》"战斗动员"一场幕启,方海珍坐在桌前学习八届十中全会公报,旁边摆着《毛泽东选集》。她"细读了全会公报激情无限",有了解决困难的智慧和力量,于是她信心百倍地去迎战即将到来的阶级斗争的暴风骤雨。
  《龙江颂》中,县委决定堵江救旱,干部、社员情绪有波动。江水英当然的办法是:"等会儿咱们开个支委会,重新学习党的八届十中全会公报,统一思想。"团支部书记阿莲积极响应:"水英姐,我们团支部也讨论一下吧?"学习讨论的结果是:

  阿坚伯 我们贫下中农学习了毛主席著作,大伙都说,淹三

|百，救九万……
| 众 | 我们干！
| 阿　莲 | 我们共青团员学习了毛主席著作，组织青年突击队……
| 众 | 冲上堵江第一线！

为了支援后山尽快战胜旱灾，龙江大队要派人帮助后山打通虎头岩，社员情绪又出现波动，

| 江水英 | （环顾四周，思索片刻，亲切地）同志们，来。
[晨曦辉映，春莺百啭。
| 江水英 | （从外衣口袋里取出毛主席著作）咱们一起学习《纪念白求恩》！
| 众 | 好！
| 江水英 | "白求恩同志是加拿大共产党员……为了帮助中国的抗日战争……不远万里，来到中国。……一个外国人，毫无利己的动机，把中国人民的解放事业当作他自己的事业，这是什么精神？"
| 众 | "这是共产主义精神"！
| 江水英 | 手捧宝书满心暖，
一轮红日照胸间。
毫不利己破私念，
专门利人公在先。
有私念近在咫尺人隔远，
立公字遥距天涯心相连。
读宝书耳边如闻党召唤，
似战鼓征人快马加鞭。
[彩云万朵，霞光四射。
[群情激昂。
| 阿　更 | 我们应该派人去支援！

众　　　　对,应该去!

　　林彪提出:学习马列主义一定要学习毛主席著作,学习毛主席语录只要学习"老三篇"就够用了,要"活学活用,学用结合,急用先学,立竿见影",在"用"字上狠下工夫。① 这段对白,即是典型的"活学活用"、"立竿见影"。用当时流行的话来说,就是"毛主席著作是个宝,革命事业少不了","一把钥匙打开了千把锁"。邓小平认为林彪的做法"把毛泽东思想同马列主义割裂开来"是把毛泽东思想庸俗化、简单化,"贬低了毛泽东思想的意义"。②

　　一些资料表明,对毛泽东思想,林彪其实并非倾心认同。毛主席的著作他从来不读,中央文件他也从来不看,重要的也只听秘书口头综述。毛主席明察秋毫,在 1970 年 8 月庐山九届二中全会上就指出林彪不懂马列。可是,林彪却装着最最革命的样子,时时刻刻都在举着毛主席语录。1964 年 4 月,林彪提出要"宣传毛泽东思想"、"活学活用毛主席著作"。这种心口不一,言行不一的行为,表现出了林彪的道德虚伪。可正是这种道德虚伪,掩盖了林彪夺权的野心,利用他的地位,调动起了全国人民学习毛主席著作的极大热情,并把人们对毛主席的热爱从真诚调度到虔诚。使得那个年代的人们都视毛主席著作为行动的指南和内在的驱动力,只要是来自毛主席的东西,一概尊奉为万能的、绝对的真理。这种虔诚在今天看来,一方面源自伟大的毛泽东思想本身无可抗拒的感召力,一方面也是由于几千年封建社会君臣关系、臣民关系旧观念的影响,现代社会领袖情结,盲目"唯上"的观念,都内化在人们的头脑里,支配着人们的思维方式,直接进入了人们的思维过程。前述的把毛主席语录当做发现矛盾、解决矛盾的全能思想武器,就是活学活用毛主席著作的突出表现之一,也形成了"样板戏"中的模式话语。

---

①② 徐达深《共和国史记·上下求索》,第 1023 页。

二　誓言模式话语

与西方社会相比，中国社会显然不是一种以个体为本位的社会，而基本上是一种以家庭和集体为本位的社会。这种社会基础决定了忠孝是历代社会必不可少的道德维系。"忠孝不得两全"就是道德社会或忠或孝做出的两难推理，也从侧面反映出传统观念中道德价值的定位。

"样板戏"的原始文本中对"忠"、"孝"概念有着明确的涵义："忠"是忠于阶级利益，"孝"是孝顺父母。如话剧《杜鹃山》中乌豆（即雷刚）要尽孝，杜鹃妈妈要乌豆尽忠。乌豆对杜鹃妈妈说："娘，乌豆不孝，让你老人家生气、作难。这辈子不能给你老人家养老送终，下辈子变牛变马也要报答你老人家待我的好处。"杜鹃妈妈则说："儿不忠，儿不义，你对不起贺代表，你对不起共产党！"在原始京剧文本《平原作战》中，英雄人物也用艺术形式的话语表明了"孝"必须服从于"忠"这个道德价值目标的道理。

游击队长李向阳带领队员们潜入平川县城，按照上级指示，运走城里存粮，拖住鬼子松井，不让他带兵增援山区。晚上就是行动的时间，李向阳和游击队员们正在地下党员陈凤鸣的家里休息，整装待命。就在这时，松井抓住了李向阳的妈妈李大娘，押着她游街，并在街道上埋下伏兵，妄图引诱游击队来劫法场，借机消灭游击队。松井还故意刺激游击队员：

> 松　井　平川的老百姓！你们看，
> 　　　　八路军有个李向阳，
> 　　　　铁石心肠对亲娘。
> 　　　　……
> 　　　　见娘受刑不来救，
> 　　　　人家笑骂他躲藏。
> 　　　　……
> 　　　　你们说大逆不孝是哪一个？（向百姓宣传）

我指出大逆不孝是李向阳!

摆在李向阳面前的就是两种道德价值追求:或孝,带领游击队员们冲出去,杀敌救母,不管会是什么结局;或忠,忍看娘亲受酷刑,"沉住气,任务要紧!"李向阳内心充满激烈的矛盾斗争。"老娘被捕心如剜!"但又"一眼看出是敌人的计","决不能飞蛾投火自焚燃","革命的利益比泰山重,此时刻,咬住牙,忍住痛;戒急躁,严纪行;保证完成任务在今天!"权衡再三,革命利益战胜了个人感情,李向阳放弃了尽孝,选择了尽忠。

高风亮节的李大娘对儿子了解甚深,知道他不会莽撞行事,还用唱词为他的选择做出了令人感动的解释:

  李大娘 人家孝子一盏灯,
      我家孝子一颗星。
      一盏油灯家里亮,
      一颗明星天发光。
      我儿向阳行大孝,
      救国救民舍亲娘。
      可笑敌人的手脚短,
      摸不清,一丈二尺的大金刚。

作为革命人,李向阳和李大娘共同选择了"行大孝"这种向社会、向阶级尽忠的道德价值目标。尽管"行大孝"就是"忠"的变异表达,但在"文革"中,人们的道德价值观念发生了错位,"孝"这个字眼以及它所代表的以家庭为本位的孝顺,通通被视为封建主义的东西否定掉了,所以,在改定本《杜鹃山》、《平原作战》中,"孝"字就被一些革命的字眼置换了。

否定了小家的孝,对阶级、对人民、对党和毛主席的忠诚,当然就成了社会道德价值的唯一。于是,"样板戏"中大量复现的表忠诚、立誓言行动的描写,又形成了一种模式话语。

面对毛主席像,众战士宣誓:

严伟才　毛主席!
众战士　毛主席!
严伟才　我们坚决遵照您的指示,为中朝人民的胜利,为全人类的彻底解放,战斗到底!
众战士　战斗到底!(《奇袭白虎团》)

洪常青　敬爱的毛主席!敬爱的党!亲爱的人民!我为你而生,为你而战,我为你闯刀山踏火海壮志如钢!生命不息,战斗不止,永远冲锋向前方!冲锋向前方!(《红色娘子军》)

在讨论极端的政治文化思潮对极端的文学创作模式的影响时,谢冕有一段话说得很有意思,他说:这种创作模式就是"保证如何使活生生的人离开人的自由本性,而变为僵死的、没有活人气味的神。"①这些效忠话语,实际上塑造了两个方面的神。一是画像中和头脑中的敬仰的可为之献出宝贵生命的神圣客体,一是完美的,没有私欲的,只有牺牲精神的话语主体。

毛主席的战士钢铁汉,敢闯火海上刀山。(《奇袭白虎团》)

愿红旗五湖四海齐招展,哪怕是火海刀山也扑上前。(《智取威虎山》)

纵然是刀山火海,千难万险,也难不倒共产党人!(《海港》)

为了支援世界革命,咱们工人阶级上刀山,下火海都不怕,

---

① 谢冕《文学的绿色革命》,第22页。

第九章 "样板戏"话语对传统戏曲话语的偏离

扛几个包算得了什么?!(《海港》)

"闯刀山踏火海",这是一般人所不能为的行为。用夸张的手法表现英雄人物的忠心赤胆和勇往直前的大无畏精神,偶一为之,确实使语言新颖独特,倍增艺术感染力。可是反复使用,反复同现,就会形成公式化、概念化的语言套子。语言的苍白乏力,给"假大空"话语的形成,提供了最好的语境。

雷同的还有粉身碎骨也在所不惜,千难万难也无所畏惧的表达。

为革命粉身碎骨也心甘!(《红灯记》)

党指引改地换天闹革命,为人民求解放粉身碎骨也心甘!(《智取威虎山》)

粉身碎骨不交密电码,贼鸠山你等着吧,这就是铁梅给你的好回答!(《红灯记》)

如果这样下山,能够解救亲人,我就是赴汤蹈火,死也甘心!(《杜鹃山》)

从此我跟定共产党,不管是水里走,火里钻,粉身碎骨也心甘,纵有那千难与万险,扫平那威虎山,我一马当先!(《智取威虎山》)

刀山剑树也要闯,排除万难下山岗。(《智取威虎山》)

纵然有千难万险来阻挡,为革命,挺身闯,心如铁,志如钢,定叫这巍巍大坝锁龙江。(《龙江颂》)

敢闯千难踏万险,用生命保卫我红色政权。(《红色娘子

军》)

似乎话说得不绝对,不夸大到极限,就不足以表达话语主体的革命性。个个人物都站出来说这种空泛的统一话语,实际使人物真感受、真性情失落,话语的美感也随之失落。

上述的都是个人立誓言的模式话语,如果是群体表决心,立誓言,又是另一种模式话语。基本的格式是:"我是 XX,我去。"一般出现在"XX"框架里的词语,是"共产党员"、"中国人民解放军"、"共青团员"等,因为"共产党员"、"中国人民解放军"、"共青团员"是革命的先锋,其优秀品质就是"吃苦在前,享乐在后"、"先天下之忧而忧,后天下之乐而乐"。

江水英　（登上高处）同志们！现在只有跳入水中,用身体挡住激流,帮助打桩！
众　　　好！
江水英　（再登高一层）伟大领袖毛主席教导我们:"中国人死都不怕,还怕困难么？"
众　　　我们什么都不怕！
阿坚伯　（挺身而出）我们是共产党员——
李志田等　我们去！
解放军甲　（挺身而出）我们是中国人民解放军——
众解放军　我们去！
阿　莲　我们是共青团员——
阿　更　我们是贫下中农——
众社员　我们去！
江水英　抢险合龙筑大坝,舍己为人掏红心！
众　　　舍己为人掏红心！（《龙江颂》）

"我们"这个集体名词的运用,反映了典型的"文革"思维,崇尚集体主义精神,不注重个人的作用。

第九章 "样板戏"话语对传统戏曲话语的偏离　　301

严伟才　同志们,现在只有先派两个同志,在前面探清地雷部位,我们大家随后前进。
韩大年　对,我去!
吕佩禄　排长,我去!
众战士　我去。
鲍玉禄　我去,我是中国共产党党员,让我去吧!
金大勇　我是朝鲜劳动党党员,我去吧!
张顺和　我是党员!
战士甲　我是党员!
战士丙　我是团员!
吕佩禄　排长,快下命令吧!
众战士　是啊,快下命令吧!(《奇袭白虎团》)

　　代词第一人称"我"的运用,是为了彰扬无产阶级先锋战士冲锋在前,牺牲在前的英雄主义。

　　这些模式话语折射出人们崇尚的是人的坚强意志和革命的献身精神。正是这种共同认可的道德价值观,培育、树立了人们勇于献身的崇高感和使命感,也才使革命事业的胜利有了可靠的保证。

　　要奋斗就会有牺牲,但牺牲不能是无谓的。活着的英雄们发誓要前仆后继,完成先烈未竟事业,要为先烈们报仇雪恨,立下的誓言都是以"血"这个词的语义域为核心来组织的。因为血的鲜红色彩最能震撼人的心灵,激起人们强烈的阶级仇恨,也因为血所具有的红色的寓意,在中国人的词汇库中占据着其他色彩词无法企及的特殊地位。

　　革命的基本力量是广大的劳苦大众,他们深受帝国主义和三座大山的压迫,人人都有一本血泪账。他们渴望报仇申冤,阶级的力量又使他们的愿望能够成为现实。"血"自然成为他们报仇话题中使用得最多的词语。

　　由于反复多次地使用"血"这个语义场的词语,又形成一种类型的誓言模式话语。

| 严伟才 | 同志们化悲痛为力量，
血债定要—— |
| 众战士 | 血债定要血来还！（《奇袭白虎团》） |

| 严伟才 | 美帝国主义欠下人民的血债，一定要它偿还！
（《奇袭白虎团》） |

| 吴清华 | 南霸天！一笔笔血债要你血来偿！ |
| 众 | 血债要用血来偿！（《红色娘子军》） |

| 李奶奶 | 要和敌人算清账，
血债还要血来偿！（《红灯记》） |

| 杨子荣 | 要报仇，要伸冤，要报仇，要伸冤，
血债要用血来偿！（《智取威虎山》） |

上述话语主体个个说的都是"血债要用血来偿"。汉语词库拥有世界上语言少有的巨大词汇量，有着异常丰富的句式，为什么就找不到与"报仇雪恨"同义的表达式，而都要用这同一的、模式化的表达？比较传统戏曲中那丰富多彩、表露人物复杂多样感情的话语，就看出"样板戏"话语抒情方式程式化、结构形式统一化、语句选用雷同化，已经偏离了戏剧话语的艺术规律性。

三 口号模式话语

"口号"是供口头呼喊的有纲领性和鼓动作用的简短句子，是有简单化、情绪化理性思维特征的表达方式。"口号"适合于口头宣传鼓动的场合。

"文革"中，口号因特定的政治语境而盛行，不仅口语中，书面语中也触目皆是。批斗会上喊"打倒"，效忠会上喊"忠于"、"万岁"，大字报、正式非正式的刊物均习用口号开头结尾。国家领导干部包括

林彪、周恩来等高层领导干部作大小报告也喊口号。在庆祝全国29个省、市、自治区革命委员会全部成立大会上,周恩来就是用19个口号结束讲话的。"文革"其时,口号真可谓声浪滚滚,铺天盖地,振耳欲聋。

在大会上呼口号,切合当时的社会环境,切合人们激昂、冲动的情绪,也切合交谈语体的基本特征。可口号以不小的数量进入"样板戏"这种文艺语体,就给典雅、庄重的书面语体口头化的戏剧语体带来了不可忽略的冲击力。

其实,周恩来一贯反对概念化、简单化的文艺作品,要求作品具有生动、感人的艺术形象和完美的艺术形式。在公开场合大呼特呼口号,实在是一种政治形势的需要,是一种从众心理。周恩来对传唱甚广,影响深远的歌曲《社会主义好》就曾经评说道:《社会主义好》这首歌好是好,就是歌词太简单了。在《在文艺工作座谈会和故事片创作会议上的讲话》中,他指出:"文艺为政治服务,要通过形象,通过形象思维表现出来。无论是音乐语言,还是绘画语言,都要通过形象、典型来表现,没有了形象,文艺本身就不存在,本身没有了,还谈什么为政治服务呢?标语口号不是文艺。"①

与周恩来提倡的精神相悖的情形是标语口号直接进入了"样板戏"文本。

英雄们就义前都要高呼口号:

> 洪常青　(振臂高呼口号)
> 打倒国民党反动派!
> 中国共产党万岁!
> 毛主席万岁!(《红色娘子军》)

《红灯记》中,李玉和就义前高呼:"打倒日本帝国主义!""中国共产党万岁!"接着三代人一起振臂齐呼:"毛主席万岁!"

---

① 参见张学新、王之望编《毛泽东文艺思想与实践大观》,第214页。

《沙家浜》中王福根被敌人枪决前高呼:"中国共产党万岁!""毛主席万岁!"军属刘老头被敌人枪决前,群众高呼口号:"打倒汉奸卖国贼!"

口号盛行,是"文革"话语的一种典型的思维特征,在第二章"'文革'语体的思维特征"中我们已经讨论过这类问题,它与"文革"其时人们的政治态度和政治热情直接联系。另外,可能编导演、观众双方都已经形成了这样一种共同的心理,认为就义本来就是戏剧中的重头戏,用口号这样有力度的表达手段,更有益于掀起戏剧高潮,表现英雄们坚定的共产主义信念,崇高的革命气节,英勇的献身精神。可是一把这种表达手段放到古今中外的戏剧中去,就比较出了"样板戏"表现手法的雷同、单一。表现英雄就义时的英勇、壮烈,汉语中还有很多种方式,针对不同的场合、交际对象、语境,或痛斥、或怒骂、或高歌、或大笑、或宣讲革命真理、或以沉默来表示对敌人的鄙视……当然,话语也有丰富多样的内涵,不一定只喊"打倒"和"万岁"。

"样板戏"中,胜利时,口号也被用于表达剧中人的喜悦心情。

《平原作战》中,赵勇刚用排枪击毙龟田,群众欢呼:"毛主席万岁!中国共产党万岁!"

《红色娘子军》中,洪常青告诉乡亲们:椰林寨解放了!众乡亲高呼口号:"毛主席万岁!""中国共产党万岁!"

《奇袭白虎团》中,王团长宣称战斗取得了全面胜利!严伟才领头高呼:"毛主席万岁!"众战士齐呼:"毛主席万岁!毛主席万岁!!毛主席万万岁!!!"

《海港》中:

> 方海珍　同志们!前往非洲的外轮,满载着中国人民的深情厚谊,按时开航啦!
> 高志扬　(激动地高呼)毛主席万岁!
> 〔工人们齐声高呼:"毛主席万岁!毛主席万万岁!"

根据习惯性的思维理解,这些口号是把胜利归功于党和毛主席。口号似乎没有跟具体的语境相联系,主要借以表达胜利者热爱党和毛主席,热烈欢呼、激动万分的感情。读解再三,发现口号似乎还有一种抽象意义,语义类同于前苏联胜利时的欢呼语"乌拉!"英美人用的"victory!"是否可以说,这些口号是汉语在六七十年代形成的独具时代特色、民族特色的欢呼语。

四 解救全人类的模式话语

从英雄人物的使命感、责任感的角度来解读"样板戏"话语,可以看出剧中的英雄人物都自觉到中国革命是世界革命不可分割的一部分,他们胸襟博大,既思考着中国革命的前途,还肩负着进行世界革命的伟大使命。杨子荣浴血奋斗是"愿红旗五洲四海齐招展"。李玉和在刑场上盼的是能"飞舞到关山,要使那几万万同胞脱苦难"。江水英告诫李志田:"莫教'巴掌'把眼挡,四海风云胸中装。"方海珍更是"要把世界彻底变个样"。除此之外,英雄们还有一类表述雷同解救全人类的话语,即世界上还有千千万万处在水深火热之中的受苦人等待着他们去解救:

洪常青　只有解放全人类,才能最后解放无产阶级自己!
　　　　(《红色娘子军》)

江水英　要看到世界上,
　　　　多少穷人遭饥荒,
　　　　多少奴隶未解放,
　　　　多少姐妹遭迫害,
　　　　多少兄弟扛起枪。(《龙江颂》)

吴清华　多少奴隶战斗求解放,
　　　　多少清华日夜盼翻身。
　　　　拿起枪跟着党冲锋陷阵,

> 为的是解放亿万受苦人。(《红色娘子军》)
>
> 洪常青　你可曾认真想一想,
> 　　　　在海南,在全国,这样的卖身契,还有多少张?
> (《红色娘子军》)
>
> 洪常青　多少乡亲压在铁山下,
> 　　　　急切切盼解放,一双眼里闪火花!
> 　　　　举刀枪,誓将它地狱摧垮,
> 　　　　要救出千百个受苦受难的吴清华!(《红色娘子军》)

这些话语尽管表现了英雄们胸怀祖国、放眼世界的革命情怀,但过于拔高他们的思想觉悟,反而给人以虚假感,有损人物形象的真实性,还使描写出现了公式化、概念化的弊病。

第四节　交叉渗透的政论话语

阅读"样板戏"文本,一种如影随形、挥之不去的感受会不时跳出来,横亘在审美理解的门口,削减着阅读的兴致。毋庸讳言,这种感受的产生,正是源于"样板戏"中大量复现的政论话语,渗入了有剧诗美誉的戏剧语体。这些政论话语不诉诸人们的感情,而诉诸人们的理智,不依靠叙述、描写、抒情性语言的艺术力量打动人,而是依靠概念、判断、论证的逻辑力量说服人。这些话语的大量存在,使"样板戏"的文艺语体显现出被政论语体过量渗入的倾向性。在文字平面上表现为不仅有词语这样点状的政论语体成分的引入,而且还有语句、语段呈板块状的政论语体成分的流入。

本来,文艺语体具有多维的开放性和广泛的兼容性。它欢迎其他语体表达手段的加盟共组,也具备了消解其他语体成分的能力。它自觉地接受其他语体成分的交叉渗透,并积极调动自体的表达手段,把他体特殊语体色彩的表达手段,转化统一到适合自体发展的风格特征中去,以求取内涵丰富、独特新颖的表达效果,满足公众求新求异的审美心理需求。而语体成分的渗透流入,往往表现为个别语体的个别成分由彼主干嫁接到此主干上,嫁接成功处,便是言语表达产生最佳效果,有所突破、有所创新处。所以,个别语体个别成分的渗入,往往成为文艺语体传情达意的一种自觉追求。倘若不是个别语体的个别成分,而是个别语体的大量成分集中流入,文艺语体就会显得负载过重,出现吸收困难,消解乏力,两种语体的风格特征发生冲突等一系列问题。而且最终会导致文艺语体自身规律失控,危及到文艺语体本位的地位问题。

观照"样板戏"中过量复现的政论话语,正好表现出文艺语体超载,消解乏力诸问题。政论语体成分渗入"样板戏"有多种表现形式,阶级斗争话语、继续革命话语、僵化雷同的模式话语等,都是这种政论话语。这里主要讨论毛主席语录的引用。毛主席语录均从政论文中选出,所以毛主席语录作为特定语体色彩的表达手段,以政论话语的形式,直接导入戏剧语体,形成政论语体成分向文艺语体的交叉渗透。

"样板戏"改编自50年代末60年代初现代戏热潮中涌现出来的现代戏,原始文本的京剧、沪剧、话剧、淮剧、电影文学剧本中均没引用毛主席语录,可见,毛主席语录渗入戏剧语体,是"文革"时期特有的文化态势,也折射了政治权势、编导演、观众这三方共同确认的历史文化态度。

1964年,林彪提出要"活学活用毛主席著作",5月,林彪又指示出版了《毛主席语录》,自此,《毛主席语录》成了红宝书,成了毛泽东思想的象征。引用威力无比的毛主席语录,来印证文艺的革命性,自然成为政治权势提倡的手段之一。

剧作者、演员引用毛主席语录确确实实是发自内心对毛主席的真挚、崇敬之情,一方面也是为剧作富于革命性,保证创作、演出成功的一种努力。"文革"时期,极"左"思潮泛滥,"棍子"、"帽子"满天飞,谁敢表现"人性论",谁敢偏离阶级斗争?剧作不标示"革命"、"进步",通不过审查,被禁演,剧作就丧失了生命力。而引述毛主席语录,反复引申、阐释其原理最具革命性,加大了剧作的政治保险系数,无异于给剧作请了一尊保护神。

广大观众接受毛主席语录是因拥有无比热爱、无比信仰的接受心理。他们欣喜、坚定的目光显现出他们相信毛泽东思想这种精神力量取之不竭,用之不尽。剧中人物正是依靠了毛泽东思想才无往而不胜,因为革命斗争的实践证明了毛泽东思想的旗帜上写着永远正确、绝对真理。

毋庸讳言,在诸种社会因素中,政治是影响力最大,覆盖面最宽,渗透力最强的因素。在"文革"那灾难深重的岁月里,林彪就是利用了政治的强大力量,颠覆了包括毛泽东在内的8亿中国人的经验思维,并获取了一人之下,亿人之上的副统帅地位。1964年5月,林彪指示编辑的《毛主席语录》出版发行。到1967年12月,《毛主席语录》发行了3.5亿册。在"再版前言"中,林彪写道:"永远高举毛泽东思想伟大红旗,用毛泽东思想武装全国人民的头脑,坚持在一切工作中用毛泽东思想挂帅,是我党政治思想工作最根本的任务。广大工农兵群众、广大革命干部和广大知识分子,都必须把毛泽东思想学到手,做到人人读毛主席的书,听毛主席的话,照毛主席的指示办事,做毛主席的好战士。"[①]林彪偷换概念,利用他的地位和全国人民对毛主席的崇敬和热爱,把毛主席的话与毛泽东思想等同起来,把毛泽东高置于党中央的集体领导之上。然后林彪进而又利用人们的顺向思维,提出:"大海航行靠舵手,干革命靠的是毛泽东思想!"毛主席是"伟大的领袖、伟大的统帅、伟大的导师、伟大的舵手"。通过"三忠于"、"四无限"、"早请示、晚汇报"、"大跳忠字舞、大唱语录歌"等活动,大搞偶像崇拜。而后,林彪又挥动毛主席语录本,喊出"毛泽东思想是当代马列主义的顶峰,是放之四海而皆准的革命真理","毛泽东思想为广大群众所掌握,就会变成无穷无尽的力量,变成威力无比的精神原子弹","毛主席的话句句是真理,一句顶一万句"。这又给毛

---

① 引自李鹏程《毛泽东与中国文化》,第367页。

泽东思想披上了神圣的外衣。作为毛泽东思想集中体现的毛主席语录本，成了宝书，获得了至高无上的圣经般的地位。这就是毛主席语录导入"样板戏"的社会历史背景和历史必然性。

毛主席语录导入"样板戏"文本，有直接导入和间接导入两种形式。直接导入有"毛主席教导我们说"等导语牵头索引。有的打上引号，照引原文，有的没有引号，也基本上照引原文。

间接导入没有导语，是把毛主席语录与其他话语巧妙地糅在一起，但熟悉毛主席语录的人一看即知道引用了毛主席语录。

  杨子荣 立下愚公移山志，
      能破万重困难关。(《智取威虎山》)

  江水英 毫不利己破私念，
      专门利人公在先。(《龙江颂》)

  严伟才 哪怕它美李军成千上万，
      无非是纸老虎外强中干。(《奇袭白虎团》)

上述语句中都暗含了人人熟知的毛主席语录。

  严伟才 对！它不老实，咱们就打。敌人是不会自行消灭的，帝国主义分子决不肯放下屠刀，它们也决不能成佛。我们必须用革命的两手，对付美帝国主义反革命的两手。这就叫做谈谈打打——
  众战士 对！打打谈谈。(《奇袭白虎团》)

毛泽东在北戴河看《奇袭白虎团》剧，听到严伟才念这段道白时笑着说：这不是我说过的话嘛！

直接导入毛主席语录在文字平面上以块状形式铺排迭出，结构形式上是政论语体成分的毛主席语录以格式上的完整性包孕于戏剧语体的表达式中,毛主席语录的政论语体结构功能已被改造,以服从于戏剧语体表情达意的整体功能。

我们以人民文学出版社 1974 年《革命样板戏剧本汇编》(第一集)为例做了一个统计。文本前引了 22 段毛主席语录。不计间接引用,文本中共直接引用了 30 段毛主席语录,而且主要集中在《海港》、《龙江颂》、《奇袭白虎团》三出戏中。

在舞台布景那短短的说明文字中,也出现了毛主席语录。

《海港》中有:

"码头一角电线杆上挂有'全世界无产者联合起来!'的红色标语牌。"

"仓库一角。大门两侧分贴着'奋发图强'、'自力更生'的标语。"

"一幅红色的语录牌上,写着'将革命进行到底'。"

《龙江颂》中有:

"屹立着公字闸的江堤上有'人民公社好'五个大字。"

就文本个体引用情况看,1967 年 9 月《奇袭白虎团》的文本堪称引用之最。用黑体字标出的毛主席语录有 27 段。相应的,"毛主席教导我们"类导语出现了 25 次。《奇》剧的序幕加尾声共 11 场戏,其中 2、7、9 这三场戏因有大量篇幅描写敌人,均只在每一场前面引用一段毛主席语录。在短短 8 场戏中,引用 24 段毛主席语录的高频率,自然使戏剧语体难于消解过多的政论语体成分,呈现出政论语体向戏剧语体超载渗透的倾向性。

毛主席语录的引用在"样板戏"中主要表现为:

(一)毛主席语录的高频率引用

在剧中,毛主席语录这种政论语体的表现手段经常被英雄们用来判断形势、做出决策、宣讲革命道理。如:《智取威虎山》"定计"一场中,参谋长在与杨子荣讨论作战计划过程中两次引用了毛主席语录:

毛主席教导我们:"革命战争是群众的战争,只有动员群众才能进行战争,只有依靠群众才能进行战争。"

咱们要牢记毛主席的教导,在战略上要藐视敌人,在战术上要重视敌人。

再比如柯湘为了使雷刚和战士们认识分清敌我友这个大是大非问题,引用了毛主席语录强调其重要性。

> 毛委员说过:"谁是我们的敌人?
> 谁是我们的朋友?
> 这个问题是革命的首要问题。"
> 所以,白军俘虏,要宽大处理;
> 一般商人,应该争取;
> 土豪列强,是我们的死敌;
> 而劳苦大众,乃是革命的主力!(《杜鹃山》)

全剧正是围绕着分清敌我友这个问题来展开戏剧冲突的,毛主席语录的引用在此点化了主题,衬托了柯湘的政治素养,突出了雷刚等农民革命军要成长为无产阶级革命战士的艰巨性。

> 赵勇刚　毛主席说:"凡属敌人进攻游击战争越厉害之处,就证明那里的游击战争越有成绩。"敌人反复"清剿"张庄,说明张庄对伟大的抗日战争,做出了应有的成绩。张大娘的英勇牺牲,给了我们很大教育。我们马上进城,把龟田的增援计划彻底打垮!(《平原作战》)

每一具体军事策略的制定,都有毛主席的英明预先测定,而且每一次革命斗争实践的胜利,又都反过来印证了毛泽东思想的无比正确性。

毛主席语录的渗入,其表达式是以格式上的完整性包孕于戏剧语体的表达式中,结构功能被改造,以服从于戏剧语体表情达意的功能。毛主席语录的高频率引用，也表现为同一剧中同一内容的反复引用。

为了时时扣紧阶级斗争这根主弦，方海珍警觉到装卸队长赵震山阶级斗争观念淡漠，便告诫道：

> 在党的八届十中全会上，毛主席教导我们：阶级斗争必须年年讲、月月讲、天天讲。我们千万不要忘记！同志。（《海港》）

潜伏的阶级敌人钱守维抓起来了，装着援非稻种的外轮也按时起航了，在斗争胜利之时，方海珍居安思危，再一次用毛主席语录向大家敲响了警钟：

> 我们要永远记住毛主席的教导：阶级斗争，必须年年讲、月月讲、天天讲。（《海港》）

毛主席语录这种政论语体成分的高频率渗入还表现为在不同剧中同一内容的反复运用。

《奇袭白虎团》中，尖刀班要插入敌后，王团长作战前动员：

> 王团长　这次奇袭白虎团的任务很艰巨，你们有信心吗？
> 众战士　"下定决心，不怕牺牲，排除万难，去争取胜利。"

《智取威虎山》中，解放军追剿队在进入深山剿匪的途中，参谋长作形势分析：

> 参谋长　我们一定要发扬连续作战的精神，"下定决心，不怕牺牲，排除万难，
> 众战士　去争取胜利。"

《龙江颂》中，堵江出现险情，江水英果敢地跳入水中，众随之跳

下,与浪搏斗,筑成人墙,堵住合龙口。

   江水英 "下定决心,
   众   不怕牺牲,排除万难,去争取胜利。"

  《海港》中,方海珍率工人们抢在雷雨前把两千包小麦用人力扛进仓库。

   方海珍 (挥手)上!
      〔众解搭肩布,转身,侧身"前弓后箭",斜转身,抖搭肩布披上肩,作斜坡式队形"亮相";昂首阔步,高声朗诵:"下定决心,不怕牺牲,排除万难,去争取胜利。"

  这段语录可以用于不同的语境,说明其内容具有广泛的适应性。干革命总会碰到困难,但中国共产党人和中国人民是不怕困难的,他们只要有正视困难,敢于牺牲的勇气,他们就无往而不胜。同一语录在剧作中的四次复现,剧作者的目的在于褒扬英雄和群众崇高的牺牲精神和革命的乐观主义精神。实际上也是在艺术的氛围中,用艺术的形式高扬了毛泽东强调的唯意志论。毛泽东一贯重视人的主观能动性,他强调精神可以变物质,却较少考虑只有十分有限的精神在一定条件下才可以变物质。他的诗人气质和浪漫情怀使他认为世界可以随人的心愿改变。他主观上是为了使人民尽快地过上幸福生活发动了大跃进,客观上却是在相当长的一个时期内,鼓动了人们随意地、极度地夸大了主观能动性。在这种历史文化背景下,集中反映毛泽东唯意志论的这段语录,必定会进入政治权势、剧作者、演员、观众共同的视野,一而再,再而三地被选进"样板戏"。

  本来,毛主席语录在社会上已经有了相当的广泛性,很多语录耳熟能详。而且,加之毛主席语录的语言形象生动、逻辑严密、易读易解,富于艺术感染力,毛主席语录逐渐褪下神圣的外衣,走向寻常心理。就像"下定决心,不怕牺牲,排除万难,去争取胜利"这段语录,早已成为人们大脑中共储的信息。所以它在"样板戏"中的复现,司空见惯,也就较少能激起人们高昂的情绪。

这段语录的选用,在《奇袭白虎团》中,实际传递了"有"这个判断词的信息。所以1972年的文本就改为了"坚决完成任务!"在《智》剧中,兼具呼唤应答的结构功能和政治鼓动的社会功能。根据所给语境,《龙江颂》、《海港》中除了表达政治鼓动的社会意义外,由于其鲜明的节奏感和抑扬顿挫的语气,还表现出了鼓舞集体意志、协调劳动节奏的意味。两相比较,我们更喜爱《沙家浜》中郭建光与战士们"要学那泰山顶上一青松!"的唱词。同样是表达战胜困难、坚持到最后胜利的情绪,可这段唱词运用比兴、象征的修辞手法和新颖、凝练、精美的语言,更符合文艺语体的表现特征,具有更强的艺术感染力。

(二)毛主席语录的生硬套用

在个别剧中,毛主席语录的引用,不仅在"量"上超多,在"质"上也表现出超载渗透的倾向性。

以1967年9月《奇袭白虎团》的演出本为例。严伟才听到阿妈妮壮烈牺牲的消息后,悲痛万分地唱道:

"天兵怒气冲霄汉!"阶级仇恨心头添。

眼见得敌人不断发起进攻,杀害朝鲜人民,严伟才表示:

我代表全排再请战,一声令冲向前;劈开千重浪踏破万重山,"敢叫日月换新天!"

在带领尖刀班袭击敌人的路途中,敌情骤变,严伟才带领战士们勇往直前:

泗水渡河袭穷寇,"要扫除一切害人虫,全无敌"。

这里三次直接引用了毛主席诗词,还用引号把原文标注出来。而大家都熟知毛主席诗词所表现的意境,根本就不适合于移用在剧中的这些唱词里。尽管毛泽东诗词也属于文艺语体,但这里的引用主要是想利用毛泽东诗词语义的政治鼓动功能,并没有从形式上考虑它的艺术效应。而且,这种掐头去尾,断章取义,功利性地引用毛主席诗词的做法,会使话语与剧情分离,破坏语言风格的协调性。所以1972年9月演出本中就将这三处引用全部删去。

1967年9月的《奇袭白虎团》文本还有一个例子堪称违背情理的典型。

尖刀班在插入敌后的行进途中,严伟才踩着了地雷。这种地雷抬脚就会爆炸,严伟才急需排雷。在这生死攸关的时刻,剧作为了表现严伟才的大无畏精神,让他在场上大段地背诵毛主席语录:

  严伟才 同志们!要记住毛主席的教导:"这个军队具有一
      往无前的精神,它要压倒一切敌人,而决不被敌人
      所屈服。不论在任何艰难困苦的场合……
  众战士 只要还有一个人,这个人就要继续战斗下去。"

太离奇了!排雷,生死未卜,刻不容缓,危急万分。可我们的英雄还有时间在大段抒情,这种与常理相悖的戏剧话语只会出现在政治权势强行干预的"样板戏"里。在1972年9月的文本中,这段话语改为:

  严伟才 同志们,就是有天大的困难,也要完成党交给我们
      的光荣任务!
  众战士 是,坚决完成任务!

仔细推敲,这又何尝不是"下定决心,不怕牺牲,排除万难,去争取胜利"政论话语的表述变体。

不难作结,毛主席语录的引用,既集中映射了"文革"的时代精

神,又表现了政论语体向戏剧语体交叉渗透的倾向性。本来,毛主席语录作为一种政论成分,适量恰切的渗入,既为戏剧语体开放性的本性所包容,也是审美表达丰富多样的需求。因为政论语体成分的引入,可以使逻辑语言的哲理性和思辨性与文学语言的形象性交织为一体,相得益彰,达到完美统一。还可以拓展人物内涵,丰富人物的性格特征,从而提炼思想,升华主题。但从上述分析中可以看出,"样板戏"特别是《奇袭白虎团》的引用没有掌握好恰到好处这个度,表现出政论语体成分超载渗透的倾向性。由于在以形象性、抒情性、音乐性为特征的戏剧话语中缺少过量政论话语生长的典型环境,戏剧语体不具备全部消解的能力,所以在一定程度上影响了戏剧语体的典型性。

第十章　"样板戏"话语的时代风格特征

只要提及"文革"话语,经历过"文革"的人可能最先联想到的是那满街大字报、传单上那以大批判开路,砸烂封资修的咄咄逼人的粗野话语;联想到凡事先呼几个"祝愿",结束时高喊几个口号的模式套语;联想到从写作到日常生活,全面套用马列主义经典著作,毛主席语录等社会思潮话语。这些话语,在"样板戏"中都有所反映,但不是全面的反映。这当然与戏剧语言是一种艺术语言,受戏剧艺术规律的制约,不可能全面照搬反映社会思潮的话语有关,也与"样板戏"的前身现代京剧、沪剧、话剧、淮剧、芭蕾舞剧、电影等,在50年代末、60年代初就已创演成型,社会思潮的话语不可能全面浸染有关。

参阅大量"文革"前的文艺作品,参阅文学史、戏剧史、京剧史及有关"样板戏"的论文后,不难发现,"样板戏"从1966年起开始培植至1976被否定,虽与十年"文革"的历史分期正好吻合,但"样板戏"话语映射的时代风貌,与历史分期不是一种完全扣合的一一对应关系。"样板戏"话语所反映的不仅仅是"文革"时代风貌,它还是50年代末60年代初时代风貌的延续。换言之,"文革"时期"样板戏"话语折射的时代风貌,是在50年代开始形成,60年代发展成熟,"文革"时期得到延续的。显然,这种时代风貌具有独特性,在"文革"爆发之前,它的基调就已经拟定,只不过在"文革"的发展中打上了深重的时代印记。

通过对壮丽革命图景的再现来表现革命斗争历史,高扬爱国主义和革命英雄主义精神,是文学最为强大的文化传统之一。因此,古今中外,凡反映历史斗争辉煌成就和充满理想、信念和献身精神的民族英雄的文艺作品,无论国外的《绞刑架下的报告》、《青年近卫军》、《牛虻》、《卓娅和舒拉的故事》,还是国内的一大批涵盖着长期的历史价值观念的优秀作品,包括被称为"红色经典"的作品,从来都是最受欢迎的。且不论"红色经典"改编者以"戏说"的态度欲达到的商业炒作目的,对改编"红色经典"作品本身,广大读者观众注重的是这些革命历史题材的作品再现是否能忠实于历史,忠实于时代精神,忠实于人物塑造所反映的精神面貌,忠实于艺术真实?是否可以通过这些改编改变影视作品题材单一的现状?即很长时间以来充斥着荧屏的作品多是反映古代帝王、青春偶像、反腐反贪、刑侦破案题材,造成影视作品的另一种单一。是否可以在商品文化的多元语境中,真正重塑属于新时代的伟大英雄?把英雄的献身精神和完美品质作为青少年进行道德情操教育的资源和库存?如果从文学界、文艺界对当下不忠于历史和艺术的改编现象的种种批评和对弘扬民族精神和英雄主义的呼吁,从这批作品自身的审美价值和历史意义看,是完全有可能的。

作为"红色经典"中的部分内容,京剧《红色娘子军》、《红灯记》、《沙家浜》、《平原作战》、《智取威虎山》正是由于它们表现了中国革命伟大历程中的壮举,塑造了一批在历史洪流中为实现崇高理想而英勇奋斗、不畏艰险、不怕牺牲的英雄人物,赞颂了这些英雄群体可歌可泣的火样激情和奉献精神,从而奠定了作品不能抹灭的历史价值和艺术魅力。

五六十年代的时代风貌,有文艺评论家总结为:50 年代是颂歌的年代,60 年代是战歌的年代。用这种观点考察"样板戏"话语,确实发现了"颂扬"和"斗争"这两种鲜明的时代印记。新中国成立,开创了历史的新纪元。社会制度发生了重大变革,经济生活发生了巨大变化,科学文化突飞猛进,决定了 50 年代的时代精神是凯歌高奏的。这种气势张扬的时代精神给语言带来了充分发展的契机,反映新制度、新思想、新文化的词语大量涌现。"样板戏"中也自然有所反映,如:"县委"、"人民公社"、"大队"、"总路线"、"大跃进"、"高产红旗"、"自力更生、奋发图强"、"自留地"、"红旗下长大"、"翻身做主多自豪"、"生老病死有依靠,共产党毛主席恩比天高"等表达式在反映社会主义建设题材的《海港》、《龙江颂》中随处可即。祖国欣欣向荣,人民真正当家做了主人,共产主义的理想又那么美好,这不能不触发文艺工作者放声歌唱的情怀。诗人贺敬之就写了著名的诗篇《放声歌唱》:

> 呵!假如我有一百个大脑呵,我就献给你一百个;假如我有一千双手呵,我就献给你一千双;假如我有一万张口呵,我就用一万张口齐声歌唱!——歌唱我们伟大的壮丽的新生的祖国!歌唱我们伟大的光荣的正确的党!

因此,歌颂人民战争的威力,歌颂社会主义建设的伟大成就,歌颂毛泽东思想军事路线的胜利,歌颂中国人民的共产主义风尚、国际主义精神,成为"样板戏"中的主旋律。

战歌是回荡在"样板戏"总谱中与颂歌交替出现且相辅相成的另一主旋律。因为歌颂人民战争的胜利,必定要回忆峥嵘斗争岁月全体人民浴血奋战才取得的辉煌战绩;歌颂社会主义建设的伟大成就,必定要展示阶级斗争的复杂艰辛,而正是依靠武装斗争、阶级斗争,才获取了今日的胜利。因此,战歌声中充满着激情、豪迈和自信。而敌对双方形成的两军对垒,使语言生成了一批矛盾对立、水火不容的词语。① 仅以称谓语言为例:

毛委员　共产党　抗日民主政府　贫农会　工农革命军
工农　红军　八路军　新四军　中国人民解放军　军队　赤卫
队员　中国人民志愿军　民兵　朝鲜人民军　阿妈妮　大娘
大嫂　中朝两国人民　无产阶级　阶级姐妹　阶级兄弟　英雄

---

① 参见《陈思和自选集》,第189、190页。

同志　亲人　乡亲　战友　人民军　老百姓

蒋介石　老蒋　国民党　反动派　伪军　敌寇　走狗　汉奸　特务　土匪　匪帮　匪徒　匪首　海霸　海匪　匪特　顽匪　反共救国军先遣队　侵略军　忠义救国军　日本帝国主义　日本鬼子　鬼子兵　日寇　美帝　美国鬼子　仇敌　资产阶级　敌人　强盗　阎王　坏家伙　奴才

这些称谓词语,在"样板戏"中被赋予了强烈的感情色彩意义,前一组词语代表着正义、革命、进步、前进、光明、伟大;后一组词语,代表着非正义、反动、倒退、腐朽、黑暗、卑贱。使用前一组词语,就意味否定后一组词语,而使用后一组词语,就会联想、比照出前一组词语。词语附着的色彩意义,使得词语的选用,清清楚楚地表明了人物的处事态度和阶级感情。

这种戏剧表现,正应和了陈思和的分析:"战争文化要求把文学创作纳入军事轨道,成为夺取战争胜利的一种动力。"战争结束以后,"当带着满身硝烟的人们从事和平建设事业以后,文化心理上依然保留着战争时代的痕迹:实用理性与狂热的非理性的奇特结合,民族主义的高度发扬,对外来文化的本能排斥,以及因战争的胜利而陶醉于军事生活,把战时军队生活方式视作最完美的理想境界,等等,这种种文化特征在战后的短短几年中不可能得到根本性的改变"①。甚至在战后十余年的"文革"前后,仍然以种种形式反映在各种语言篇章里。

1958年,毛泽东在庐山会议上提出了阶级斗争是主要斗争的观点,1963年由于错误地估计了国际、国内形势,又再次重申了阶级斗争观点。这给"样板戏"的艺术倾向带来了直接的导向作用,反映社会主义建设题材的几部戏匆匆作了调整,快速高效地加入到政治生活中以"阶级斗争为纲"的大合唱中。于是,战歌的调子加进了几分

---

① 参见《陈思和自选集》,第187页。

冷静、紧张的气氛,开始变得严峻、沉郁。

颂歌与战歌交织一起,构成了回旋在"样板戏"中的主旋律,映射出"样板戏"话语反映的时代精神。

其实,"颂歌"、"战歌"这两种语言态度,是与古代诗歌的美刺精神相贯通的。对美好的事物进行歌颂,对不合理的事物进行斗争,才能使社会进步。古代诗歌的美刺精神更多地诉诸感情,因没有感情,就不能用激情去感染读者和观众,从而取到美刺的社会作用。"样板戏"的"颂歌"、"战歌"也诉诸感情,只不过它的感情总是以极端形式来表现的。在"样板戏"中表现为以"颂扬"和"斗争"为核心的戏曲话语。

第一节 以"颂扬"话语为核心话语的时代风格特征

在第七章的"庄重壮丽的风格特征"一节中我们讨论了"歌颂革命理想"、"歌颂伟大的人格"这两种话语类型,它们属于"颂扬"话语类型。除此之外,"样板戏"中的颂扬话语还有歌颂毛泽东思想,歌颂党和毛主席,歌颂人民群众,歌颂军民团结等等类型的话语。这些话语在剧作中占有相当大的比例,它们与"斗争"话语一起,反映了"样板戏"话语的时代风格特征。

一 歌颂党和毛主席

在"文革"文艺批评的钳制下,"样板戏"的创演有一个规定的情景:描写民主革命时期题材的"样板戏"必须要歌颂毛泽东军事路线的胜利;描写社会主义建设时期题材的"样板戏"必须以阶级斗争为纲,歌颂党的基本路线的胜利。于是,"样板戏"中出现了许多歌颂党和毛主席的领导,歌颂毛泽东思想的话语。

1) 革命真理"党指挥枪","党指挥枪",你千万不能忘,乘风破浪向前方,永不迷航!(《杜鹃山》)

2) 只有解放全人类,才能最后解放无产阶级自己,
　　这真理我们要时刻牢记永不忘,心明眼亮不迷航!(《红色娘子军》)

3)《持久战》放光辉无敌力量,
　　直觉得手中枪也添锋芒。
　　看星火已燎原越烧越旺。(《平原作战》)

　　这三个句子中直接或间接引用了毛主席著作中的话,并赞颂为"真理"、"放光辉"。1)与2)句的句式采用了比诗体承载容量大,抒情意味浓的赋体。

4) 党中央毛主席指引了方向,
　　鼓舞着我们奋战在水乡。(《沙家浜》)

5) 毛主席的教导记心上,
　　坚持斗争胜利在明天。(《沙家浜》)

6) 党的话句句是胜利保障,
　　毛泽东思想永放光芒!(《奇袭白虎团》)

　　句子歌颂党和毛主席的领导,语句没有什么具体内容,多是些"文革"时期流行的套话。在"文革"十年的《人民日报》、《文汇报》上,在"文革"中人民音乐出版社发行的五本一套的《战地新歌》上,在北京大学1976年出版的《文化大革命颂》上,到处都能见到类似的颂扬语句。这是因为毛泽东思想和党的路线是唯一正确的路线,歌颂与否,直接表明了人们的政治态度、政治热情。按照统一的标准择语用句,必然使相同内容甚至相同形式的话语聚集在一起。
　　人民翻身做了主人,过上了幸福生活,对党和毛主席充满了感激之情。文学创作中较常见的是用比喻的修辞手法来表达颂扬之情。

这些话语,也被《海港》、《龙江颂》多次搬进剧里。

> 7) 这新社会,咱们码头工,翻身做主多自豪,生老病死有依靠。共产党毛主席恩比天高!(《海港》)

> 8) 毛主席的恩情比天高、比地厚,更比海洋深!更比海洋深!(《龙江颂》)

> 9) 江大海大天地大,比不上毛主席的恩情大!(《龙江颂》)

在"样板戏"中,颂扬程度最高、最集中的修辞手法还数把毛主席比成大救星、红太阳的比喻。

1942年,陕西农民李有源为了表达他翻身做主,分到土地后的喜悦心情,在信天游中,首次用比兴的手法把毛主席比着太阳和大救星。自此,开了"毛主席是红太阳"这个"文革"中使用频率最高的比喻的先河。此后文人墨客们又把这个朴素的表达升华得文采灿然、激情四溢。以五四运动的急先锋郭沫若为例,我们在《郭沫若全集》第四卷、第五卷中随手摘出了这些诗句:

> 10) 在今天我们有两个太阳同时出现,/一个在天上,一个在天安门前。/天上的太阳照暖我们的神州赤县,/地上的太阳照暖我们的六亿心田。
> (《歌颂群英大会》1959年10月)

> 11) 人人齐唱《东方红》,/意气风发心情舒,/万岁万岁长欢呼!
> (《蜀道奇》1961年9月)

> 12) 日出东方,/安源矿,/金光先到。
> (《毛主席去安源》1968年9月)

13）祝我们的党、我们的祖国蒸蒸日上！/祝我们亲爱的导师毛泽东主席万寿无疆！
（《歌颂运会》1959年9月）

我们惊异，这些在"文革"中才为人们普遍运用的话语，竟然那么早就出现在诗人的话语里，我们慨叹诗人从反传统又回归传统的心路轨迹。

"样板戏"中有不少把毛主席比喻为"红太阳"的语句：

14）手捧宝书满心暖，
一轮红日照心间。（《龙江颂》）

15）照耀我们的是永远不落的红太阳！（《红色娘子军》）

16）毛主席红太阳在东方升起，
驱散乌云亿万人民把身翻。（《奇袭白虎团》）

17）漫道是密雾浓云锁芦荡，
遮不住红太阳万丈光芒。（《沙家浜》）

18）春雷响，天地变，
毛主席把阳光雨露洒满人间。（《龙江颂》）

这些颂词代表的不纯粹是个人感情，而联系着社会的群体，甚而一个阶级的感情，所以话语有很强的感染力，也有普遍的接受心理。

《东方红》乐曲也包含了特殊的寓意，带上了庄严、神圣的色彩。"样板戏"中两次出现，一为战士出征前向毛主席像宣誓时，一为阿庆嫂想起了毛主席时，都赋予了象征意义。

最初，我们的思维停留在学界惯常的定论上，认为这些颂扬话语是"文革"中林彪大搞个人崇拜的一部分，更主要的是表达了广大人民群众无限热爱毛主席的心情。但随着阅读史料的深入,我们发现,以毛泽东的权威为中心的社会偶像崇拜,是从40年代初开始的,当时出于革命斗争的需要,党的领导就提倡了对毛泽东的个人崇拜,1943年至1945年在延安掀起了一个"毛泽东热"。只不过林彪出于个人野心的需要,把这种个人崇拜发展到极致,形成了历史上的一种特殊文化现象。

1942年末至1943年春,共产国际宣布解散,蒋介石出版了《中国之命运》一书,并开始以"新国父"、"群众导师"的身份自居,提出了"没有国民党就没有中国"的政治口号。这实际上是提出了中国领导权的归属问题。针对这种政治环境,中国共产党针锋相对地提出了"毛泽东思想"的概念,创作于1942年的《东方红》、《没有共产党就没有新中国》的歌因适应了当时的政治需要,也唱遍了解放区。博古在1943年7月13日的《解放日报》上号召全党团结"在毛泽东的旗帜下"进一步增强前所未有的团结。因为我们有党的领袖,中国革命的舵手——毛泽东同志,他的方向就是我们全党的方向,也是全国人民的方向。在1945年4月召开的党的七大会议上,毛泽东思想作为全国工作的指导思想写进了党章。刘少奇在关于党章的报告中说:"我们的毛泽东同志,不只是中国有史以来最伟大的革命家和政治家,而且是中国有史以来最伟大的理论家和科学家。"① 而历史最终选择了中国共产党、选择了毛泽东和毛泽东思想。

可知,在特定的历史背景下,从40年代至70年代,对毛泽东的个人崇拜,有着其必然的历史延续性。

对林彪大搞个人崇拜,毛泽东在理性上是警惕的,他批判了"一句顶一万句"、"顶峰论"的说法。"我历来不相信我那几本小书有那样大的神通。现在经他一吹,全党全国都吹起来了。真是王婆卖瓜,自卖自夸。我是被他们逼上梁山的。看起来不同意他们不行了。在重大问题上,违心地同意别人,在我一生还是第一次。叫做不以人的

---

① 参见萧延中《从奠基者到"红太阳"》,第119~198页。

意志为转移吧。"①但当历史的经验告诉他,他自己的意志代表了人民群众,只有他的思想才能带领人民冲破重重障碍,达到反修防修、坚持无产阶级专政下的继续革命,他又默许了林彪的做法。从他1970年12月18日与斯诺的谈话中,我们可以了解到他的接受心理。他说:过去树一个领袖是革命斗争的需要。"过去这几年有必要搞点个人崇拜。""那个时候的党权、宣传工作的权、比如北京市委的权,我也管不了了。所以那个时候我说无所谓个人崇拜,倒是需要一点个人崇拜。"②斯诺对个人崇拜的思考是:"对于人们所说的对毛泽东的个人崇拜,我的理解是:必须由一个个人把国家的力量人格化,在这个时期,在'文化大革命'中间,必须由毛泽东和他的教导作为这一切的标志,直至斗争的终止。"③

二 歌颂人民群众和军民团结

"人民群众"是贯穿于"样板戏"话语始终的赞颂对象。

《革命样板戏剧本汇编》中收入了九个"样板戏"京剧剧本,一个舞剧剧本,除了《奇袭白虎团》外,每个剧本前都引有毛主席语录,其中,"革命战争是群众的战争,只有动员群众才能进行战争,只有依靠群众才能进行战争。"这段语录出现了四次。《汇编》引用毛主席语录,实质上是借最高层权威话语的形式歌颂、肯定了人民群众在战争中的巨大作用。因为无论是武装斗争还是阶级斗争,都只有发动和依靠人民群众才能获得斗争的胜利。人民军队的性质决定了人民战争的胜利是靠军民精诚团结,共同战斗取得的。"样板戏"正是通过表现革命战争的话语,艺术地再现了军队和人民亲密无间的关系。

人民群众是斗争的力量源泉和最深厚的阶级基础,"人民是打不破的铁壁铜墙"这是中国共产党几十年斗争实践的经验,也是中国共产党在制定方针政策,指导一切工作时必须切切牢记的原则,这一切,在"样板戏"中也得到了充分的反映。

---

① 徐达深《共和国史记·上下求索》,第107页。
②③ 参见李鹏程《毛泽东与中国文化》,第380页。

文艺作品总是要通过塑造典型来反映生活。在现代戏还未"样板化"前,杨子荣、李玉和、严伟才、洪常青、赵勇刚等英雄人物早已是舞台上、银幕上血肉丰满,感人肺腑的人物形象。尽管在"样板化"历程中,被"三突出"及一系列"三陪衬"、"三铺垫"、"三围绕"、"三对头"、"三打破"等所谓的文艺规则刀劈斧砍,增加了许多意识形态话语,表演上形成了公式化、概念化的程式。但这些就是在今天看来也是富于艺术魅力的典型,不能不归功于描写了他们与人民群众的血肉联系,使得他们还是根植于平凡人之中,保持着人气,没有变成不食人间烟火,只具缥缈神气的人物。

由于绝大多数"样板戏"都反映战争生活,所以剧中除了敌我关系外,军队和人民的关系成为最显著的人际关系。因此,"军队"、"人民"就成了复现率很高的词语,以"军队"和"人民"作为本体和喻体的比喻也有了相当的比例。如:

19) 人民是打不破的铁壁铜墙。(《平原作战》)

20) 军民是十指和心紧相随。(《平原作战》)

21) 革命的军和民红心相依。(《红色娘子军》)

22) 军民红心紧相连。(《红色娘子军》)

23) 我们军民一心,就无往而不胜!(《红色娘子军》)

剧中多次出现军民关系好比鱼和水的比喻,而这比喻还属毛泽东首创。1927年在井冈山毛泽东首次把军队和人民比喻为鱼和水的关系,从此成为人所共知的经典式比喻。像"军民鱼水情"、"军爱民,民拥军,军民团结一条心"、"军民团结如一人,试看天下谁能敌"等习惯用法均是从这比喻生发出来的。

24）子弟兵在我们心坎儿上，
你们烧杀抢冲不散鱼水情长！(《平原作战》)

25）鱼在水鸟在林自由来往，
哪里有人民，哪里就有赵勇刚！(《平原作战》)

26）娘子军来自工农，是人民的军队，
和乡亲，如鱼水，同甘苦共安危。(《红色娘子军》)

比喻的运用，增加了戏剧语言的生动可感性。"样板戏"还运用多种修辞手法赞颂了军民一家亲的情意。

暴风雨之夜，赵勇刚率战士们来到了张大娘家门前，因为"听屋内亲人安睡无声响，盼相见，盼相见却又怕惊动大娘。人民的安危冷暖要时刻挂心上"，所以告诉战士们："大娘一家日夜支前，很辛苦，不要惊动她老人家。干粮不够先匀着吃，把身上的雨水拧干。"战士们即以"天当被，地当炕"睡进了屋旁的草棚。而大娘天亮起床，开门出屋，发现战士们睡在草棚，心里百感交集，说：看见勇刚他们星夜归来，不愿惊扰她，露宿在草棚，又是惊喜又是心疼，"孩子"、"我的儿"，动情地声声唤亲人：

勇刚！孩子，这几天，乡亲们端起饭碗，想起你们；夜里做梦，梦见你们；听见枪声，惦记着你们；盼哪，盼哪……可你们到了家，不进屋，就睡在柴禾堆里，叫大娘……（说不下去，猛拍衣襟）(《平原作战》)

话语中两处省略号的运用，表现了张大娘欲表达对子弟兵诚挚的感情，却因情绪激动，不能自持，只好欲说还休，欲说还休！精心选用的排比、反复辞格，把军民间相互牵挂、心心相印的浓浓深情描写得感人肺腑、深入人心。

"样板戏"中有许多军队根植于人民群众之中，与人民血肉相连的动人话语。

《智取威虎山》中杨子荣在雪地里救了小常宝,又和申德华把干粮给他们留下。当他们要追捕野狼嗥,面临大雪封山,路途艰险的困境,常猎户父女主动提出为他们带路。

  常猎户 野狼嗥准是奔威虎山去了。这里的路不行啊!野道儿本来就很难走,眼下大雪封山,生人就更摸不着了。来,我们爷儿俩给你们带路!
  杨子荣 老常,谢谢您!
  常猎户 走!

只有"自古来兵匪一家欺压百姓"经验,横眉怒对解放军追剿队的李勇奇,观察到"这些兵急人难治病救命,又嘘寒又问暖和气可亲"。参谋长又耐心启发他:"老乡!我们是工农子弟兵,来到深山,要消灭反动派改地换天。"他的阶级觉悟被启发,他和乡亲们向参谋长共表心声:"山里人说话说了算,一片真心可对天!擒龙跟你下大海,打虎随你上高山。春雷一声天地动!座山雕啊!看你还能活几天!"

由于日寇血腥的"三光"政策,人民群众的物质生活条件极其艰苦。尽管如此,在沙家浜、夹皮沟、张庄、红云岭、安平里这样一些典型环境中,人民群众还是竭尽全力,甚至冒着生命危险,为子弟兵提供一切战斗和生活所需。沙四龙、王福根一次次在敌人眼皮底下为新四军伤病员送粮、送药、送船。阿庆嫂把伤病员看成是革命的宝贵财产,18个人和她血肉相连,一想起亲人们粮缺药尽消息又断,芦荡内怎禁得浪激水淹,就心急如焚,坐立不安,要想方设法帮助亲人度难关。

日寇和伪军把张庄的父老乡亲全抓起来,威逼利诱,想得知赵勇刚的行踪和粮食贮存处。敌人先以谁说了"就给他房子和地"来利诱,然后又以"帮助你们中国人建立'王道乐土'"的说教来欺骗,一看计谋不得逞,又以"再要不说,我就把这里变成无人区"的大屠杀来威吓。英勇的张庄人民不屈不挠,宁死也不讲。李胜嘲笑龟田"你找他苍茫大地无踪影,他打你神兵天降难提防。"只因为"鱼在水鸟在林自由来往,哪里有人民哪里就有赵勇刚。"王福根、刘老头宁可牺牲宝贵的生命,也不讲出新四军伤病员的去向。

"样板戏"就是这样用艺术的话语浓墨重彩、大笔书写了军队和人民的血肉相连关系和人民的无私奉献和牺牲精神,诠释、映证毛泽东的关于人民战争的战略思想,形象表达了"样板戏"的重大颂扬主题。

第二节 以"斗争"话语为核心话语的时代风格特征

徐晋如在《遭遇革命现代京剧》[①]一文中以传统京剧精典文本为参照系,从性别的二元对立原则,戏剧的虚实相生原则,美学旨趣的角度评论了"革命现代京剧"、"样板戏"。他说:"一切供人欣赏的艺术,如果没有'性'的因素,是根本不会长久的。而革命现代京剧就是彻底的没有'性'。'革命现代京剧'彻底打消了性别的二元对立,阶级的对立作为它结构的基础,所有的人在舞台上被泛化,一切成了政治符号","从世界戏剧发展的整体来看,虚实相生是一个普遍法则。而现代革命京剧只有'实'没有'虚',无论是剧本的结构,还是音乐的结构,都存在这样一个问题","京剧作为一门古典艺术,温柔敦厚是它的根本的美学旨趣,即使是周信芳先生的唱腔,真正懂戏的人自不难听出一种缠绵妩媚的感觉来。而革命现代京剧完全无视中国人审美心理积淀对于温柔敦厚的美的要求,削足适履,自然不能成为艺术。如果说传统京剧的终极追求是纯美的境界,那么,革命现代京剧追求的就是社会主义现实主义的意义。"徐晋如所言的"样板戏"对性别的二元对立、戏剧虚实相生原则的背叛也是我们在前面章节中多次讨论到的问题。如果我们不把"样板戏"受西方戏剧重视戏剧正面冲突,因强强对峙而形成的豪壮雄放因素考虑在内,那么,在批评"样

---

① 《艺术世界》,2000 年第 11 号。

板戏"缺少温柔敦厚品质这点上我们又与徐晋如达成了一致性。"样板戏"话语由于过于强调斗争的必然性和重要性,只注意拔高人物的斗争的意志和革命的大无畏精神,忽略了表现人物其他的感情,特别是传统戏曲安身立命,获取一代又一代观众热爱的温柔敦厚的感情。

所有"样板戏"的题材无一例外都是反映武装斗争、阶级斗争的。"样板戏"的主题都表现为经过艰苦卓绝的武装斗争、阶级斗争,终于取得了胜利。语言材料也是围绕着"斗争"来选取的。反映武装斗争的几出戏,毋庸置疑,军事化的用语充斥全篇,触目皆是。就连和平建设时期的《龙江颂》、《海港》的词语,也充满了浓浓的火药味,大量使用了斗争用语。以《海港》为例,"斗争"这个词语就出现了9次,"革命"出现了13次,"阶级"出现了12次。还有大量的"枪杆子"、"火线"、"打先锋"、"战斗"、"反帝"、"运动"、"阶级敌人"、"破坏"等斗争用语。而以语素"战"为构词成分的词,《海港》中有"战友、战士、战斗、奋战、应战、请战、战鼓、战场、政治战",《龙江颂》中有"战歌、会战、斗天战地、奋战、战斗、战鼓、苦战、战友",形成奇特的和平时期的战事用语。

人与人之间的关系也完全军事化,社员之间、工人同事之间互称战友;他称、自称为战士。退休老工人马洪亮也自称"老兵",要求参加扛包也像战士一样说成"请战上火线"。再如:

1)真金最喜烈火炼,战士从来不怕难。(《海港》)

2)你对得起广大的社员群众吗?对得起同甘共苦的战友吗?(《龙江颂》)

3)咱们是同一岗位上的战友,是同根相连的阶级亲人。(《龙江颂》)

什么工作都是战斗,任何突发事件都当做硬仗来打,事件背后肯定是一场尖锐的阶级斗争,斗争都联系着"埋葬帝修反,人类得解放"

的伟大意义。

  4) 眼前有一场公私交锋战，
    战斗中人换思想地换装。(《龙江颂》)

  5) 莫以为码头上无风无浪，
    上海港从来就是激烈的战场。(《海港》)

  6) 这是一场政治战，同心协力排万难。
    狠狠打击帝修反，坚决彻底把仓翻！(《海港》)

  7) 同志们，这稻种和小麦，每一包都与非洲人民的反帝斗争紧密相连，他们的斗争对我们也是有力的支援。(《海港》)

改造自然的生产活动也当做战役来打。堵江合龙，打桩都是战斗。

  8) 李志田 看来这是场硬仗啊！
    阿　莲 再硬的仗也要打胜！(《龙江颂》)

  咱们要发扬勇敢战斗的精神，想尽一切办法，保证打桩。(《龙江颂》)

党的化身——党支部书记方海珍推出的学习榜样也是战斗英雄，是为了国际主义而英勇献身的战斗英雄。

  9) 新中国响彻了战斗号角，烈火中涌现钢铁战士，黄继光、罗盛教、杨根思、邱少云……反美帝为人民英勇挺进，发扬了国际主义的战斗精神！(《海港》)

反映和平建设的题材尚且如此,更不待言武装斗争题材的其他几出戏。斗争的主题贯穿了"样板戏"每一部戏的始终,斗争的话语也成为每一部戏的核心话语。

斗争话语还应该包括这样一些话语,它们类似红卫兵造反有理,砸烂狗头的话语。与红卫兵话语这个话题联想而出的,肯定是包含着非理性因素,象征着"革命"的红卫兵、红司令、红宝书、红袖章、红五类、红海洋等红色系列的话语;象征着"反革命"的黑帮、黑干将、黑爪牙、黑帮子女、黑五类、黑线等黑色系列的话语;"最最最"、"永远永远"等极端话语;以及冲冲杀杀、打砸抢、文攻武卫等泯灭人性的话语;还有无限忠于、无限崇拜、无限热爱等愚昧狂热的话语。毫无修饰,决心书似的表白,无所畏惧、敢冲敢撞,极端化的语言情绪,折射出"文革"中红卫兵缺乏理性思考,极其幼稚的政治理想和政治热情。"样板戏"中出现的是艺术化了的话语。"样板戏"中虽然没有出现红卫兵的身影,但英雄人物们那种意象浅表化、刻意作为政治传声筒的豪迈语言,真真切切地告诉我们:这就是红卫兵话语。至少,这些话语与红卫兵极端情绪化的话语在精神上是息息相通的。

10) 为革命粉身碎骨也心甘!(《红灯记》)

11) 刀山火海何所惧,愿为革命献青春!(《奇袭白虎团》)

12) 要把南霸天刀剁斧劈!(《红色娘子军》)

13) 争做时代的新闯将,让青春焕发出革命光芒。(《龙江颂》)

14) 我们是用马列主义毛泽东思想武装起来的中国工人阶级。困难何所惧,众志能移山!(《海港》)

自"文革"的纲领性文件《五·一六通知》强调了阶级斗争就是政

治斗争以后,一切社会活动就顺理成章地被纳入了政治斗争的范畴。一旦这种社会文化语境形成,文艺就必须做出积极反映。反映社会主义建设题材的《海港》、《龙江颂》的作品基调马上发生了变动,人民内部矛盾转化为剧烈的阶级斗争冲突,让剧中人物的言行都牵连着复杂的阶级斗争背景,英雄人物个个都有高度的阶级斗争觉悟。因为,阶级斗争是客观存在的,它必然要在意识形态领域里以这种或那种方式反映出来,这是不以人们的意志为转移的客观规律。于是阶级斗争话语又成为斗争话语中的核心话语。

党支部书记方海珍告诫阶级斗争观念淡漠的赵震山:"老赵,咱们可不能麻痹大意,只听见机器声,听不见阶级敌人的霍霍的磨刀声啊!"她以她高度的政治敏锐性推测到"这个散包的背后,说不定是一场尖锐复杂的阶级斗争",因为"敌人是不会甘心的,他们一天也没有忘记失去的天堂,一天也没有放弃复辟的梦想。他们把梦想寄托在我们下一代的身上"。随着斗争的深入,形势逐渐明朗,事态果然不出方海珍的所料,钱守维"这个人对新社会有刻骨仇恨,一遇机会,就兴风作浪"。斗争胜利了,她念念不忘阶级斗争:"钱守维虽然被抓起来了,可是还会有新的钱守维。太平洋上不太平,上海港也不是避风港。""我们决不能辜负阶级的委托,毛主席的期望。"

在江水英看来:"每个阶级都有自己的公与私,每个阶级都有自己的公私观。"她提醒只关心生产的大队长李志田:"志田,咱们堵江抗旱,敌人一定怕得要死,恨得要命,想方设法进行破坏。"她预料:"随着江水不断上涨,斗争一定更加尖锐。"一切都与江水英的估计相吻合,大坝建成,黄国忠偷偷溜去破坏,被当场抓住,在阶级斗争依然存在的现实面前,李志田幡然悔悟,表示:"从此后永不忘阶级斗争,赤胆忠心为人民,奋斗终身。"

江水英在这里运用的推理,是一种不完全推理。"江水上涨"这个前提与"斗争尖锐"这个结论之间不存在必然的推理关系,只有可能的推理关系。但这里的推理运用模态词"一定"排除了可能性,肯定了必然性,把不完全推理当做完全推理。当然,这个推论的运用是一种典型的"文革"思维,是我们在第二章"'文革'语体的思维特征"

中讨论的把可能当做必然的思维特征。这种思维特征最适宜表现"阶级斗争绝对化"的理论和"文革"话语的霸气。

"文革"中,与政治斗争同步,以政论形式为特征的大批判话语盛行,毋庸置疑,"样板戏"戏剧语体中也融入了这种大批判话语,致使文艺语体政论化,在一定程度是破坏了文学话语的形象性和可感性,削弱了戏剧特有的审美情趣。

15) 江水英　（大喝一声）王国禄!
　　黄国忠　（下意识地答应）嗳!（忽感失口,强作镇静）……
　　江水英　你不要再表演了!（怒不可遏地严厉斥责）解放前,你骑在人民头上,作威作福,霸占水田,杀人害命,铁案如山!解放前夕,你改名逃窜,潜伏多年,梦想变天,造谣惑众,挑拨离间,煽阴风,放冷箭,阴谋破坏,肆意捣乱!你是死心塌地的反革命,罪恶滔天!
　　常　富　原来你是这么个坏家伙!
　　李志田　（怒火填胸,一把抓住黄国忠）你这条毒蛇!
　　江水英　把他押下去!
　　众　　　彻底清算斗争!《龙江颂》

江水英的批判话语,17个短语连贯而出,以快速、急促的语言节奏和犀利、兴奋、激愤的语气,酿造出不容辩驳、咄咄逼人的语言情绪,逼真再现了"文革"那充满火药味的大批判话语。这种话语,无疑已遮蔽了戏剧诗化语言的审美意义。

无产阶级专政条件下的继续革命,是阶级斗争学说必然引起的一个命题,继续革命话语成为阶级斗争不可或缺的话语。或许是由于理想的追求,或许是由于革命斗争胜利经验的积累,晚年时期的毛泽东依然渴望不断革命,不断前进。在五六十年代,毛泽东曾多次提出不断革命的理论。1967年11月,在经他亲自审阅批准的"两报一刊"编辑部文章中,明确使用了"无产阶级专政下继续革命的理论"这一专用名词,把它说成是"毛泽东同志对国际共产主义运动最伟大贡献……完整地、彻底地解决了在无产阶级专政下继续进行革命,防止资本主义复辟这一当代最重大的课题"。于是"文革"时期的口号、书面语中处处充斥着"反修防修"和"继续革命"的话语。"样板戏"中也流入了大量的继续革命的话语,被文艺语体的艺术手段加工成戏剧话语。

在描写武装斗争题材的戏剧中,继续革命演绎为革命到底,战斗不息!

16) 打不尽豺狼,决不下战场!(《红灯记》)

17) 革命到底,永不下战场!(《红色娘子军》)

18) 我保证:一辈子跟党走,为无产阶级战斗到底!(《红色娘子军》)

19) 接过红旗肩上扛,接过先烈手中枪!踏着英雄足迹走,革命到底,永不下战场!(《红色娘子军》)

在斗争胜利时,或全剧结束,继续革命思想转化为继续前进,反修防修、奔向前方的话语。

20) 工人们　码头工人跟党走,
　　　　　说到做到斗志昂。
　　　　　胸怀着马列主义毛泽东思想,走向那共产主义。
　　方海珍　要把那世界变个样!
　　工人们　高举红旗奔向前方!
　　　　　高举红旗奔向前方!(《海港》)

21）众　　　共产主义精神凯歌响，
　　　　　　公字花开万里香。
　　　　　　跟着伟大领袖毛主席，跟着共产党。
　　江水英　永远革命，
　　众　　　奔向前方！（《龙江颂》）

　　又是一种典型的"文革"思维，斗争中要战斗到底，决不下战场，胜利了就要继续革命，奔向前方。这些话语，一方面是极"左"政治理念在戏剧中的反映，一方面它是社会心理趋同性的反映，认为只有这样才能体现革命性。

　　"样板戏"中的军事用语，和平时期的战事用语，类同红卫兵话语的极端情绪化用语，阶级斗争话语，继续革命话语，这些硬邦邦的斗争话语和缺少审美情趣的大话、空话、套语进入戏剧，确实增强了戏剧的革命性，集中反映了"文革"的时代精神，但也因此损害了戏剧话语典雅优美、新颖奇特的风格特征，形成以"斗争"话语为核心话语的时代风格特征。

第十一章 "样板戏"话语语言风格形成的社会历史原因

第一节 民族文化心态的变异

中国传统文化的核心是明"人伦"、讲"执中"、求"致和",协调人际关系且讲究心态平衡。尽管"人伦"观念在后来衍生为表现封建伦理观念的"三纲五常",在历史上确实起了阻碍社会进步,束缚人民精神的消极作用,但"人伦"强调人与人之间的相互依存关系的合理内核,还是有促进社会的安定团结的作用的,所以直到今天还是被社会和历史肯定和认同。"中"与"和"都是中国传统文化中的重要观念,是尧舜禹时代就有的思想。"执中"就是合乎"度",即凡事应有一个适合的"度",超过这个"度",就是"过";没有达到一定的"度",就是"不及"。"和"是众多不同事物之间的和谐,"致和"即追求协调和谐。在考察人与自然的关系时,主张天人和谐,在处理人与人之间的关系时,重视人际关系的和谐。① 古代思想家孔子弘扬光大了"中"、"和"思想,把它们发展成了中国传统文化的精华和几千年中国人遵循的传统伦理道德标准。关于"中"、"和",孔子有很多论述,《礼记·中庸》中有"喜怒哀乐之未发,谓之中,发而皆中节,谓之和",《论语》中

---

① 参见姜汝真《中国传统文化的历史阐释现代价值》,第29~35页。

也有"礼之用,和为贵"等论述。① 孔子主导的以宽和、中庸调节社会矛盾,使之达到中和状态的理论确实对中华民族以"超稳态结构"的、祥和的社会结构的形成并持续了两千多年起到了一定的促进作用。

1840年鸦片战争爆发,帝国主义的坚船利炮轰开了国门,中国"超稳态"的社会结构被打破,中国人唯己为大、封闭孤立的民族自信心受到了强烈的冲击。反侵略、强国、强民的斗争,致使民族心态不再保持宽和、中庸,开始了"主斗"、"主变"的演变历程。

20世纪前半叶,革命斗争风起云涌。五四反帝反封建的新文化运动、土地革命战争、抗日战争、解放战争、保家卫国的抗美援朝战争,空前激烈尖锐的阶级矛盾、民族矛盾,极大地影响了并逐步改变了整个中华民族的文化心态,"激进"、"斗争"的文化态度变成主宰着中华民族几十年的历史进程主导因素。一方面,这些战争的胜利使民族自信心高扬,中华民族被注入了新的活力,一方面证明了毛泽东关于武装斗争和军事文化的重要性,"枪杆子里面出政权"逐渐明确为颠扑不破的真理。毛泽东曾精辟地总结道,"中国革命的敌人是异常强大的","在这样的敌人面前,中国革命的主要方法,中国革命的主要形式,不能是和平的,而必须是武装的……因为我们的敌人不给中国人民以和平活动的可能,中国人民没有任何的政治上的自由权力"②。"在中国,离开了武装斗争,就没有无产阶级的地位,就没有人民的地位,就没有共产党的地位,就没有革命的胜利。"③在这种特定的历史文化的影响下,传统文化中中庸平和的舒缓节奏,逐渐置换为"主斗"、"主变"的快节奏旋律。在长期的你死我活的斗争中,中华民族也逐渐培养了易于激动、动辄斗争的好胜、要强个性。毛泽东则是顺应了历史趋势,成为这种性格特征的代言人。他在与中国共产党制定的党和军队的方针政策时,也反映了这种历史必然性。《红色娘子军》中高唱的"井冈山光辉大道壮丽宽广,枪杆子必定开创人类历史新篇章",就是源自毛泽东的理论。像"共产党的哲学就是斗争

---

① 参见姜汝真《中国传统文化的历史阐释现代价值》,第35页。
②③ 《毛泽东选集》第二卷,第634~335页,第610页。

的哲学","凡是敌人反对的,我们就要拥护,凡是敌人拥护的我们就要反对","针锋相对,寸土必争","以其人之道,还治其人之身","什么是工作,工作就是斗争","人不犯我,我不犯人!人若犯我,我必犯人","与人奋斗,其乐无穷"等等。这些话语,无不成为革命斗争的理论依据。

时间进入了20世纪下半叶,大规模的疾风暴雨式的群众阶级斗争已经基本结束,社会进入和平建设时期。可是毛泽东和他带领的全体人民仍然坚持以军事文化价值观来对宏观文化进行历史阐释的思维惯性,仍然习惯于用军事文化概念和价值来思考已经转型的文化问题。

表现在政治生活中,是以阶级斗争的理论为依据,对党内的不同意见采取过激的斗争方式或进行压制,把分歧意见提高到言过其实的政治原则上进行批判斗争。

表现在经济建设中,是以指挥作战的方法为生产建设的行动纲领。人民公社"组织军事化"、"行动战斗化"、"生活集体化",经常以大兵团作战、搞突击、夜战、连续作战的方式来组织生产活动,可谓典型的例子。这一切,毛泽东把它合理化为,在社会主义社会,"阶级斗争并未结束,无产阶级和资产阶级之间的阶级斗争,各派政治力量之间的阶级斗争,无产阶级和资产阶级之间在意识形态方面的阶级斗争还是长时期的,曲折的,有时甚至是很激烈的"①,需要一个相当长的时间才能解决。要是不搞阶级斗争,那就不要很长时间,少则几年,十几年,多则几十年,就不可避免地要出现全国性的反革命复辟,马列主义的党就一定会变成修正主义的党,变成法西斯党,整个中国就要改变颜色了。因此,几十年来,他满怀责任感毫不懈怠地号召并带领着全体人民进行着一次次声势浩大的阶级斗争,直至走向极端,发动了史无前例的"文化大革命"。

陈思和用"战争文化心理"来描述这种思维惯性。他认为:从抗战到"文革"这40年间,战争因素深深地铆入了人们的意识结构中,

---

① 《毛泽东著作专题摘编》,第1047页。

影响着人们的思维形态和思维方式。由此而形成的战争文化心理，作为特定时期的文化特征，又对中国当代文学观念产生相当广泛的影响。

有了上述历史文化背景，有了陈思和"战争文化心理"的提示，我们就不难理解"样板戏"的主题为什么会是"斗争"？"样板戏"的剧作者为什么会选取战争题材，而且竭其心智，满腔热情地运用"斗争"为核心的话语创作出一出出斗争主题的"样板戏"？并且在"样板戏要普及"的号召下，既做观众又做演员，把几出戏唱遍全国各地。一系列看似不合理的社会现象，因此变得有了合理性和有序性。

第二节　毛泽东文艺观的宏观导引

一　政治与艺术的历史互动

> 毛泽东是以政治为表达方式的艺术家
> 毛泽东是以艺术为表达方式的政治家

这是陈晋在《毛泽东的文化性格》中对毛泽东二重文化性格的精确界定。① 作为政治家和诗人，毛泽东总是把政治思考与艺术思维和谐地融为一体的。政治运作常常用艺术形式表达出来，而艺术创作，总离不开政治运作，二者相辅相成，互动共生。特别是在晚年，随着国际局势特别是中苏关系的恶化，毛泽东对国内形势的关注点从经济转向了政治，对国内阶级关系的估计出现了偏差，所以往往用政治斗争的需要来判断文化现象的是非。文化问题政治化，甚至演变为阶级斗争化。解放初期毛泽东发动的"五大批判"，其中"两大批判"引发的政治斗争，批判《海瑞罢官》引发的史无前例的"文化大革命"，都显示了文艺问题与政治斗争互动的倾向性。

毛泽东酷爱古典诗词，所以诗的创作，常常显现出政治运作与艺

---

① 陈晋《毛泽东的文化性格》，第2页。

术创作互动的痕迹。如长征时的诗:"红军不怕远征难,万水千山只等闲。五岭逶迤腾细浪,乌蒙磅礴走泥丸。"大跃进时的诗:"红雨随心翻作浪,青山着意化为桥。天连五岭银锄落,地动三河铁臂摇。"其艺术构思既时时闪现着政治家主体强烈的施政意识,又洋溢着理想主义的乐观自信和浪漫情怀的诗情画意。1958年毛泽东就在《沁园春·雪》批注道:"雪:反封建主义,批判二千年封建主义的一个反动侧面……末三句,是指无产阶级。"《念奴娇·鸟儿问答》是以寓言的形式表现了政治主题,揭露、抨击"没有赫鲁晓夫的赫鲁晓夫主义",特别是他们鼓吹的"三无"(没有武器、没有军队、没有战争)世界幻境。不言而喻,艺术创作也是毛泽东进行政治斗争的武器。

不惟艺术创作,毛泽东的艺术欣赏也是与政治运作扣合在一起的。从1944年《逼上梁山》开始至1972年,毛泽东的京剧欣赏史就是实质上的施政史。

从审美趣味的角度看,毛泽东更偏重于古典的东西,如古典诗词、古白话小说、文言散文等。古典艺术门类,最喜欢传统京剧,特别喜爱高亢激昂的高(庆奎)派和委婉细腻的言(菊朋)派的唱腔。在40年代,毛泽东曾说过:"我喜欢听高派的戏,越听越想听。"高派"唱腔激昂、热情奔放。看了《失空斩》这出戏,给人一种刚强奋力的感觉。"① 但喜爱归喜爱,政治的敏锐使他欣赏的目光依然审视出传统京剧缺乏人民性,旧形式已经不能容纳新内容的严重弊病。1944年1月看了平剧《逼上梁山》后,毛泽东在给编剧杨绍萱、齐燕铭的信中,就提出了"旧剧革命"的思想。"旧的艺术是有缺点的,尤其是它的内容,我看是颠倒是非,混淆黑白。历史本来不是帝王将相创造的,而是劳动人民创造的。"② 以此为起点,毛泽东开始了他长达20年的对戏剧改革的关注。在他看来,戏剧小舞台就是政治大舞台的缩影,舞台是由什么人占领,就是表现了世界是属于什么人,历史是由什么人创造的。而戏剧舞台上表现的都是帝王将相、才子佳人,都

---

① 参见张学新、王之望编《毛泽东文艺思想与实践大观》,第149页。
② 《毛泽东著作专题摘编》,第1619页。

是封建主义的东西。而让工农兵登上舞台,真正成为社会的主人公,这才是戏剧作为政治服务工具的目的和任务。因为"为什么人的问题,是一个根本的问题,原则的问题"①。因此,他要以政治的手段来扭转戏剧的表现倾向,要把戏剧表现封建主义的倾向转到表现社会主义方面来。

毛泽东对戏剧的干预主要是通过批示文件、发指示和观看戏剧来实现的。

从50年代末开始,毛泽东一改他不爱看戏的习惯,频频光顾剧场,以示对现代戏的支持。此后,形成一个惯例,凡毛泽东看过戏并上台接见演员、合影,这出戏就算通过了政治当局的特许,站稳了脚跟。

早在1942年毛泽东在《讲话》中就明确了文艺对政治的从属性质,要使文艺"成为整个革命机器的一个组成部分,作为团结人民、教育人民、打击敌人、消灭敌人的有力的武器,帮助人民同心同德地和敌人作斗争"②。1949年7月,毛泽东为戏曲改进会题词"推陈出新",拟定了戏曲改革的方针。1951年4月提出了"百花齐放,推陈出新"的方针,1956年5月又把方针进一步完善为"百花齐放,百家争鸣"的"双百"方针。此方针一出,文化部门、戏曲界热烈响应,1951~1957年,戏剧改革工作成绩卓著。对旧剧目进行了去芜存菁的筛选;禁演了宣传封建迷信、封建毒素的戏曲26种;现代戏、新编历史剧的比例在增大;上演剧目的思想内容进行了抑浊扬清的工作,艺术水平也得到了整体提高;1952年10月举办了盛况空前的"全国戏曲观摩演出大会",为现代戏的发展作了充分准备。可以说,以《逼上梁山》为起点的"旧剧革命"已初见成效,毛泽东已经成功地通过政治途径调控了戏剧改革方向,初步完成了让社会主义的文艺占领舞台的构想。乘着戏改的东风,戏曲发展完全有可能在"双百"方针指导下,走向繁荣,谱写它不断完善的历史。令人遗憾的是,历史总是呈"之"字形前进的。由于戏剧改革赋予了戏曲艺术不堪重负的历

---

①② 《毛泽东选集》第三卷,第857页,第848页。

史、时代使命,又忽略了戏曲艺术作为意识形态,相对独立和滞后于经济基础改变的特点,所以在文化选择上出现了偏差。

1962年12月,毛泽东批评戏曲界:对修正主义有办法没有? 要有一些人专门研究。宣传部门应多读点书,也包括看戏。当前戏曲"帝王将相、才子佳人多起来,有点西风压倒东风",提出"东风要占优势"。1963年11月毛泽东又对文化部和《戏剧报》提出尖锐的批评:"一个时期《戏剧报》尽宣传牛鬼蛇神,文化部不管文化,封建的、帝王将相的、才子佳人的东西很多。文化部不管……如不改变,就改名'帝王将相部'、'才子佳人部'、'外国死人部'。"①1963年12月9日,在中宣部的《文艺情况汇报》上,毛泽东又批评道:"……至于戏剧等部门,问题就更大了。社会经济基础已经改变了,为这个基础服务的上层建筑之一的艺术部门,至今还是大问题。许多共产党员热心提倡封建主义和资产阶级的艺术,却不热心提倡社会主义的艺术,岂非咄咄怪事。"1964年6月11日在中央工作会议上说:"唱戏这十五年根本没有改,什么工农兵,根本不感兴趣,感兴趣的是那种封建主义同资本主义,所谓帝王将相、才子佳人。"②从观看《逼上梁山》的欢欣到后来逐渐升级的愤怒,从温和的倡导到严厉的指责批评,都是因为舞台上还连续不断地上演着传统戏。而后,戏剧界调整了戏改方针,否定了传统戏,肯定了表现现代生活的现代戏,提倡主题和题材表现工农兵。

毛泽东把文艺视为政治的工具、附属物,还典型地表现在他对《海瑞罢官》前后截然不同的态度上。

1959年4月,毛泽东在上海看了湘剧《生死牌》,又看了《明史·海瑞传》后,在党的八届七中全会上号召党的高级干部要学习海瑞"刚直不阿,直言敢谏"的精神,并建议找几个历史学专家研究一下。明史专家吴晗响应号召,应胡乔木之约,在《人民日报》上发表了《海瑞骂皇帝》、《论海瑞》等文章。后又应马连良之邀写出新编历史剧《海瑞罢官》,并于1961年1月在北京公演。毛泽东听了海瑞扮演者

---

①② 引自戴嘉枋《样板戏的风风雨雨》,第19页。

马连良几段《海瑞罢官》清唱,还连声称赞吴晗的成功。可是当江青、康生煽动毛泽东批《海瑞罢官》,把剧中的海瑞与现实中的彭德怀联系起来时,毛泽东一改初衷,又把《海瑞罢官》定性为意识形态领域里的阶级斗争。1962年7月,江青看了《海瑞罢官》,认为有严重的政治问题,在北京鼓动批判受阻后,1965年又到上海组织批判。姚文元1965年11月11日发表《评新编历史剧〈海瑞罢官〉》一文,把剧本与1962年所谓"单干风"、"翻案风"及1959年庐山会议彭德怀罢官联系起来。这一切,毛泽东是知道的,姚文元的文章也是经毛泽东点头后发表的。毛泽东在1965年12月21日与陈伯达、关锋谈话时说:"姚文元的文章很好,点了名,但没有打中要害,要害是'罢官',嘉靖皇帝罢了海瑞的官,一九五九年我们罢了彭德怀的官。彭德怀也是海瑞。"①实质上,江青、康生制造的一种假象,好像刘少奇、彭真等勾结起来,要翻庐山会议的案,反对1958年以来党的路线,而这问题恰好是毛泽东最关心、最敏感、也最顾忌的问题。毛泽东要坚决维护"三面红旗",中央一些领导人在一些讲话及实行的一些政策中,很大程度上否定了"三面红旗"。因此,毛泽东认为中央出了修正主义。姚文元的观点,正符合毛泽东的心意。要向"针插不进"、"水泼不进"的"独立王国"北京市委作斗争,北京市副市长、"三家村"的成员之一吴晗自然首当其冲。尽管1959~1962年关于海瑞的戏,各种剧种加起来不下50种,却只有吴晗的《海瑞罢官》成为政治斗争及随后开展的"文化大革命"的引爆点。胡乔木在1980年3月曾这样说道:"在全国范围内,由党中央亲自发动批一个剧本,搞得规模那样大,这在国际上是没有先例的。"②从这段话中,不难体味出当时文艺革命与政治的密切联系。其实,毛泽东重视和关注文艺问题,有着其历史继承性。从1944年的《逼上梁山》开始到1964年的"旧剧革命",批电影《武训传》,批小说《刘志丹》,批《红楼梦》研究,批昆曲《李慧娘》,批京剧《谢瑶环》,一直到批《海瑞罢官》,都是作为实现他建设新中国

---

① 参见徐达深《共和国史记·神州板荡》,第292页。
② 参见杨鼎川《1967 狂乱的文学年代》,第1页。

文化抱负这个伟大理想的一个部分来运作的。

二　留待历史评说的评说

传统的中国文化理论认为："普天之下,莫非王土。世界是属于帝王的,帝王的职责是替天行道,替天牧民。世界的主体性就是以'天道'作为其潜在的支持者的王权。"[①]而毛泽东认为："人民,只有人民,才是创造世界历史的动力。"世界是属于人民大众的,历史是人民大众亲手创造的。帝王们只是历史上的寄生虫,是历史前进的阻碍者。戏剧舞台上表现帝王将相、才子佳人就是传统文化理论在舞台上的艺术表述。而进步的表现广大人民大众的文化,是让工农兵登上舞台,成为主人公。这才是戏剧艺术服务于政治的根本追求。因为舞台由什么人占领,就是表现了世界是属于谁的,历史是由什么人创造的。

毛泽东作为党的主席,党的文艺谋略的制定往往是被纳入政治谋略之中来考虑的。在政治上,党的宏伟目标是推翻三座大山,建立新中国,让广大劳动人民当家做主。所以毛泽东认为,服务于政治的文艺自然要配合政治目标,结束帝王将相、才子佳人统治舞台的局面,使劳动人民成为舞台的主人。党在政治上、军事上的胜利也确实保证了劳动人民成为主人公的现实性。毛泽东的文化谋略的伟大意义在于：其一,提升了中华民族的自信心和荡涤一切旧的传统势力的勇气;增强了人民当家做主的自豪感和能力。其二,戏剧是一种社会文化,是一种最具群众性的文艺形式,广大劳动人民对于历史的认识,往往来自戏剧、评书等艺术形式。让创造历史的劳动者自己成为艺术的表现对象,戏剧贴近了生活,获得了最大的观众群,也取得了最佳的宣传教育功能。李鹏程认为,中国传统文化的价值追求的是一种"趋古文化","在这种文化中,古代的东西优越于现时的东西,祖宗的东西、死人的东西,优越于活人的东西,既有的、既定的东西,优越于未有的、未定的东西。"而毛泽东作为深受五四新文化运动影响

---

① 李鹏程《毛泽东与中国文化》,第 374 页。

的马克思主义者,追求的是一种"前景文化"。认为今胜于昔,后人胜过古人,人们应该以乐观主义的精神排除万难,去开辟一条历史前进的道路。① 无疑,否定传统京剧,提倡现代京剧,是他转变"趋古文化"为"前景文化"的内容之一,也是他顺向思维必定会做出的决策之一。

提倡表现工农兵,提倡演现代戏,实质是一个问题的两面。由于这些提倡代表着社会意义上的进步,所以建国后得到了各级政府和戏曲界的热烈响应,转化为轰轰烈烈的戏改运动,促使戏剧完成了有史以来声势最浩大,规模最宏伟的一次文化转型。

传统戏之所以成为"传统",它并非只指过去曾经存在的东西,它还指民族文化中不断经受历史性的考验、筛选,被现在所认同,并参与对未来创造的东西。它既发生于过去,也存在于现在和产生于未来,有着历史意义、当代意义和未来意义。所以传统戏与现代戏根本就不可能截然分离,它们之间有着天然的传承与发展关系,更不可能按时代的更迭作旧与新的区分。换一个角度来看,表现工农兵的戏剧未必就是现代戏,戏剧的现代化,必须具备现代意识的内容和现代的话语系统、表演程式等两方面的因素。只有现代的内容,而无现代形式,恐也难称之为现代戏。

毛泽东提倡演现代戏,就是提倡一种强烈的发展精神,但由于急于求成,在一定程度上影响了传统与现代戏产生、完善、发展的内在规律性。

在毛泽东的文艺观中,对传统与现代关系的思考直接制约着毛泽东看待传统戏与现代戏,由这对关系生发出来的几对关系也直接影响着毛泽东看待传统戏和现代戏。

(一) 政治与文艺的关系

早在1942年的《讲话》中,毛泽东就明确指出文艺的性质和目的是成为整个革命机器的一个组成部分,是斗争的有力武器。这段论述后来演化为"为工农兵服务,为无产阶级政治服务",一些理论家又

---

① 李鹏程《毛泽东与中国文化》,第373页。

把它概括为"从属论"、"服务论"。40年代,民族斗争、阶级斗争十分尖锐、激烈,毛泽东出于斗争形势的需要,提出了"从属论"、"服务论",在当时确实也起到了积极的历史作用。当历史进程到了和平建设时期,大规模的疾风暴雨式的群众性阶级斗争已成为过去,文艺就不该再承担过重的历史重任,而应该淡化政治功能、教育功能,释放过去被忽略的审美功能、娱乐功能,以满足人民日益增长的日趋多元的文化需求。"文革"后,为了扭转这种偏颇,针对当时文艺界关于政治与文艺关系的讨论,邓小平在1980年《目前的形势和任务》中就指出:"我们坚持'双百'方针和'三不主义',不继续提文艺从属于政治这样的口号,因为这个口号容易成为对文艺横加干涉的理论依据,长期的实践证明它对文艺的发展利少害多。但是,这当然不是说文艺可以脱离政治。文艺是不可能脱离政治的。"针对社会主义文艺的需求,邓小平提出了"为人民服务"、"为社会主义服务"的文艺方针。

(二) 题材与主题的关系

50年代是人民斗志昂扬,凯歌行进的年代。广大人民迫切要求迅速改变经济落后的状况,社会主义建设的积极性空前高涨,文学创作的题材也因此大大拓宽。当家作主人的自豪,对往昔峥嵘的战斗岁月的回忆,对未来新生活的憧憬,为建设社会主义所作的奋发努力,都成为当时文学创作最普遍的主题。而传统京剧却似乎不受时代浪潮的冲击,没有迅速地从内容到形式全面地改换成反映新时代、新生活的现代戏。毛泽东因此发出严厉的批评。

毛泽东敏锐地发现了传统京剧存在的问题,但批评却发生了错位,表现在:

第一,毛泽东模糊了主题与题材之间的区别,把表现对象当成了歌颂对象,认为舞台上演帝王将相、才子佳人,就是在歌颂封建主义,要求戏剧表现工农兵。主题是作品反映生活、塑造人物形象、阐述事理时所表现出来的基本思想。而题材只是经过剧作者头脑加工提炼写进戏剧作品的材料。

第二,由第一点所决定的,急于求成,没能正确认识内容与形式的辩证关系。毛泽东的现代戏观念,不是一般所理解的"表现现代生活"层面上的现代戏。当然不包括以艺术家所处时代的生活为表现对象的戏剧作品,如前所述的梅兰芳、周信芳等人在戏曲改良运动中编演的时装戏。周扬曾把毛泽东观念中现代戏的内涵与外延具体化为"使新时代的工人、农民、士兵、干部、共产党员的形象真正树立在戏曲舞台上",并把这种理想的境界称为"表现新的群众的时代"①。

我们知道,把传统戏改造成为现代戏,不仅指对所表达的内容范畴进行改造,还包含对戏剧表现手法——程式的改造。而程式是戏剧表达戏剧内容的特殊语汇,渗透在戏曲的唱腔、身段、行当、脸谱等等表现形式里,是传统戏最为本质的艺术特征。怎么改造传统的程式,仅仅是"量"的改变,还是关系到"质"的问题?这是戏曲界的理论与实践至今都尚未解决的问题,当然也是五六十年代的戏剧界无力圆满解决并且一蹴而就的问题。表现对象改换为工农兵了,用什么新的艺术形式来表现,需要时间和艺术实践的积累和不断探索。"样板戏"虽被视为戏剧旧改新最为成功的典型,但戏剧家吴祖光就曾叹息道:"样板戏"硬邦邦地打进京剧,京剧是以半壁江山作为代价的。传统戏不同于其他艺术门类的特殊性,使得它不能迅速切合形势,应时高效地发挥文艺的宣传鼓动功能。

(三)主流与支流的关系

传统京剧经过近两百年的艺术积累,艺术宝库已经是博大宏富、异彩纷呈,构成戏曲艺术的宝贵遗产,应该说,这是戏曲艺术的主流,是值得采取正确的传承态度,批判继承的精华部分。当然,毋庸讳言,传统戏中也存有不少内容不健康、艺术性不高,缺乏人民性的糟粕。但从其所占数目的比例及社会影响看,它们还都处于支流的地位,不能代表传统京剧的整体水平和发展方向。1942年《讲话》中,毛泽东著名的关于批判继承文化传统的辩证思维,之所以会发展到后来对传统戏的否定,就在于毛泽东没能估计戏曲民主性的精华占主导地位的实际情况,认为舞台上尽是些封建性的糟粕,以偏概全,对传统京剧作了否定。

---

① 参见周扬《表现新的群众的时代》,《周扬文集》第1卷,第439页。

综上所述可知,尽管毛泽东非常喜欢传统京剧,但为了实现新中国文化的伟大抱负,他选择了否定,并提倡京剧表现现代生活,主张京剧的艺术样式是表现工农兵的革命现代戏。

第三节 江青的种种干预

无论是"样板戏"独霸戏剧舞台的鼎盛时期,还是尘埃落定,人们重新来评估、认知"样板戏"的认识价值、审美价值的今天,人们总是视江青为"样板戏"的最大关联者。不可否认,京剧现代戏自1964年被打上"江记"印记,1966年被戴上"样板戏"的桂冠后,就走上了与江青一荣俱荣,一损俱损的不归路。十年"文革","样板戏"占据了全民精神生活的领域,"学唱样板戏,争做革命人"成为8亿人参与的运动;十年戏剧舞台,三百六十多个剧种,只有京剧"样板戏"一枝独秀。批判京剧《海瑞罢官》的文化行为,却点燃"文化大革命"的熊熊大火,这些中外历史上前所未有的文化态势,与江青有着直接联系。江青作为第一夫人、"中央文化革命领导小组"副组长,以超常的个人能量严重损害了中国的文学艺术。但大量的史料告诉我们,在毛泽东个人威望如日中天的"文革"时期,在党的集体领导还未完全丧失作用的"文革"初期,江青还不具备超越这种威望,超越党的集体领导,决定戏剧界、文艺界乃至整个中国的命运的能力。是毛泽东作为党的领袖、国家主席,以他在党内的绝对领导地位和个人威望,具体而言,毛泽东以他《讲话》以来的文艺观,宏观上,也是客观上导引、促进了传统京剧向现代京剧的转型。而这种从20世纪初就已开始的转型,既是时代对戏剧提出的要求,又是戏剧自身规律发展的必然。毛泽东"提倡演为社会主义服务的革命的现代戏"的指示,符合了戏剧自身发展的规律。广大戏曲工作者在大跃进时代精神鼓舞下,迸发出的极大的政治热情,才创演了一大批内容进步、艺术上乘的现代戏。

尽管毛泽东关注、提倡现代戏,主观上是把京剧革命看作是实现新中国文化抱负的重要组成部分,是想促使京剧在传承与革新的历史进程中,完成民族性与时代性的结合。但由于急于求成的文化心态,才使主观偏激的情绪使主观愿望与客观实际偏离。

江青只是为了进入权力中心,实现她当女皇的梦想,才插手戏剧改革的。在从20年代始,一直延伸至60年代初的传统京剧与现代京剧的学术之争中,江青最初只是个驻足旁观者。在1944年至1964年毛泽东倡导的以《逼上梁山》为起点的"旧剧革命"中,江青充其量是个摇旗呐喊者。1963年以前,江青没有出头露面的机会,未掌握权力话语,也就无从干预京剧。可是1964年以后,江青以她特殊的身份,利用毛泽东晚年文艺观的失误,凭借了毛泽东权威的力量和党内以林彪、张春桥、康生为代表的"左"的力量,以"京剧革命"、"旗手"和毛泽东的代言人的身份,从后台走向前台,推波助澜,兴风作浪,进行了一系列以文艺革命为幌子的阴谋活动。把广大戏曲工作者创作的丰硕成果窃取为她沽名钓誉、篡党夺权的资本,导演了"样板戏"虚假繁荣的一幕,把"样板戏"导入以政治教化功能为主的歧途。使"样板戏"演变成了这样一个复杂的混合体,它的基础是毛泽东提倡演现代戏,在50年代至60年代的现代戏热潮中涌现出来的思想进步、艺术性强的优秀剧目,富有优良传统的精髓,又饱含现代意识的创新。可它们又在江青染指后,被强行地塞进了符合政治权势意图、符合江青个人欣赏口味的东西,从政治功用上看,蜕变成了篡党夺权的工具。

1964年以后,党对现代戏的领导失控,因为江青利用其特殊身份,窃取了现代戏,打上"江记",自我标榜进行了"戏剧革命"。但她个人的干预,确实起到了一种最直接的制导作用,影响了"样板戏"话语时代风格的形成。

江青窃取"样板戏"一贯的做法都是先否定再肯定。

当江青气急败坏地对着《红灯记》、《芦荡火种》剧组的编导、演员大叫:"阿甲,你们真让我失望,你们把我的戏改坏了!"。"你们好大的胆子,没经过我就公演了……这出戏是我管的,我说什么时候行了,才能对外公演,懂吗?"她是深谙"我的"、"我管的"的所属含义,并蓄意选用的。尽管这两个戏都是由江青推荐的沪剧本改编而成,可是《红灯记》九易其稿,排演半年多,江青从未过问过;《芦荡火种》是在北京市市长彭真的大力支持、热情关怀下排演成功的,此期间江青一直在上海休养。可当两剧先后在北京打响,成为戏曲界的双璧后,江青赶来了,她嗅到了两剧的斗争主题和工农兵形象符合毛泽东文艺观的利用价值,看到了文艺作为敲门砖打开国家权力中心的可行性。于是,她来摘桃了,凭着其特殊的身份和勃勃野心,豪气十足地、大言不惭地把两个剧收编入囊,把"他们的"改换成了"我的"。① 事实正如阿甲所言,"有人把《红灯记》看成是江青搞的,其实这出戏与江青没有关系,是她剽窃了我们的创作成果"②,而不是御用文人于会泳等所奉承的那样,是"样板戏"的第一编导,第一设计师,"从国际歌到样板戏,这中间一百多年是空白。江青同志搞的样板戏,开创了无产阶级文艺的新纪元!"③这两个剧不管怎么说,与江青还多少有点关系,其他几出戏比如诞生在朝鲜战场上的《奇袭白虎团》,由话剧改编的《杜鹃山》、《龙江颂》、《磐石湾》等,江青照样"拿来"。拿来的手法一律是"先破后立",即先全盘否定,然后塞进她的东西,再扶植起来。不如此,又怎么体现"样板戏"都是她"呕心沥血、精心培育"的呢?

京剧现代戏《平原游击队》是阿甲、张东川、翁偶虹、陈延龄1966年2月根据同名电影改编的,3月下旬赶排出来,林默涵等文化部的领导看后都给予充分肯定。但剧本呈送江青后,便石沉大海,杳无音讯。而"文革"后期,江青又拿出这个戏,主体框架没动,换换人名,稍稍变动一下人物关系,增删点内容,拍成电影《平原作战》,这又变成了她的"样板戏"。江青插手现代戏,没有任何系统的戏剧理论,多是颐指气使、信口开河、随心所欲的霸气。由于她利用职权对现代戏的题旨情景和语言材料选取的横加干涉,确实在较高的程度上对现代戏语言风格的形成起到了掣肘作用,并致使现代戏质变为"样板戏"。江青对现代戏的干预,有下面几种表现形式:

---

①③ 参见许晨《人生大舞台——"样板戏"内部新闻》,第12页、123页、293页、97页、第123页。
② 参见杨鼎川《1967 狂乱的文学年代》,第41页。

第一种，传达毛泽东的指示

江青经常以毛泽东代言人的身份传达毛泽东的指示。这些指示的真实性，今天已无从考证，但当时却是要不折不扣执行的。毛泽东1964年7月23日观看了《芦荡火种》，几天后，江青来传达了几点指示："要突出武装斗争，强调武装斗争消灭武装的反革命，戏的结尾要打进去；要加强军民关系的戏，加强正面人物的音乐形象；剧名改为《沙家浜》为好。"江青解释说：突出阿庆嫂还是突出郭建光是关系到突出那条路线的大问题。① 1964年8月10日和8月12日，毛泽东与邓小平等国家领导人一起看了《奇袭白虎团》和《红嫂》，几天后江青又来传达毛泽东的指示："主席肯定了这两个戏，要我问大家好！但不要骄傲，戏还要继续修改。主席说：《奇》剧要达到声情并茂，《红嫂》要达到玲珑剔透。"② 这后一指示属于宏观、抽象的指导，修改只要朝着精益求精的方向去努力即可算落实了最高指示，而这前一指示的贯彻，可就是伤筋动骨的大手术了。《芦荡火种》本来是描写地下斗争生活的，现在要突出武装斗争，剧组只好压缩主角阿庆嫂的戏，给配角郭建光在三个场次中增加了成套唱腔，增加领唱合唱"要学那泰山顶上一青松"。还把阿庆嫂带着战士装扮成送亲队伍混进胡府，一举歼敌的情节，改为郭建光带部队杀出芦荡，夜袭胡传魁的队伍。增大郭建光的戏份，把郭建光硬拔高成一个主要英雄人物。

第二种，利用御用文人总结出来的一套所谓的创作理论

如认为京剧革命是一场严重的政治斗争，搞戏就是搞阶级斗争。因此要大批资产阶级、修正主义的"中间人物论"、"无冲突论"、"写真实论"，"样板戏"的创作必须要遵循"根本任务论"、"主题先行论"和"三突出"的创作原则。而这些理论被江青视为核心理论，用于匡正在现代戏热潮中涌现出来的优秀剧目，这就给现代戏带来了致命的伤害。

文艺作品总是通过塑造典型来反映生活的，并要求用一定的艺术手法来突出主要人物，本来这是古往今来文艺创作的一般规律，但

---

①② 许晨《人生大舞台——"样板戏"内部新闻》，第293页、第97页。

江青及其御用文人把它推向了极致,并奉为不得违逆的金科玉律,因而扼杀了文艺创作最具审美表达、最具个人创造性的思维,使文艺作品成为公式化、概念化的政治传声筒。众所周知,在现代戏还未演化为"样板戏"之前,李玉和、杨子荣、严伟才、阿庆嫂等早已是戏剧舞台上光彩夺目的艺术形象。但这些血肉丰满的人物一旦进入了"三突出"的理论框架,就被删削掉许多属于个人情感、个人色彩的东西,统统变成具有高度阶级觉悟、顽强斗争意志,言行雷同,耸立于一般英雄人物、人民群众、反面人物之上的所谓"高、大、全"式的英雄人物。

《海港》因为不能让"中间人物"余昌宝(后改成韩小强)成为主人公,对原始文本作了大量的修改,提升人民内部矛盾为敌我矛盾,一切都必须围绕着衬托无产阶级英雄方海珍。《龙江颂》也硬被加上一个潜伏的阶级敌人黄国忠,用以衬托江水英。《智取威虎山》砍掉了定河老道、玫瑰花、一撮毛、栾平老婆等反面人物的戏,调动一切艺术手段来加强杨子荣的英雄人物形象。凡此种种,都使现代戏走样变形,话语的语言风格产生了变异。

第三种,以权威姿态发布各种修改指令

为了体现她的参与和对"样板戏"的精心培育,江青经常到剧组去发表一些即兴的、零星琐碎的修改意见。"样板戏"的剧中人名也成了她联系到政治功用的对象。《杜鹃山》中的主角原取名"贺湘",江青说:"这是给谁树碑立传呀?"于是,按她的意思,"贺湘"改为"柯湘","乌豆"改为"雷刚";《海港》中的金树英也根据她的意思改为方海珍,刘大江改为高志扬,余昌宝改为韩小强;《红色娘子军》中的琼花改为吴清华;《龙江颂》中的男性党支部书记郑阿强也按她的提议改为女性党支部书记江水英。江青不光是对剧中人名有修改欲望,对她身边的人也借此来表示她对"样板戏"的精心培育。1968年的一天,她说:"殷承宗,你这名字太封建,你继承谁的祖宗啊!……"殷承宗赶紧诚惶诚恐地说:"我改,今后我就叫殷诚忠,忠于无产阶级司令部。"江青又对钱浩梁说:"小钱,咱们也不要钱了,钱是资产阶级的,你就叫浩亮吧!"钱浩梁感恩戴德:"谢谢江青同志,我感受到很幸福,这个名字又响亮又好记。"①

江青爱出风头,又生性好斗,就连报刊在报道"两案"的审理情况时把她排在了王洪文之后,她也要大发雷霆。一个外国作家曾入木三分地评价江青是一个离开了"斗争、刺激和阴谋"就没法活下去的女人。② 由于多年来政治上不得意,她一直没有出头露面的机会。现在文艺领域找到了既能出风头,又能接近政治权力中心的绝好机会,她岂肯错过?她要借搞"样板戏"来表现她自己。

江青杂感式的修改意见分这样几种情况:

1. 有一定的合理性

江青是演员出身,懂得一些艺术规律,加之她挂职为"电影指导委员会"委员、"中宣部文艺处"副处长,有机会大量接触国内外优秀的电影艺术、戏剧艺术,吸收了一些东西,所以有些意见有一定的参考价值。如郭建光有一句唱词"村镇上乡亲们要遭受祸殃"是在听到对岸枪声,惦记乡亲们时唱的,江青反复叮嘱演员要唱出激情来,要表现出与人民群众心连心的血肉关系来。《奇袭白虎团》第四场中有战士纷纷请战的戏,江青提出:"讲话不要平均主义,战士不一定都说,徐得春的话可集中别人说。"也是符合文艺主干分明,突出重点的规律的。所以,铁梅的扮演者刘长瑜就说:平心而论,江青还是懂一点艺术的,她的意见有些也是有参考价值的。

2. 窃取别人的正确意见

江青善于利用特权,把最先到达她手中的观众来信、会议记录、文艺评论上的一些正确意见变成她的东西,以显示她高明。1966年2月16日,山东京剧团在上海延安饭店邀请总政有关领导座谈《奇袭白虎团》,总政文化部长谢镗忠出于职业军人的敏感提出:"严伟才有句唱词'十万敌兵一袋装',十万哪,是不是装了那么多?"《奇》剧负责人严永洁解释道:"据了解,当时敌人有十万,我们消灭了四万。"副部长陈亚丁就说:"那就改成数万吧。"会议记录到了江青手里,2月

---

① 参见许晨《人生大舞台——"样板戏"内部新闻》,第314页。
② 于福存、王福昌《人民的审判》,第55页。

17日,她发出"指示","'十万敌兵'应改为'数万……'一定要改"①。别人的东西就这样变成了"她的"。

　　3. 朝令夕改,无一定之规,杂乱零碎,无参考价值的指令

　　江青的绝大部分指令均缺乏合理性,与艺术规律相悖。或异想天开,或东一榔头,西一棒子,上天入地,鸡毛蒜皮,常常令编导、演员一头雾水,无所适从,啼笑皆非。如她要求《智取威虎山》的剧作者在少剑波"朔风吹"唱段中要"写出五大形势",即"国际形势、国内形势、解放战争、东北地区的形势和少剑波这个小分队的剿匪斗争形势"。铁梅的唱词中有"咬住仇,咬住恨……仇恨入心要发芽。"她不懂装懂地批评道:仇恨怎么能咬住呢？她的指示倘若不完全照办,她会恼羞成怒,大发淫威。江青插手《红灯记》时,该剧已经基本定型,对江青提的修改意见,阿甲等人只改了无伤大体的地方,凡会使戏演砸的意见,都未采用。江青显示出了不可理喻的霸气,搬来文化部长,强迫阿甲和剧院领导作了检讨,并全部按她意见作了修改。"文革"中,阿甲还因此被打成破坏"样板戏"的反革命。

　　有时候,编导、演员们完全遵"旨"而行,保不准她转眼又予以否定。《芦荡火种》剧组有一次连夜按江青的修改意见赶排,第二天江青来了,看了一遍后说:"咳！这么改不行,算了,你们还是恢复原来的戏吧。"演员们一夜的劳动又被否定了。这种丝毫不尊重编导演的人格与劳动,翻手为云,覆手为雨的态度,完全是为了发发淫威,把每一出戏都标上"江记",变成她的"样板戏"。

---

① 参见许晨《人生大舞台——"样板戏"内部新闻》,第100页。

结　　语

第一节　理性目光中的"样板戏"

通过阅读史料,梳理他人与自己的思路,寻找观察研究的切入点,归纳整理语料,反复论证、推理,"样板戏"话语的轮廓在我们心中终于渐渐清晰。

1840年的鸦片战争,带来了东西方文化的强烈冲突,中华民族因此逐渐改变了遵从中庸平和的思想文化传统,逐渐向着"主斗"、"主变"的思维轨迹倾斜。而毛泽东是这种变化思维的代言人。几十年来,他领导中国共产党和全体人民取得的一系列革命斗争的胜利,更坚定了他"斗争就是胜利"、"共产党的哲学就是斗争的哲学"的信念。在毛泽东的文化视野中,文艺是新中国文化建设中的一个有机组成部分,也是附属于政治的、用于阶级斗争的工具。"文艺是从属于政治的,但又反转来给予伟大的影响于政治。革命文艺是整个革命事业的一部分,是齿轮和螺丝钉"[1],因此,文艺在为什么人这个原则问题上无不打上鲜明的政治烙印和阶级斗争烙印。当他的目光观照到京剧时,必然会发现舞台上上演的传统京剧,都是他认为的麻痹人民斗志的帝王将相戏,才子佳人戏,正在宣扬他深恶痛绝的传统封

---

[1] 《毛泽东选集》第三卷,第866页。

建文化。于是他高举批判的大旗，带领党的集体和全国人民，坚持十余年，促进了表现工农兵英雄形象，取材于武装斗争、阶级斗争的革命现代戏。

从传统戏到现代戏继而"样板戏"，是毛泽东实现以"旧剧革命"为起点，建设新中国文化伟大抱负的一次重要实践，也是毛泽东个性、意志、热情和理想的集中体现。毛泽东之所以能心想事成，把个人意志与民族的文化抱负融进京剧历史的轨迹，一方面在于，他提倡演现代戏顺应了京剧作为一门艺术，必须适应时代的需要才能发展的艺术规律，另一方面在于毛泽东在党内拥有绝对的领导地位。党内不正常的政治生活，使个人意志取代了党的集体领导，个人的话语成了实质上党的决议。本来，中国共产党是一个团结战斗的集体，但因野心家林彪大搞个人崇拜，导致了相当程度上党的集体领导的优良传统丧失，使党的集体逐渐失去了领导戏剧改革的控制力。正是利用毛泽东在党内外的绝对权威，江青才获取了凌驾于党组织和人民群众之上，干预"样板戏"的特殊权力。当然，林彪的扶持，一帮御用文人的鼓吹，为江青攫取京剧改革的成果，捞到"文艺革命的旗手"的桂冠，做好了舆论准备。

毋庸讳言，"样板戏"是一个异常复杂的混合体。它不是一些人简单归结的"江记样板戏"。它的前身——50年代末60年代初创演成型的"现代戏"，有几千年中华民族文化传统的历史沉淀，有近二百年京剧传统的艺术积累，有毛泽东文艺思想的宏观指导，有各级党的领导的支持和关心，有戏曲工作者对革命事业的忠诚、热情、责任及艰苦卓绝的传承与创新，还有现代戏由于自身内容与艺术质量所具有的艺术魅力。"样板戏"尽管是在现代戏的基础上进行的再创作，但它在复杂的社会文化背景下被加进了政治写作、阶级写作、革命写作的成分，使同一批剧目在不同时期以不同的文化态势生存。尽管如此，由于"样板戏"从现代生活与时代精神的结合方面，赋予了京剧传统程式、风格以新的内容，又吸收了话剧、地方戏、西方音乐中的一些艺术表现手法，大大丰富了京剧的表现能力，使"样板戏"在历史潮流中沉沉浮浮，也葆有着顽强的生命力。

从艺术创作自身规律看,调动多种艺术手法,突出主要人物,属于古往今来文艺创作中典型化范畴的规律。追求剧目质量,树立精品意识,时至今日,仍然是文艺界一再强调的问题。关键的一点是以江青为代表的"文革"文艺批评把它们极端化、绝对化了。一般的艺术规律,被推崇为"三突出"的文艺宪法,用以律动一切文艺创作,甚至包括没有人物形象的绘画艺术、诗歌艺术。优秀剧目被标榜为"样板",形成政治话语、艺术话语的霸权,具有一字不易的权威性。使这些剧目不但没能在文艺范畴内得到充分合理的发展,还成为强迫全民接受的唯一的精神食粮,成为扼杀包括其他剧种的戏曲、电影、小说、诗歌、散文等所有文艺形式在内的工具。可以想像,自然的文艺规律被人为地扭曲为政治工具,后果必然要随江青等人的灭亡,被蒙上浓重的历史阴影,一度封存进"文革"的大泥淖里。

随着时间的推移,人们反思历史的目光逐渐褪去偏激。拂去蒙在"样板戏"上厚厚的历史尘埃,人们才发现,"样板戏"有被用作工具、过度膨胀的社会政治功能,还有负载政治理念,形成"文革"时期特有时代风格的话语。这正是留给后人不尽反思,从而将从中受益的认识价值的部分话语。当然,"样板戏"还有人们欣赏的,具有审美价值的话语。与传统京剧相比,也还有一些创新手法带来的更贴近现代生活的话语。八九十年代"样板戏"在海内外的重新火暴,近些年在文艺界有条件的认同,"红色经典"改编热的出现,在某种意义上都说明了这个问题。

第二节　毛泽东思想的影响力

不管从语言的哪个角度去观照"样板戏"话语,我们都感受到了毛泽东思想那无所不在、无时不在的影响力。因为要探究"样板戏"话语的语言风格的形成、发展、演变,就必须考察制约其形成的社会文化背景,而一考察其历史文化渊源,就追溯到了毛泽东思想对中国文化那不容忽视的影响力。所以,毛泽东思想对文艺的宏观引导,不得不成为我们首先关注的问题。

毛泽东与"样板戏"的关系问题,实在是一个沉重的话题,也是一个极其敏感的问题。即使从语言风格研究这个纯学术研讨的角度去展开,也是一个难以言说的问题。实质上,它不是我们个人的力量或者单纯从一个学科的角度就能认识,甚至可能是我们这代人也无法客观评说、并有所结论的问题。但是研究只要深入到"样板戏"话语生成发展的历史文化背景时,这又是一个绕不过去的问题。幸运的是,我们在对史料进行梳理时,发现了毛泽东虽然喜欢传统戏曲,但是为了使文艺舞台上不是只演帝王将相、才子佳人,而"有真正为工农兵的文艺,真正无产阶级的文艺"①,他又提倡演表现工农兵的现代戏。正是这种戏曲情结与建设新中国文化的伟大抱负把毛泽东和"样板戏"联结到了一起,所以我们的讨论尝试着定位于"毛泽东与现代戏"的关系。

任何艺术形式能获得生存和发展,历史自会做出优胜劣汰的选择,传统京剧自身的完善,本来充满契机,传统京剧向现代京剧的发展,反映了艺术本体为适应现代社会需要自身发展的规律性。毛泽东提倡演现代戏,客观上切合了戏剧发展的规律,在宏观上引导了传统戏向现代戏的自然转型。但毛泽东提倡的现代戏是以否定传统戏作为基础的,所以在一定程度上又影响了传统戏产生、完善、发展的内在规律性。

我们讨论民族文化心态从遵从中庸平和的传统逐渐转向"主斗"、"主变"的传统,并引证陈思和"战争文化心理"的论述,是想说明:毛泽东提出《沙家浜》的主题应该表现武装的革命消灭武装的反革命;主创人员自觉地把表现武装斗争、阶级斗争作为"样板戏"话语的精神母题;"样板戏"始终是以"斗争"话语作为核心话语的时代风格特征,都与民族文化心态的变异和"战争文化心理"有着历史继承性。

毛泽东《在延安文艺座谈会上的讲话》中明确指出:"'文艺的基本出发点是爱,是人类之爱。'爱可以是出发点,但是还有一个基本出

---

① 《毛泽东选集》第三卷,第857页。

发点。爱是观念的东西,是客观实践的产物。我们根本上不是从观念出发,而是从客观实践出发。我们的知识分子出身的文艺工作者爱无产阶级,是社会使他们感觉到和无产阶级有共同的命运的结果。我们恨日本帝国主义,是日本帝国主义压迫我们的结果。世上决没有无缘无故的爱,也没有无缘无故的恨。至于所谓'人类之爱',自从人类分化成为阶级以后,就没有过这种统一的爱。"① 毛泽东的话批判了泛爱的观点,确定了阶级之爱的思想基础,直接影响了人们对"爱"的理解和对"爱"的表达。反映在"样板戏"这种戏曲艺术中,就是戏曲中的情感话语都充满着鲜明的对立色彩,是对帝国主义侵略者和阶级敌人强烈仇恨的情感话语,是对党和毛主席,对军队和人民无比热爱的情感话语。

江青是为了进入权力中心,才插手戏剧改革的。她染指"样板戏",使"样板戏"打上了"江记"印记。她对"样板戏"的恶劣影响是扩大、利用了"样板戏"话语的社会政治功能。她的种种干预,加速了戏剧话语政治化的进程。

第三节 语言学视野中的"样板戏"

我们的研究原则是:从语言事实出发,让语言材料自身体现出来的结论说话。我们选择了语言风格学的研究方法进行研究,并且以传统戏曲话语中的精品作为比较的参数,在归纳、统计、比较、推理的基础上也得出了一些结论。

第一章以"适者生存"法则观照传统京剧和"样板戏",可以发现是徽汉合流形成的京剧取代了秦腔、昆曲。"样板戏"以现代戏的面目出现,对传统戏曲的革新,充分体现了传承、创新、发展、不断完善的戏剧发展规律,体现了"适者生存"的理据性。

第二章"样板戏"话语生成的语境从五个角度探讨了"样板戏"话语语言风格形成的语言学根据、文学语境和社会心理。其中,以"毛

---

① 《毛泽东选集》第三卷,第870~871页。

泽东语言对'样板戏'文本的影响和示范作用"和"'文革'语体的思维特征"两节得出的结论最具说服力。

第三章通过考察传统戏曲中的曲牌体和板腔体不同的结构体式,我们发现"样板戏"的结构体式不纯粹是一般人所言的板腔体,它以板腔体为主,对曲牌体又多有继承和创新。音乐创新方面,也不乏可圈可点之笔。

第四章"'样板戏'话语的语言体制"得出的结论最令人欣喜。"样板戏"话语运用总的原则是:政治标准第一,艺术标准第二,形式的安排完全服从于内容表达的需要。"飞扬不还的音韵"一节以数据强有力地说明了"样板戏"话语追求响韵洪韵,过度强化了铿锵有力、雄浑豪放之声,使音韵选用超出了传统戏曲用韵的常规,破坏了音律的和谐多样美。"雅丽不兴的词语"一节比较出"样板戏"的词语质朴少华、雅丽未相参的特性。"板正不奇的语法"部分的研究表明:只有动词用得富于戏剧性,其余词类和句法板板正正、循规蹈矩、缺少新意。"雕镂未足体的修辞"一节中考察出"样板戏"话语中修辞手法的运用只是一些零金碎玉,在应该大笔挥就、尽情泼洒笔墨的时候,作者受语境的制约,吝啬笔墨纵情抒怀,只搬些假大空的模式话语来叙事、摹态、表情、说理,结果形成小有雕琢却未出大气精品的修辞特征。

第五章至第六章以"诗化的语言特征"、"既俗且雅的语言特征"为视角,我们观察到"样板戏"话语与传统戏曲话语之间的源流关系和传承与创新特征。

第七章从"样板戏"的表现风格入手,确认了"雄浑豪迈"、"壮丽庄穆"、"繁富丰厚"、"奇崛独特"是"样板戏"具有审美价值的话语风格特征。总结出"样板戏"话语过于注重抒发强烈的阶级爱憎感情和革命豪情,又使得豪放壮美有余、柔婉优美不足成为其最主要的语言风格特征。

第八章是把"样板戏"文体个体作为研究对象,从审美的角度单独考察其语言风格大同中的小异。

第九章通过讨论"样板戏"话语偏离正常人性的情感缺陷话语,

我们相对分离出"样板戏"中负载政治理念的话语,总结出以下结论:一方面,"样板戏"话语选择"情"作为切入点,运用各种艺术手段,集中渲染了一种气氛,强化了一种体现阶级共性、代表普遍社会意义的爱憎感情;另一方面,由于这种情感话语是缺乏完美的审美品质、有缺陷的话语,它偏激地强调阶级共性和抒发革命豪情,把人物多层次的感情极端化为或爱或憎两种感情,把人物丰富复杂的内心感受浅表化、变异化、模式化,在"主题先行"、"三突出"创作原则的制约下,汇同音乐、表演、舞美、服装、道具等艺术手段,为塑造出一批没有个性特征,贴着伟大崇高标签的英雄人物发挥了最强的语言功力。

"颂扬"、"斗争"是"文革"文艺创作的两大主题,这两大主题决定了"样板戏"话语的格调整和气氛。第十章通过讨论"样板戏"以"颂扬"话语、"斗争"话语为核心话语的倾向性,描述出"样板戏"话语所表现的时代风格特征。

第十一章从"民族文化心态的变异"、"毛泽东文艺观的宏观导引"、"江青的种种干预"三个角度讨论了"样板戏"豪放壮美有余、柔婉优美不足的语言风格形成的社会历史文化原因。

第四节 余论

"样板戏"是打上了深重时代烙印的现代戏。"样板戏"不仅仅体现了"文革"时代精神,"样板戏"还是整个50年代和60年代初时代精神甚至前溯到五四时代精神的集中反映。

文学界、史学界、政治界有人根据"样板戏"的社会政治功能,把其划归"阴谋文艺",我们在大量语言材料和统计数据的基础上得出了结论:"样板戏"是打上时代烙印,负载了政治理念的现代戏,但也是具有革命理想主义、英雄主义精神和一定艺术审美品质的现代戏。理由为:

一、大部分"样板戏"的原始文本在"文革"前,即十七年时期已创演成型,"文革"后的改编本、改定本是在原始文本基础上增加删改而成。虽然有的被改得并非本来面目,但绝大部分与原作的基本精神保持一致，是对十七年文学政治理想、艺术手法及价值观念的合理继承。而且，正是这部分内容构成了"样板戏"话语的主体。

二、"样板戏"拥有一定的审美品质与拥有长期的、大量的观众应该是一种互动共生、相辅相成的关系。因为"样板戏"作为京剧艺术是一种需要观众的艺术。而京剧产生于民间，兴于市井，是一种民间艺术、市民艺术，观众就是本来意义上戏曲创作的起点和归宿。所以观众对戏剧话语提出具有艺术感染力的要求，推动了戏曲话语必须遵循的艺术发展自身的规律性，而戏曲对艺术审美品质的自觉追求，又在一定程度上满足了观众的需求。"样板戏"在"文革"特殊的社会政治背景下家喻户晓，普及程度远远超过了当年《千钟禄》和《长生殿》"家家收拾起，户户不提防"的盛况，不管是不是强迫所致，它总是显示出了一定的群众基础。进而思之，京剧这种古老的艺术样式要接受现代人欣赏品味和现代媒体的挑战，要争取青年人这一人数众多的观众群，除了内容要表现现代人对生活的思考以外，在形式方面，也要采用符合现代人思维模式的话语系统和符合现代人审美趣味的表演形式。"样板戏"在戏曲表演形式方面的现代性，也在一定程度上符合了现代人的审美情趣。它不可以像小说《虹南作战史》、《牛田洋》那样成为政治传声筒，话语彻头彻尾变成政治理念的载体。它尽管表现出戏剧话语向政治话语位移的倾向性，归根到底它还是具有源于大众、服务大众的通俗品格的艺术品。若换位思考，"样板戏"缺乏艺术魅力，失去观众，也不是江青等人在大破古的、洋的、30年代以来的、十七年的"封资修"文艺之后，大立"样板戏"为主流文艺的本意。所以，尽管"样板戏"被加进了不少政治写作、阶级写作、革命写作的成分，这些话语也只是形成"样板戏"话语的支流话语。可以说，"样板戏"话语以观众需要为契机，以具有审美价值的话语为特征，挽救了自己被历史永远抛弃的命运。

三、"样板戏"话语跟其他现代戏话语一样，都是在传统戏曲话语的基础上生成，是戏曲话语自身向现代化推进所作的一种努力。但由于社会历史的原因，"样板戏"话语的诸多构成因素在发展中呈现出不平衡性。比较而言，"样板戏"话语对传统戏曲话语抒情特征的继承发展是较为充分的,但却是有缺陷,有偏颇的。从戏曲发展自身的因素来考察,形成这种偏离的原因是"样板戏"话语想把戏曲的史诗因素和抒情因素结合起来,使"样板戏"成为现代戏曲形式的光辉样板,人物形象成为英雄的典型。可由于太多复杂因素的渗入,"样板戏"在"文革"结束的那一历史瞬间被定格为服务于政治的宣传戏、运动戏,"样板戏"话语中的豪言壮语成了假大空话语的典型。

"样板戏"话语的语言风格研究是一个具有挑战性、拓荒性的课题。它需要研究者具备综合的、高度的语言素质、文学修养、思辨能力、艺术审美能力。加之这个课题涉及的问题许多都是当今史学界、政治界、文学界、艺术界极其敏感且尚未达成共识的问题,加之研究又涉及语言、文学、戏曲艺术中诸多学科的知识问题,涉及面广、问题复杂、可供借鉴的同类研究又少,致使研究成了一个难以全面、客观、准确言说的课题。

面对浩瀚的史料,我们查寻阅读、归纳推理,耗时极多。也苦苦思索,力求从语言出发,从事实出发,期冀得出与话语本身呈现的面貌完全一致的结论。但任何研究都需要磨合、需要积累。要想对"样板戏"话语有一个全面、客观、公正的结论,仍然需要辩证的态度,时间的沉积和研究的积累。尽管目前做出的研究不够系统深入,也不尽如人意,但可以肯定的是,作为"文革"文学研究的一个有机组成部分,它为我们以后进行的深化研究和相关研究,开创了一个值得去耕耘的基地。

征引文献

[1] 王运熙、周锋《文心雕龙译注》，上海，上海古籍出版社，1998年版
[2] (明)王骥德《曲律》，陈多、叶长海注释，长沙，湖南人民出版社，1983年版
[3] (清)刘熙载《刘熙载集》，陈文和、刘立人点校，上海，华东师大出版社，1993年版
[4] (清)刘熙载《刘熙载论艺六种》，徐中玉、萧华荣点校，成都，巴蜀书社1990年版
[5] (清)李渔《李渔全集·闲情偶寄》，杭州，浙江古籍出版社，1985年版
[6] (清)崔颢《通俗编》，北京，商务印书馆，1937年版
[7] (日)稻叶志郎《京剧音韵探究》，上海，学林出版社，1988年版
[8] 中国戏曲研究院《中国古典戏曲论著集成》，北京，中国戏曲出版社，1982年版
[9] 秦学人等《中国古典编剧理论资料论辑》，北京，中国戏剧出版社，1984年版
[10] 陈多、叶长海《中国历代剧论选注》，长沙，湖南文艺出版社，1987年版
[11] 陈衍《中国古代编剧理论初探》，武汉，湖北人民出版社，

1984年版
- [12] 祝肇年《古典戏曲编剧六论》，北京，中国戏曲出版社，1986年版
- [13] 蔡钟翔《中国古典剧论概要》，北京，中国人民大学出版社，1988年版
- [14] 杜书瀛《论李渔的戏剧美学》，北京，中国社会科学出版社，1982年版
- [15] 王国维《王国维戏曲论文集》，北京，中国戏剧出版社，1984年版
- [16] 张庚、郭汉城《中国戏曲通论》，上海，上海文艺出版社，1989年版
- [17] 张庚《戏曲艺术论》，北京，中国戏剧出版社，1980年版
- [18] 王卫民编《吴梅戏曲论文集》，北京，中国戏剧出版社，1983年版
- [19] 吕效平《戏曲本质论》，南京，南京大学出版社，2003年版
- [20] 周维培《论中原音韵》，北京，中国戏剧出版社，1990年版
- [21] 徐慕云《京剧音韵》，上海，上海文艺出版社，1980年版
- [22] 商韬《论元代杂剧》，济南，齐鲁书社，1986年版
- [23] 叶长海《中国戏剧学史稿》，上海，上海文艺出版社，1986年版
- [24] 谢柏梁《中国当代戏曲文学史》，北京，中国社会科学出版社，1995年版
- [25] 高义龙、李晓《中国戏曲现代戏史》，上海，上海文化出版社，1999年版
- [26] 许金榜《中国戏曲文学史》，北京，中国文学出版社，1994年版
- [27] 周贻白《中国戏剧史讲座》，北京，中国戏剧出版社，1981年版
- [28] 王新民《中国当代戏剧史纲》，北京，社会科学文献出版社，1997年版

[29] 麻文琦、谢雍君、宋波《中国戏曲史》,北京,文化艺术出版社,1998年版
[30] 王朝闻《论戏剧》,重庆,重庆出版社,1987年版
[31] 老舍《论剧作》,北京,人民文学出版社,1979年版
[32] 吴同宾《京剧知识手册》,天津,天津教育出版社,1995年版
[33] 上海艺术研究所,中国戏剧家协会上海分会编《中国戏曲曲艺词典》,上海,上海辞书出版社,1981年版
[34] 沈尧《戏曲与戏曲文学论稿》,北京,中国戏剧出版社,1986年版
[35] 安葵《戏曲"拉奥孔"》,北京,文化艺术出版社,1993年版
[36] 安葵《新时期戏曲创作论》,北京,新华出版社,1993年版
[37] 苏国荣《中国剧诗美学风格》,上海,上海文艺出版社,1986年版
[38] 门岿《戏曲文学:语言托起的综合艺术》,桂林,广西师范大学出版社,2000年版
[39] 何辉斌《戏剧性戏剧与抒情性戏剧:中西戏剧比较研究》,北京,中国社会科学出版社,2004年版
[40] 朱文相《建国以来戏曲表演艺术的继承与革新》,《戏曲艺术》,1992年第4期
[41] 王元化《中国京剧之我见》,《戏剧艺术》,1992年第4期
[42] 董健《中国戏剧现代化的艰难历程》,《文艺评论》,1998年第5期
[43] 董健《20世纪中国戏剧:脸谱的消解与重构》,《戏剧艺术》,2000年第2期
[44] 王世勋《京剧现代戏断面谈》,《戏曲艺术》,1992年第4期
[45] 王育林《样板戏的产生及其创作模式》,《戏剧研究》,2000年第3期
[46] 孙蓉蓉《论中国古代戏曲的诗化》,《戏剧艺术》,1992年第2期

[47] 张广天《江山如画宏图展》,《戏剧研究》,2000年第3期
[48] 陈望道《修辞学发凡》,上海,上海教育出版社,1997年版
[49] 张弓《现代汉语修辞学》,天津,天津人民出版社,1963年版
[50] 胡裕树《现代汉语》,上海,上海教育出版社,1992年版
[51] R.R.K.哈特曼 F.C.斯托克《语言与语言学词典》,黄长著等译,上海,上海辞书出版社,1982年版
[52] 周振甫《中国修辞学史》,北京,商务印书馆,1999年版
[53] 李熙宗、刘明今、袁震宇、霍四通《中国修辞学通史·明清卷》,长春,吉林教育出版社,1998年版
[54] 袁晖《二十世纪的汉语修辞学》,太原,书海出版社,2000年版
[55] 李嘉耀、李熙宗《实用语法修辞教程》,上海,复旦大学出版社,1996年版
[56] 宗廷虎、戏明以、李熙宗、李金苓《修辞新论》,上海,上海教育出版社,1998年版
[57] 王希杰《修辞学导论》,杭州,浙江教育出版社,2000年版
[58] 中国华江修辞学会、复旦大学语文所编《语体学》,合肥,安徽教育出版社,1987年版
[59] 苏旋等译《语言风格与风格学论文选译》,北京,科学出版社,1960年版
[60] 陈松岑《"文革"语体初探》,《中国语文》,1988年第3期
[61] 程祥徽、黎运汉编《语言风格论集》,南京,南京大学出版社,1994年版
[62] 程祥徽《语言风格初探》,香港,三联书店香港分店,1985年版
[63] 黎运汉《汉语风格探索》,北京,商务印书馆,1990年版
[64] 张德明《语言风格学》,长春,东北师范大学出版社,1990年版
[65] 郑远汉《汉语风格学》,武汉,湖北教育出版社,1990年版

[66] 陈汝东《社会心理修辞学导论》,北京,北京大学出版社,1999年版
[67] 谭学纯、唐跃、朱玲《接受修辞学》,合肥,安徽大学出版社,2000年版
[68] 陆善采《实用汉语语义学》,上海,学林出版社,1993年版
[69] 吴洁敏、朱宏达《汉语节律学》,北京,语文出版社,2001年版
[70] 周北海《模态逻辑导论》,北京,北京大学出版社,1997年版
[71] 马威《戏剧语言》,上海,上海文艺出版社,1985年版
[72]《马克思恩格斯选集》,北京,人民出版社,1972年版
[73]《毛泽东选集》,北京,人民出版社,1991年版
[74] 黑格尔《美学》,朱光潜译,北京,商务印书馆,1986年版
[75]《别林斯基选集》,上海,上海译文出版社,1980年版
[76]《毛泽东著作专题摘编》,北京,中央文献出版社,2003年版
[77] 刘景荣、袁喜生《毛泽东文艺年谱》,长春,吉林人民出版社,2002年版
[78] 傅金祥《毛泽东语体在现代汉语写作发展史上的地位和影响》,《文艺理论与批评》,2001年第1期
[79] 萧延中《从奠基者到"红太阳"》,北京,中国工人出版社,1998年版
[80] 张学新、王之望《毛泽东文艺思想与实践大观》,天津,天津人民出版社,1993年版
[81] 陈晋《毛泽东的文化性格》,北京,中国青年出版社,1991年版
[82] 李鹏程《毛泽东与中国文化》,北京,人民出版社,1993年版
[83] 邢福义《毛泽东著作语言论析》,武汉,湖北教育出版社,1994年版
[84] 何九盈《中国现代语言学史》,广州,广东教育出版社,1995

年版
[85]韩立群《中国语文革命——现代语文观及其实践》,北京,中国编译出版社,2003年版
[86]李淮春《现代思维方式与领导活动》,北京,求实出版社,1987年版
[87]陈思和《中国当代文学史教程》,上海,复旦大学出版社,1999年版
[88]《周扬文集》第1卷,北京,人民文学出版社,1984年版
[89]陈思和《陈思和自选集》,桂林,广西师大出版社,1997年版
[90]李辉《沧桑看云》,上海,上海远东出版社,1997年版
[91]於可训《中国当代文学概论》,武汉,武汉大学出版社,1998年版
[92]谢冕《文学的绿色革命》,贵阳,贵州人民出版社,1988年版
[93]郜元宝《作为方法的语言——"胡适之体"和"鲁迅风"》,《文学评论》,1998年第1期
[94]陈明显主编《新中国四十五年研究》,北京,北京理工大学出版社,1994年版
[95]杨鼎川《1967狂乱的文学年代》,济南,山东教育出版社,1998年版
[96]徐达深主编《共和国史记·神州板荡》,长春,吉林人民出版社,1999年版
[97]徐达深主编《共和国史记·上下求索》,长春,吉林人民出版社,1999年版
[98]报刊文选《京剧革命十年》,北京,人民出版社,1975年版
[99]戴嘉枋《样板戏的风风雨雨》,北京,知识出版社,1995年版
[100]许晨《人生大舞台——"样板戏"内部新闻》,郑州,黄河文艺出版社,1990年版
[101]席宣、金春明《文化大革命简史》,北京,中共党史出版社,

1996年版

[102] 王尧《关于"文革文学"的释义与研究》,《文艺理论研究》,1999年第5期

[103] 王尧《"文革文学"纪事》,《当代作家评论》,2000年第4期

[104] 胡有清《论文革批评模式》,《文艺理论》,1998年第3期

[105] 周振甫《文学风格例话》,上海,上海教育出版社,1989年版

[106] 王之望《文学风格论》,成都,四川文艺出版社,1986年版

[107] 邱明正《审美心理学》上海,复旦大学出版社,1993年版

[108] 吴晓《意象符号与情感空间——诗学新解》,北京,中国社会科学出版社,1990年版

[109] 张泽伦《京剧音乐的里程碑——论"样板戏"的音乐创作成就》,《人民音乐》,1998年第11期

[110] 孟繁华《政治文化与中国当代文艺学》,《中国社会科学》,1999年第6期

[111] 张开焱《召唤——应答:文学与政治关系的理论表述》,1999年12月9日文艺报

[112] 熊忠武《中国当代文学艺术风格的传承、变异与时代特色》,《上海师范大学学报》,1999年第3期

[113] 谭学纯《走向21世纪的文学话语读解》,《山花》,1998年第4期

[114] 谭学纯《回眸历史风暴:文革文学话语论》,《东方丛刊》,1999年第3期

[115] 杨健《文化大革命中的地下文学》,北京,朝华出版社,1993年版

[116] 单正平《文化大革命:神权政治下的国家罪错》,(美)《当代中国研究》,2003年第3期

[117] 吴迪《新中国的文艺实验:1949到1966年的"人民电影"》,(美)《当代中国研究》,2000年第2期

[118] 金亨兰《样板戏的失与得》,(韩)《中国现代文学》,第26

号
[119]于福存、王永昌《人民的审判》,合肥,安徽人民出版社,1998年版
[120]宋剑华《苦涩记忆中的"文革文学":文学史意义与审美价值的评估》,《理论与创作》,2004年第3期
[121]俞雷庆《尘封的记忆》,《艺术世界》,2000年11月号
[122]徐晋如《遭遇革命现代京剧》,《艺术世界》,2000年11月号
[123]《革命样板戏剧本汇编》(第一集),北京,人民文学出版社,1974年版
[124]人民文学出版社编辑部《革命样板戏论文集》,北京,人民文学出版社,1976年版
[125]初澜等《革命样板戏评论集》,上海,上海人民出版社,1976年版
[126]邢映《切合具体情境 表现明确个性——革命现代京剧艺术语言学习札记》,1973年6月16日《文汇报》
[127]邢映《和"炼话"一样好 比古典还要活——革命现代京剧艺术语言学习札记》,1973年7月25日《文汇报》
[128]邢映《鲜明的时代特点 独特的民族风格——赞革命现代京剧〈杜鹃山〉的艺术语言》,1973年10月14日《文汇报》
[129]初澜《战斗的诗篇——学习革命现代京剧〈杜鹃山〉语言艺术札记》,1973年12月18日《光明日报》
[130]关山《新词佳句颂英雄——学习〈平原作战〉的语言艺术》,1973年7月28日《人民日报》
[131]姜汝真《中国传统文化的历史阐释与现代价值》,太原,山西教育出版社,1997年版
[132]丁福保《佛学大辞典》,北京,文物出版社,1984年版
[133]中国佛教文化研究所《俗语佛源》,上海,上海人民出版社,1993年版

[134]朱瑞玟《成语与佛教》,北京,北京经济学院出版社,1989年版
[135]《大中华文化知识宝库》,长沙,湖南人民出版社,1993年版
[136]郑也夫《礼语·咒语·官腔·黑话》,北京,光明日报出版社,1993年版
[137]陈伟武《骂詈行为与汉语詈词探论》,《中山大学学报》,1992年第4期
[138]《新英汉词典》,上海,上海译文出版社,1981年版

后　记

怀着一种复杂的心情寄出了书稿。留存心中的不尽然是轻松释怀，还有少许惶惑焦虑。尽管书中凝聚的不仅仅是个人的思考，还参考了众多的文献资料，还吸纳了多门学科的精粹和许多先哲时贤的真知灼见作为理论的支撑，但心里仍然忐忑不安，想得最多的无疑是它的可接受性。毕竟自己选择的论题是一个数亿人曾经有过亲身的感知和体认，至今又还是众说纷纭、结论迥异的问题；毕竟这个论题有着极其复杂的背景，是立题时拟在纯学术层面展开而不由自己意志为转移地涉及了政治历史因素的问题；毕竟这个论题有相当的难度，尽管从各个学科的角度进行的研究也取得了富有的成果，却没有系统的语言研究可资借鉴，很难把握自己尝试着从语言角度得出的、畅所欲言的结论，能不能得到社会和学界的关注和首肯；毕竟有很多人泼过冷水，说论题是个"烫山芋"，吃力而不一定有期待的学术效应，先期的成果送出去发表，也曾经被告知有太强的政治性而遭到冷遇。现在著作要付梓印行，自然是惶惑多于欣喜。

论题的被激发是1999年初春偶然读到1998年10月22日《读书之旅》上登载的文章《"文革文学"研究已迫在眉睫》。文章报道中国社科院文学所、中国当代文学研究会和一批在京的专家学者举行座谈会，呼吁抓紧进行"文革文学"研究。温儒敏、吴思敬、张颐武等教授还指出："文革文学"研究"已是刻不容缓的事情"，"因其艰巨性和复杂性，是个坐冷板凳的研究项目，可能还要顶着一定的压力，可能一时或几年都不能出版。但是……我们有责任把这件事做起来，免得给历史留下空缺和遗憾"。作为"文革"开始时已经有记忆，作为听着"样板戏"长大的"文革"亲历者，我自觉选择这个论题可能会比没有这段经历的人有更真切的体验，更准确的描绘。因此积极回应"文革文学"研究的呼吁，为语言学界在"文革文学"论域不"留下空缺和遗憾"作了竭诚的努力。

不言而喻，在20世纪文学史中，最特殊的文学形态莫过于"文革文学"。可是由于"文革文学"浓重的政治色彩，对它的研究又一直没有得到应有的重视。学界在编写"20世纪文学史"的时候，"文革文学"往往被寥寥几笔带过或简单地省略了，好像文学史至此发生了断裂，出现了一个整整十年的断层。其实，"文革文学"并非"文革无学"、"一片空白"。"文革"十年期间，仅公开出版的长篇小说就有82部，诗歌、散文、戏剧、电影也发表和出版不少。"文革文学"作为一种历史的映射和客观的存在，不应该简单地否定它、被动地回避它，正确的态度应该是积极地面对它，用科学的方法去反映它，反映它本来的面貌特征，反映它在特定社会条件下的艺术审美价值和历史意义。

"样板戏"是"文革文学"的重要组成部分，又是"文革文学"中最独特、最完整、最有代表性的文学形态。用学术眼光来审视，它又是牵动了一个世纪戏剧史，影响到20世纪多门学科学术史书写的研究课题。时至今日，它仍然以"文革"小说、诗歌、散文等体式无法与之相提并论的深厚历史文化底蕴发散着影响力。故我把它确立为博士论文的选题。

本书是在博士论文的基础上修改成型的。复旦大学中文系教授、博士生导师李熙宗先生和陈思和先生欣然为之作序。这既是对此书探索精神的评价和肯定，也是一种鞭策和期许。

在博士论文写作的过程中，得到了博士生导师李熙宗教授高屋建瓴的点拨和悉心的指引；硕士生导师、原河南大学副校长陈信春教授对著作的修改、出版也倾注了极大的热情。师恩浩荡，满心的感激非叩谢言语可表达其万一。

诸多前辈俊杰以他们博大精深的论述给予我知识的启迪和方法

论的指引,除了在征引文献目录中列出表示敬意,也借此机会表达最诚挚的谢意!

最要感激的还有河南大学出版社的袁喜生先生,是他的热诚和胆识,使我这沉寂数年的研究成果重获新生!

在此,对曾经支持我、帮助我的诸多良师益友和家人,我也一并恭致谢忱!

祝克懿
2004 年 11 月 30 日于书馨公寓